Karen Marie Moning

Fascinée par la mythologie celtique, elle se spécialise dans le genre des romances paranormales ayant pour cadre les Highlands. De 1999 à 2006, elle se lance dans l'écriture des *Highlanders*, une saga composée de huit romans, que les Éditions J'ai lu publient aujourd'hui, pour la première fois en France. D'ores et déjà, Karen Marie Moning pose les bases d'un monde fantastique auquel elle reviendra des années plus tard avec *Les chroniques de MacKayla Lane*, une série d'urban-fantasy au succès phénoménal. Dans ses romans, elle s'attache à faire revivre les Faë, des êtres immortels qui ont vécu à l'écart des humains durant des millénaires. Elle aime mettre en scène de séduisants et courageux highlanders, dans des univers mystiques. Tous ses livres sont des best-sellers, traduits en vingt et une langues.

L'année même de sa parution aux États-Unis, en 1999, *La malédiction de l'Elfe noir* a reçu le prix Romantic Times de la meilleure romance à travers le temps.

En 2001, *The Highlander's Touch*, le troisième tome de la série, a été récompensé du prestigieux Rita Award de la meilleure romance paranormale.

La rédemption du Berserker

Du même auteur
aux Éditions J'ai lu

LES HIGHLANDERS

1. LA MALÉDICTION DE L'ELFE NOIR
N° 9738
2. LA RÉDEMPTION DU BERSERKER
N° 9826

LES CHRONIQUES DE MACKAYLA LANE

1. FIÈVRE NOIRE
2. FIÈVRE ROUGE
3. FIÈVRE FAË
4. FIÈVRE FATALE
5. FIÈVRE D'OMBRES

KAREN MARIE
MONING

LES HIGHLANDERS – 2

La rédemption du Berserker

Traduit de l'américain
par Lionel Évrard

Titre original
TO TAME A HIGHLAND WARRIOR

Éditeur original
A Dell Book, published by Bantam Dell
a division of Random House, Inc., New York

Celui-ci est pour Rick Shomo
– extraordinaire Berserker –
et pour Lisa Stone – extraordinaire éditrice.

Remerciements

Poursuivre un rêve constitue une aventure risquée, où le soutien et les conseils de la famille et des amis sont précieux. De tout mon cœur, je voudrais remercier ma mère, qui m'a transmis sa formidable volonté et m'a appris à ne jamais renoncer à mes rêves ; ainsi que mon père, qui fait preuve chaque jour de la noblesse, de la conduite chevaleresque et de la force infatigable d'un vrai héros.

Ma profonde gratitude à Mark Lee, dépositaire des connaissances de l'univers, dont les bizarreries en tout genre ont nourri mon âme d'écrivain ; et aux dames de RBL Romantica pour leur amitié, leur perspicacité, ainsi que, naturellement, pour la page « *Bonny and Braw Beefcake Farm* » de leur site Internet.

Remerciements particuliers à Don et Ken Wilber, du cabinet Wilber Law Firm, pour avoir bien voulu créer les conditions propices à l'épanouissement de mes deux carrières en leur permettant de se dérouler en parallèle sans se gêner l'une l'autre.

Reconnaissance éternelle à ma sœur, Elizabeth, qui contribue à me faire garder les pieds sur terre de bien des manières, et à mon agent, Deirdre Knight, dont les conseils professionnels et l'amitié ont enrichi mon écriture et ma vie.

Et enfin, mille mercis aux libraires et aux lectrices qui ont fait de mon premier roman un succès.

Pour les termes d'origine écossaise non traduits et les noms de personnages et de lieux, voir le glossaire en fin de volume.

Une légende celte

Une légende raconte que les pouvoirs du Berserker – force surnaturelle, habileté, adresse – peuvent être acquis par un homme au prix habituel de son âme.

Dans les collines couvertes de bruyère des Highlands, le dieu viking Odin rôde dans les endroits sombres, à l'affût du hurlement déchirant d'un homme brutalisé au-delà de toute résistance humaine et prêt à requérir son aide.

La légende prétend que si ce mortel en est digne, le souffle primitif des dieux balaie son cœur, le transformant en invincible guerrier.

Il se murmure parmi les femmes que le Berserker est un amant incomparable, mais la légende précise qu'il n'existe qu'une compagne digne de lui. Comme le loup, il n'aime qu'une fois, et pour toujours.

Dans les hauteurs des montagnes d'Écosse, le Cercle des Anciens affirme qu'une fois dans la place, le Berserker ne peut plus être chassé. Et si l'homme en qui il s'incarne n'apprend pas à accepter les instincts primitifs de la bête qui sommeille en lui, il doit mourir.

Une légende raconte l'histoire d'un tel homme…

Prologue

> « La mort elle-même vaut mieux qu'une vie d'opprobre. »
>
> BEOWULF

Maldebann Castle, Highlands, 1499

Ces hurlements devenaient insupportables…

Gavrael se sentait incapable de les endurer plus longtemps, pourtant il ne pouvait rien faire pour sauver ceux qui les poussaient : sa famille, son clan, son meilleur ami, Arron, avec qui il avait couru les landes couvertes de bruyère la veille encore. Et sa mère… Mais quant à elle, c'était une autre histoire. Sa mort n'avait constitué qu'un avant-goût de cette… barbarie qui s'était abattue sur eux.

Il se détourna de la scène, s'accusant aussitôt de lâcheté. S'il ne pouvait les sauver, au moins devait-il se conduire honorablement et graver les événements dans sa mémoire. Pour les venger.

« La vengeance ne ressuscite pas les morts… »

Combien de fois avait-il entendu son père, si sage, si fort, répéter cet adage ? Jusqu'alors, il y avait cru, tout comme il avait cru en lui. Mais c'était avant de le découvrir, ce matin-là, penché sur le cadavre de sa femme, une dague à la main, où dégouttait encore le sang qui avait trempé sa chemise...

Gavrael McIllioch, fils unique du laird de Maldebann, demeurait immobile au sommet de Wotan's Cleft, les yeux rivés sur le village de Tuluth qui s'étendait au bas de la falaise. Il ne comprenait pas comment une telle journée avait pu virer d'un coup au cauchemar. La veille encore avait été un jour agréable, empli des plaisirs simples d'un garçon promis à gouverner ce coin luxuriant des Highlands quand il serait grand. Mais il avait suffi de la cruelle matinée qui avait suivi pour anéantir ses espoirs et lui briser le cœur. Après avoir vu l'auteur de ses jours penché sur le cadavre sauvagement mutilé de Jolyn McIllioch, Gavrael était allé chercher refuge au fin fond de la forêt, où pendant des heures la rage et la peine avaient alterné en lui.

Finalement, toutes deux avaient reflué, le laissant dans un étrange détachement. Au crépuscule, il avait repris le chemin de Maldebann Castle, afin d'affronter son père. Il avait voulu lui demander raison de ce meurtre, dans une ultime tentative pour trouver un sens à ce qui n'en avait peut-être pas. Mais à présent, perché au bord de la falaise qui dominait Tuluth, le fils âgé de quatorze ans de Ronin McIllioch réalisait que son cauchemar ne faisait que commencer. Maldebann Castle était attaqué. Le village était la proie des flammes. Ses habitants se frayaient un chemin, affolés, entre des colonnes de feu et des monceaux de cadavres. Éperdu d'impuissance, Gavrael vit un petit garçon jaillir d'une masure et s'embrocher directement sur l'épée d'un guerrier qui l'attendait. Il n'était qu'un enfant, mais les enfants pouvaient grandir et chercher vengeance. Les McKane, fanatiques et impitoyables, étaient connus pour ne laisser derrière eux aucune semence de haine susceptible de prospérer et de porter des fruits vénéneux.

À la lumière des incendies, Gavrael constata que les assaillants étaient largement supérieurs en nombre. Pour chaque McIllioch, il se trouvait une dizaine de plaids gris et vert de l'ennemi. C'est presque comme s'ils avaient su que nous serions vulnérables, songea-t-il. Plus de la moitié du clan se trouvait dans le Nord, pour une noce.

Gavrael détestait n'avoir que quatorze ans. Bien que grand et fort pour son âge, il savait ne pas être de taille face aux massifs McKane. Tous étaient des guerriers adultes, au physique puissamment développé, guidés par une haine farouche. Ils s'entraînaient sans cesse, n'ayant pour but dans l'existence que pillage et tuerie. En s'en prenant à eux, il n'aurait pas eu plus d'efficacité qu'un roquet jappant devant un ours déchaîné. En plongeant dans la bataille qui faisait rage sous ses yeux, il n'aurait fait que précipiter inutilement sa mort, comme ce gamin quelques instants plus tôt. Et s'il devait mourir, se promit-il, il ferait en sorte que cela serve à quelque chose.

Soudain, le vent parut porter un murmure à ses oreilles. *Berserker...* Gavrael redressa la tête, aux aguets. Comme s'il ne suffisait pas que son monde s'écroule sous ses yeux, il fallait en plus qu'il entende des voix... Sa raison allait-elle lui faire défaut, elle aussi, avant le coucher du soleil ? Il savait de manière certaine que la légende du Berserker n'était rien d'autre que cela : une légende.

Invoque les dieux... semblait murmurer la ramure au-dessus de lui. Comme il le faisait depuis qu'à l'âge de neuf ans il s'était pris de passion pour ce conte terrifiant ? Non, les Berserkers n'existaient pas, tenta-t-il de se convaincre. Il ne s'agissait que d'un mythe destiné à faire peur aux enfants turbulents pour les inciter à la sagesse.

Ber... ser... ker... Cette fois, le murmure était plus net, trop insistant pour n'être que le fruit de son imagination.

Gavrael se retourna d'un bond et examina les rochers derrière lui. Un emmêlement de rocs et d'antiques pierres levées occupait le sommet de Wotan's Cleft, produisant sous le clair de lune une mer d'ombres surnaturelles. L'endroit était réputé sacré. Les chefs de guerre d'autrefois s'y rassemblaient pour établir leurs plans de bataille et régler le sort des nations. En un tel lieu, un tout jeune homme tel que lui aurait presque pu croire en l'existence des démons. Il tendit l'oreille, sans rien percevoir d'autre que les cris des siens qui mouraient.

Comme il était dommage que les croyances païennes ne reposent sur aucune réalité… La légende voulait que les Berserkers se déplacent si vite qu'aucun œil humain ne pouvait observer leur progression. On ne les apercevait que lorsqu'il était trop tard et qu'ils passaient à l'attaque. Leurs sens possédaient une acuité surnaturelle : on leur prêtait l'odorat du loup, la finesse auditive de la chauve-souris, la force combinée de vingt hommes, l'œil pénétrant de l'aigle. Près de sept cents ans plus tôt, les Berserkers avaient été les plus intrépides guerriers à avoir jamais foulé le sol de l'Écosse. Au service du dieu Odin, ils avaient formé un corps d'élite. La légende affirmait aussi qu'ils pouvaient prendre la forme d'un loup ou d'un ours aussi bien que celle d'un homme. Un trait les distinguait du commun des mortels : des yeux d'un bleu impie, qui luisaient tel l'acier chauffé à blanc.

Berserker… souffla le vent dans un soupir.

— Un Berserker, ça n'existe pas ! lança Gavrael d'un ton de défi à la nuit.

Il n'était plus le gamin insouciant qu'avait séduit l'idée de posséder une force surhumaine, qui s'était déclaré prêt à payer de son âme immortelle la puissance et la maîtrise absolue d'un héros. De toute façon, ses yeux à lui étaient bruns.

Invoque-moi…

Gavrael tressaillit. Cet ultime tour joué par son esprit tourmenté avait résonné à ses tympans tel un ordre, d'une force indéniable, irrésistible. Ses cheveux se hérissèrent au bas de sa nuque. Un picotement parcourut sa peau. Au cours de toutes ces années où il avait joué à appeler le Berserker, pas une seule fois il ne s'était senti aussi effrayé. Son sang courait dans ses veines. Il se sentait vaciller au bord d'un abîme dont la profondeur insondable l'attirait et le repoussait à la fois.

Plus que jamais, des cris emplissaient la vallée. Les enfants mouraient l'un après l'autre, pendant que lui restait au-dessus de la mêlée, incapable d'infléchir le cours des événements. Il se sentait capable de tout pour les sauver : marchander, truander, voler, tuer – capable *de tout*.

Des larmes coulèrent le long de ses joues lorsqu'il vit, en contrebas, une petite fille aux anglaises blondes pousser son dernier souffle. Il n'y aurait plus de bras aimants pour elle, pas de soupirants transis à l'avenir, pas de noces et pas d'enfants – plus rien de sa précieuse vie. Une mare de sang poissait le devant de sa robe, qu'il contemplait fixement, tétanisé. Le monde, pour lui, se réduisit à un tunnel étouffant, dans lequel s'engouffrait le sang jailli de la poitrine de l'enfant, flot cramoisi dans lequel il se noyait.

Alors, quelque chose se brisa en lui.

La tête rejetée en arrière, il se mit à crier, ses paroles ricochant contre les rocs de Wotan's Cleft.

— Entends ma prière, Odin ! J'invoque le Berserker ! Moi, Gavrael Roderick Icarus McIllioch, je t'offre ma vie – et mon âme ! – pour obtenir vengeance. *Que vienne le Berserker !*

Le vent jusque-là modéré se fit plus violent, soulevant un tourbillon de terre et de feuilles. En hâte, Gavrael se cacha le visage sous ses bras pour le protéger du picotement des débris végétaux qui le percutaient. Des branches, soulevées comme des fétus par la bourrasque, s'abattirent sur son corps ainsi qu'autant de lances. De noires nuées s'assemblèrent rapidement dans le ciel, masquant la lune. Le vent violent, en se ruant dans le dédale de rochers, leur arracha de longues plaintes qui vinrent momentanément faire taire les cris dans la vallée. Soudain, la nuit parut exploser dans un jaillissement de bleu et Gavrael sentit son corps... changer.

Il s'entendit gronder, découvrant les dents, tandis qu'au fond de lui une part de son être se transformait de manière irrévocable.

Des dizaines d'odeurs issues du champ de bataille lui assaillirent les narines, parmi lesquelles dominait celle, acre et métallique, du sang et de la haine.

Derrière l'horizon, il entendit les murmures lointains du campement des McKane.

Il s'aperçut alors pour la première fois que les guerriers semblaient se mouvoir au ralenti. Comment avait-il pu ne pas le remarquer auparavant ? Cela devenait d'une facilité déconcertante de jaillir au milieu d'eux pour les anéantir, alors qu'ils titubaient comme s'il leur fallait avancer dans du sable humide. Si facile de les anéantir... Si facile...

La respiration de Gavrael s'accéléra. Ses poumons s'emplirent de tout l'air qu'ils pouvaient contenir avant qu'il ne s'élance vers la vallée. Alors qu'il plongeait à corps perdu dans la bataille, un rire triomphant retentit. Il ne s'aperçut que c'était le sien que lorsque tombèrent les premiers McKane sous le fil de son épée.

Des heures plus tard, Gavrael errait dans les ruines fumantes de Tuluth. Les McKane avaient disparu, soit tués soit chassés par lui. Les survivants donnaient les premiers soins aux blessés, s'écartant prudemment du jeune fils de Ronin McIllioch.

— Près de soixante, mon garçon... murmura un vieil homme aux yeux clairs alors que Gavrael passait près de lui. Même ton père, en son jeune temps, n'en aurait pas tué autant. Tu seras Berserker plus que lui encore.

Stupéfait, Gavrael le dévisagea. Sans lui laisser le temps de demander ce qu'il entendait par là, le vieillard disparut à sa vue dans la fumée noire des derniers feux.

— T'en as zigouillé trois d'un seul coup d'épée ! lui lança de loin un autre homme.

Un bambin vint serrer avec effusion les genoux de Gavrael entre ses bras.

— Tu m'as sauvé ! s'exclama-t-il. Ce vieux McKane m'aurait croqué pour son souper ! Merci ! Merci ! M'man te remercie aussi…

Gavrael sourit à l'enfant avant de se tourner vers la mère, qui se signa. Elle ne paraissait quant à elle pas aussi enthousiaste que son fils.

— Je ne suis pas un monstre, protesta-t-il en se renfrognant.

— Je sais exactement ce que t'es, mon gars…

Son regard ne quittait pas le sien. Aux oreilles de Gavrael, ses paroles sonnaient comme une condamnation.

— Je sais exactement ce que t'es, reprit-elle, et va pas t'imaginer me faire croire aut' chose. Va, maintenant. J'crois bien que ton père a des ennuis.

D'un doigt tremblant, elle désignait la sortie du village, au-delà des derniers rangs de masures incendiées.

Plissant les yeux pour résister à la fumée qui les piquait, Gavrael tituba dans la direction indiquée. De toute son existence, jamais il ne s'était senti aussi épuisé. D'une démarche gauche, il contourna l'un des derniers bâtiments encore debout et s'arrêta net.

Son père était allongé devant lui sur le sol, couvert de sang, son épée abandonnée dans la poussière à son côté.

Le chagrin et la colère se disputèrent son cœur, le laissant étrangement vide. À l'image de l'homme blessé étendu devant lui se superposa celle de sa mère assassinée. Pour lui, les dernières illusions de l'enfance n'étaient plus que souvenirs. Ce soir-là, un extraordinaire guerrier était né, de même qu'un homme de chair et de sang ignorant comment se protéger contre la douleur.

— Pourquoi, père ? Pourquoi ?

La voix rauque, Gavrael butait sur les mots qu'il lui fallait prononcer. Plus jamais il ne verrait sa mère lui sourire ni ne l'entendrait chanter. Il n'assisterait même pas à ses funérailles, car il comptait bien quitter Maldebann à jamais une fois que son père lui aurait répondu. À moins qu'il ne décide, finalement, de laisser s'abattre sur lui sa rage ? Et que deviendrait-il, dans ce cas ? Guère mieux que lui...

Ronin McIllioch gémit. Lentement, il ouvrit ses yeux maculés de sang séché et les posa sur son fils. Un filet écarlate coula de ses lèvres quand il lutta pour parler.

— Nous... sommes...

Brusquement secoué par une quinte de toux, il dut s'interrompre.

Gavrael empoigna la chemise de son père et, indifférent à sa grimace de douleur, commença à le secouer rudement. Il était déterminé à obtenir la réponse dont il avait besoin avant de partir. Sous peine de demeurer toute sa vie torturé par d'angoissantes questions, il lui fallait découvrir quelle folie s'était emparée de Ronin McIllioch pour le pousser à tuer celle qu'il aimait plus que tout.

— Quoi, père ? Dis-le ! Dis-moi pourquoi !

Le regard trouble de Ronin chercha celui de son fils. Sa poitrine se soulevait et s'abaissait au rythme de sa respiration saccadée. Avec une curieuse nuance de compassion dans la voix, il répondit :

— Fils... nous n'y pouvons rien. Les hommes... du clan McIllioch... nous naissons tous ainsi.

Gavrael lança à son père un regard horrifié.

— Tu oses me dire ça ? se récria-t-il. Tu crois pouvoir me convaincre que je suis fou, comme toi ? Je n'ai rien à voir avec toi ! Je ne te crois pas ! Tu mens ! *Tu mens !*

D'un bond, il fut sur ses pieds et s'écarta.

Ronin McIllioch se força à se redresser sur les coudes et désigna d'un coup de menton l'évidence de la sauvagerie de son fils – tous ces guerriers McKane littéralement réduits en pièces.

— C'est toi, fils... dit-il. C'est toi qui as fait ça.

— Je ne suis pas un tueur sanguinaire !

Gavrael laissa son regard courir sur les corps mutilés, sans trop y croire lui-même.

— Cela fait partie... de l'héritage McIllioch, conclut Ronin avec fatalisme. Tu n'y peux rien, fils.

— Ne m'appelle pas comme ça ! Je ne serai plus jamais ton fils... Je ne partage pas ta folie. Je ne suis pas comme toi. Je ne serai *jamais* comme toi !

Ronin se laissa retomber sur le sol, marmonnant des paroles incohérentes. Gavrael se boucha les oreilles pour ne pas l'entendre. Lui tournant le dos, il laissa son regard errer sur ce qui restait de Tuluth. Les survivants, par petits groupes hébétés, l'observaient dans un silence absolu. Pour ne plus subir ce qu'il se rappellerait toujours comme leurs regards de reproche, il contempla la masse noire de Maldebann Castle, accroché à flanc de montagne, qui dominait le village. Il n'avait jusqu'alors rêvé de rien de mieux que de grandir dans ce château aux côtés de son père, pour l'aider à gouverner le clan et éventuellement lui succéder. Il avait souhaité entendre toujours le rire cristallin de sa mère retentir dans ses salles et corridors, et le grondement rauque de la voix de son père lui répondre par quelque plaisanterie. Il avait ambitionné de veiller le plus sagement possible aux intérêts des siens, de se marier le temps venu et d'avoir lui aussi des enfants. *Aye...* Jusqu'alors, il avait cru tout cela possible. Mais en moins de temps qu'il n'en avait fallu à la lune pour achever son ascension dans le ciel, tous ses rêves et ce qu'il y avait en lui d'essentiellement humain avaient été détruits.

Gavrael eut besoin de presque une journée pour rejoindre le sanctuaire des denses forêts des Highlands, où il put mettre son corps perclus de douleurs à l'abri. Jamais plus il ne pourrait rentrer chez lui. Sa mère était morte. Le château avait été mis à sac. Les habitants de Tuluth le considéraient comme un monstre. Les dernières paroles de son père le hantaient. *Nous naissons tous ainsi...* Les McIllioch, de père en fils, capables d'assassiner dans un moment de folie ceux qu'ils prétendaient aimer. Ce devait être une maladie de l'esprit, songea Gavrael. Son père avait affirmé qu'il la portait lui aussi dans son sang.

Assoiffé, il s'effondra à moitié dans le loch occupant le fond d'une vallée. Durant un temps indéterminé, il demeura à moitié évanoui sur un tapis de bruyère. Et lorsqu'un peu de force lui revenait, il se traînait sur les coudes jusqu'à la rive, pour y étancher sa soif inextinguible. Alors qu'il rassemblait ses mains en coupe, penché au-dessus de l'eau, il se figea, fasciné par son reflet.

Deux yeux lumineux, d'un bleu de glace, soutenaient son regard.

1

Dalkeith-Upon-the-Sea, Highlands, Écosse, 1515

Grimm se planta devant les portes ouvertes de l'étude et admira le paysage nocturne. Sous le ciel étoilé, piqueté de milliers de lumignons, l'océan repartait sans cesse à l'assaut du rivage. Habituellement, il trouvait apaisant le bruit des vagues venant s'écraser sur les rochers. Mais ces derniers temps, il semblait plutôt faire naître en lui une agitation confinant à l'inquiétude.

Il se remit à arpenter la pièce en s'efforçant d'en déterminer les raisons, et n'en trouva aucune. C'était par choix qu'il était resté à Dalkeith en tant que capitaine de la garde lorsque, deux ans plus tôt, il avait quitté la cour du roi James à Édimbourg avec son meilleur ami, Hawk Douglas. Grimm adorait Adrienne, la femme de Hawk – quand elle n'essayait pas de jouer les marieuses à son profit. Il était également tombé sous le charme de Carthian, leur jeune fils. En leur compagnie, il avait vécu content de son sort, sinon heureux. Du moins jusqu'à ces derniers temps. Quelle mouche l'avait-elle donc piqué ?

— Tu vas finir par percer des trous dans mon tapis préféré, Grimm... plaisanta Adrienne, le tirant de sa rêverie mélancolique. Et le peintre ne pourra jamais terminer ce portrait si tu ne te décides pas à t'asseoir.

Grimm soupira et passa une main nerveuse dans sa chevelure épaisse. Après être allé de nouveau se camper devant la porte-fenêtre, il laissa ses doigts jouer distraitement contre l'une de ses tempes avec quelques mèches, tout en reprenant sa contemplation de la mer.

— Ne me dis pas que tu guettes une nouvelle étoile filante ! le taquina Hawk, ses yeux noirs brillant de malice.

— On ne m'y reprendra plus ! répondit-il. Et lorsque ton espiègle épouse sera prête à me révéler la malédiction qu'elle a fait peser sur ma tête par son souhait imprudent, je serai ravi de l'entendre.

Un jour, Adrienne Douglas avait adressé un vœu à une étoile filante. Depuis ce temps, elle refusait obstinément de dire à son mari aussi bien qu'à Grimm ce qu'elle avait souhaité. Pour le leur révéler, elle attendrait, disait-elle, que son vœu ait été entendu et exaucé. La seule chose qu'elle voulait bien admettre, c'était que ce vœu concernait Grimm, ce qui l'énervait considérablement. Même s'il ne se considérait pas comme superstitieux, il avait assisté à suffisamment d'événements curieux pour savoir que ce qui paraissait improbable n'était pas forcément impossible.

— Et moi donc... renchérit Hawk. Mais à moi non plus, elle ne veut rien dire.

Adrienne se mit à rire gaiement.

— Qu'avez-vous, tous les deux ? fit-elle mine de s'étonner. Ne me dites pas que de si farouches guerriers s'effraient du vœu inoffensif d'une simple femme ?

— Il n'y a pas grand-chose en toi d'inoffensif, répliqua Hawk avec un sourire désabusé. Les lois universelles les mieux établies ont furieusement tendance à dérailler quand tu es concernée.

Grimm réprima un sourire. C'était peu de le dire. Adrienne avait été projetée dans le temps, depuis son

XXe siècle d'origine, victime d'un plan sournois concocté par un *faë* jaloux, désireux de se venger de Hawk. L'impossible devenait possible en ce qui la concernait. C'était bien pourquoi il aurait aimé savoir quel vœu elle avait fait. Si les portes de l'enfer devaient s'ouvrir devant lui, il préférait ne pas être pris au dépourvu.

— Viens t'asseoir, Grimm ! le pressa Adrienne. Je veux que ce portrait soit achevé pour Noël, et Albert a besoin de quelques mois pour le réaliser à partir de ses ébauches.

— Uniquement parce que je tiens à ce que mon travail soit parfait ! intervint le peintre, froissé.

Tournant le dos au paysage nocturne, Grimm revint s'asseoir près de Hawk devant la cheminée.

— Je ne vois toujours pas l'intérêt de la chose, maugréa-t-il. Les portraits sont bons pour les femmes et les enfants.

Adrienne pouffa de rire.

— Si j'ai passé commande au meilleur portraitiste de ce pays, précisa-t-elle, c'est pour immortaliser deux des plus magnifiques hommes sur lesquels mes yeux se sont posés.

Elle assortit ces paroles d'un sourire éblouissant. Grimm leva les yeux au ciel. Il ne pouvait rien lui refuser quand elle lui souriait ainsi.

— Et tout ce qu'ils trouvent à faire, reprit-elle, c'est de grogner et de rechigner à poser. Un jour, vous me serez reconnaissants. Ça, je peux vous le garantir.

Grimm et Hawk échangèrent un regard amusé, avant de reprendre la pose qu'elle avait choisie afin de mettre en valeur leur allure ombrageuse et leur physique avenant.

— Assurez-vous de peindre les yeux de Grimm aussi bleus qu'ils le sont en réalité, conseilla-t-elle à Albert.

— Comme si je ne savais pas peindre ! marmonna celui-ci. C'est *moi* l'artiste, ici. À moins que vous ayez l'intention de vous mettre à l'ouvrage…

— Je croyais que c'étaient les miens que tu aimais ! protesta Hawk, ses yeux noirs plissés par le soupçon.

Amusée, Adrienne taquina son mari.

— C'est vrai. D'ailleurs je t'ai épousé, non ? Mais qu'y puis-je si toutes les femmes de Dalkeith, depuis la plus jeune soubrette de douze ans, se pâment devant les yeux de ton ami ? Ils me font penser à mes saphirs quand je les observe à la lumière du soleil : d'un bleu iridescent.

— Et les miens ressemblent à quoi ? s'indigna Hawk de plus belle. À de vieilles noix desséchées ?

— Idiot ! C'est ton cœur que je décrivais ainsi quand je t'ai connu. Et toi, Grimm, arrête de gigoter. À moins que tu n'aies une raison particulière de vouloir de ces tresses à tes tempes sur le portrait ?

L'intéressé se figea, avant de porter ses mains à ses tempes. Hawk dévisagea son ami, fasciné.

— Qu'as-tu donc en tête ? demanda-t-il.

Grimm déglutit péniblement. C'était sans en avoir conscience qu'il avait natté deux tresses de guerre dans ses cheveux. Un homme ne les portait qu'aux heures les plus sombres de son existence – lorsqu'il pleurait la femme aimée ou se préparait pour la bataille. Jusqu'à ce jour, il n'avait eu à les arborer que deux fois. Que lui arrivait-il donc ? Incapable de prononcer un mot, il baissa les yeux et observa le plancher sans le voir. Dernièrement, il s'était de nouveau laissé obséder par les fantômes du passé, qu'il avait cru avoir enterrés à jamais, bien des années auparavant. Mais dans ses rêves, la procession des ombres avait repris, laissant dans leur sillage un sentiment de malaise qui le poursuivait tout au long du jour.

À cet instant, un garde franchit les portes de l'étude.

— Milord... Milady...

Le soldat s'inclina respectueusement devant Hawk et Adrienne. Puis, le visage grave, il s'approcha de Grimm :

— Ceci vient d'arriver pour vous, cap'taine.

Il lui tendit un parchemin d'allure officielle et ajouta :

— Le messager a précisé que je devais vous le remettre en main propre et que c'était urgent.

Grimm retourna lentement le message entre ses doigts et reconnut l'élégant sceau de Gibraltar Saint-Clair, gravé en creux dans la cire rouge. Un flot de souvenirs enfouis, que résumait un nom, jaillit du fond de sa mémoire. *Jillian*... Pour lui, elle représentait une promesse de joie et de beauté inaccessible, qu'il avait cru enfouir dans cette tombe qui recrachait désormais tous ses fantômes.

— Eh bien, Grimm... ouvre-la ! intervint Adrienne.

Prudemment, comme s'il tenait un animal blessé n'attendant qu'une occasion de lui sauter à la figure, il brisa le sceau et ouvrit la missive. Statufié sur place, il lut les trois mots du commandement bref qu'elle contenait. Sa main se crispa, froissant l'épais vélin.

Se redressant d'un bond, il s'adressa au garde.

— Fais seller mon cheval ! Je partirai dans une heure.

L'homme acquiesça d'un signe de tête et quitta l'étude.

— Alors ? demanda Hawk. Qu'est-ce que ça dit ?

— Rien qui te concerne, répondit-il. Tu n'as pas à t'inquiéter.

— Tout ce qui concerne mon meilleur ami me concerne, répliqua Hawk. Je t'écoute : qu'est-ce qui ne va pas ?

— Je te l'ai dit, rien. N'insiste pas, l'ami !

Grimm s'était exprimé d'un ton légèrement menaçant qu'un homme plus impressionnable n'aurait pas osé défier. Hawk n'avait jamais été du genre à se laisser impressionner par quiconque. Aussi bondit-il sur son ami de manière si soudaine que celui-ci n'eut pas le temps de réagir lorsqu'il lui subtilisa le parchemin froissé. Il battit en retraite et déplia la missive, qu'il lut avec un sourire malicieux. Celui-ci s'élargit encore quand il annonça à sa femme :

— Il est écrit : « Viens pour Jillian. » Une belle, donc. Le mystère s'épaissit ! Et moi qui pensais que tu avais renoncé aux femmes, mon changeant ami. Qui est Jillian ?

— Une femme ! s'extasia Adrienne. Une jeune et jolie dame bonne à marier ?

— Arrêtez, tous les deux ! ordonna Grimm sèchement. Ce n'est pas du tout ça.

— Dans ce cas, pourquoi cherches-tu à en faire un secret ? insista Hawk.

— Parce qu'il y a certaines choses que tu ne sais pas à mon sujet. Faute de pouvoir te raconter toute l'histoire, ajouta-t-il vaguement, je te ferai parvenir un message dans quelques mois.

— Ne crois pas t'en tirer si aisément, Grimm Roderick !

D'un air pensif, Hawk caressa le chaume de barbe qui lui hérissait le menton.

— Qui est Jillian ? reprit-il. Et comment se fait-il que tu connaisses Gibraltar Saint-Clair ? Je pensais que tu avais débarqué à la cour de James directement d'Angleterre... J'étais persuadé que tu n'avais de connaissances en Écosse que celles que tu t'es faites à Édimbourg.

— Je ne t'ai pas raconté exactement toute l'histoire. Et je n'ai pas le temps de le faire à présent. Mais je te promets de tout t'expliquer dès que je serai installé.

— Tu me dis tout maintenant, ou je viens avec toi, menaça Hawk. Ce qui signifie qu'Adrienne et Carthian nous suivraient également. À toi de choisir. Tu parles, ou tu te prépares à avoir de la compagnie. Et tu sais qu'on ne peut prédire comment les choses vont tourner quand ma chère épouse est de la partie...

Le visage de Grimm se tordit en une grimace éloquente.

— Tu peux être une véritable nuisance, Hawk.

— Une nuisance implacable, approuva Adrienne d'une voix douce. À ta place, Grimm, je m'exécuterais tout de suite. « Non » n'est pas une réponse pour mon mari. J'en sais quelque chose…

Hawk prit le relais.

— Allez, Grimm ! Si tu ne peux pas me faire confiance, alors tu ne peux te fier à personne. Où vas-tu ?

— Ce n'est pas une question de confiance, Hawk.

Mais loin de se le tenir pour dit, son ami le dévisagea d'un air qui donna à Grimm l'assurance qu'il ne lui laisserait pas de répit. Hawk insisterait et le titillerait tant et plus, avant de faire exactement ce dont il l'avait menacé s'il ne lui donnait pas de réponse satisfaisante. Peut-être, songea-t-il, le moment était-il venu d'avouer la vérité, même si le risque était grand qu'ensuite il ne soit plus le bienvenu à Dalkeith.

— Enfin, ça peut l'être, admit-il de mauvaise grâce. Pour répondre à ta question, je dois rentrer chez moi.

— Tu viens de Caithness ?

— Tuluth, rectifia-t-il.

— Pardon ?

— Tuluth, répéta Grimm platement. Je suis né à Tuluth.

— Mais… tu disais être né à Édimbourg !

— Je t'ai menti.

— Pourquoi ? Tu m'as expliqué que toute ta famille était morte. Était-ce également un mensonge ?

— Non. Ils sont bien morts. Je ne t'ai pas menti à ce sujet. Enfin… presque pas, rectifia-t-il aussitôt. Mon père est toujours en vie, mais cela fait plus de quinze ans que je ne lui ai pas parlé.

Un muscle se contracta sur la mâchoire de Hawk.

— Assieds-toi, Grimm, ordonna-t-il. Tu n'iras nulle part tant que tu ne m'auras pas tout dit.

— Je n'ai pas le temps. Si Saint-Clair laisse entendre que c'est urgent, cela signifie que j'aurais dû être à Caithness il y a une semaine de cela.

— Caithness ? Quel est le lien avec tout ce que tu viens de me dire ? Et avec toi ? Parle ! *Maintenant !*

Comprenant qu'il ne pourrait y couper, Grimm reprit sa déambulation et se lança dans le récit de son histoire. Il raconta à ses amis comment, à l'âge de quatorze ans, il avait quitté Tuluth la nuit du massacre et erré dans les forêts des Highlands deux années durant, ses tresses de guerre aux tempes, haïssant l'humanité, son père et lui-même. Il leur épargna les épisodes les plus éprouvants – l'assassinat de sa mère, la faim qui l'avait longtemps tourmenté, les atteintes répétées contre sa vie. Il leur expliqua qu'à seize ans il avait fini par trouver refuge chez Gibraltar Saint-Clair. C'était à cette époque qu'il avait adopté son nom d'emprunt – Grimm – afin de protéger ceux qui lui étaient chers. Mais les McKane avaient néanmoins fini par retrouver sa trace à Caithness et avaient attaqué sa famille d'accueil. Finalement, il révéla aux Douglas quel était son véritable nom.

— Qu'as-tu dit ? s'exclama Hawk, stupéfait.

Grimm prit une profonde inspiration et vida d'un coup l'air de ses poumons.

— J'ai dit : Gavrael, répondit-il d'un ton peu amène. C'est mon véritable prénom.

Il n'y avait qu'un seul Gavrael dans toute l'Écosse. Aucun autre homme n'aurait accepté de porter ce prénom et la malédiction qui s'y rattachait. Grimm se blinda, dans l'attente de l'explosion de colère de son ami.

Hawk le dévisageait d'un air incrédule, les yeux plissés.

— McIllioch ? demanda-t-il.

— McIllioch, confirma Grimm.

— Et pourquoi Grimm ?

— C'est simple : je m'appelle Gavrael Roderick Icarus McIllioch.

Il avait prononcé son nom avec un accent highlander si prononcé qu'il en devenait presque inintelligible.

— Prends la première lettre de chacun de mes prénoms et de mon patronyme, expliqua-t-il. G, R, I, M.

— Gavrael McIllioch était un Berserker ! rugit Hawk.

— Je t'avais prévenu que tu ne savais pas tout à mon sujet, répliqua Grimm d'un air sombre.

Hawk traversa l'étude en trois enjambées et vint se camper devant lui pour le scruter, presque nez à nez, comme s'il avait pu découvrir sur ses traits quelque indice qui aurait dû le dénoncer depuis des années.

— Comment ai-je pu m'aveugler à ce point ? murmura-t-il. Et dire que pendant tout ce temps, je me suis étonné de certains de tes petits talents, sans me douter... Par tous les saints ! La couleur de tes yeux, déjà, aurait dû...

— Des tas de gens ont les yeux bleus, le coupa Grimm.

— Mais pas d'un bleu pareil, fit remarquer Adrienne.

— Tout s'explique, reprit Hawk d'une voix songeuse. Tu n'es pas humain.

Grimm tressaillit. Adrienne vint passer son bras sous le sien en adressant un regard de reproche à son mari.

— Ne dis pas de bêtises, Hawk ! Bien sûr que si, Grimm est humain. Seulement, c'est un humain un peu... amélioré.

— Un Berserker, précisa Hawk en secouant la tête. Un maudit Berserker. Tu sais qu'il paraît que William Wallace[1] en était un ?

— Et quelle adorable femme il a eue, pas vrai ? ajouta Grimm d'un ton chargé d'amertume.

---

1. Patriote écossais (1272-1305) personnifié par Mel Gibson dans le film *Braveheart*. *(N.d.T.)*

Grimm prit la route peu après, refusant de répondre à d'autres questions et laissant son ami Hawk parfaitement insatisfait. Une avalanche de souvenirs menaçait de l'engloutir. Il préférait être seul quand la mémoire lui reviendrait. Ce n'était jamais de gaieté de cœur qu'il pensait à Tuluth. S'il n'en avait tenu qu'à lui, il aurait préféré n'y plus penser du tout.

Tuluth... Dans sa mémoire s'attardait l'image d'une vallée emplie de nuages de fumée noire chargée d'une odeur de chair brûlée, si dense qu'elle irritait les yeux. Des enfants hurlaient. *Och !* Par tous les saints...

Grimm poussa Occam au galop le long de la crête qu'il suivait. Il demeurait insensible à la beauté nocturne des Highlands, perdu qu'il était dans un autre temps, couleur de sang et de ténèbres, où se désolaient sans fin des âmes torturées. Avec juste une touche d'or pour les éclairer...

Jillian.

— *Est-ce que c'est un animal, p'pa ? Je peux le garder ? S'il te plaît ! Je n'ai jamais vu de bête aussi magnifique !*

Au fond de lui, il avait de nouveau seize ans et regardait de haut la petite fille toute dorée. Grimm se laissa engloutir par ce lointain passé, et avec lui la honte lui revint en bloc, plus épaisse que le miel à peine extrait d'un rucher. Elle l'avait trouvé au fond des bois où il se terrait, cherchant sa pitance telle une bête.

— *Il sera plus féroce que mon Savanna Tea-Garden, p'pa !*

Savanna Tea-Garden, chien-loup irlandais de près de cent quarante livres, était son animal de compagnie.

— *Il me protégera, p'pa ! Je sais qu'il le fera !*

Dès l'instant où ces paroles étaient tombées de ses lèvres parfaites, il s'était juré qu'il en serait toujours ainsi, incapable d'imaginer qu'un jour ce serment le pousserait à la protéger aussi de lui.

Grimm passa la main sur sa mâchoire rasée de frais et secoua la tête dans le vent. L'espace d'un instant, il eut l'impression de sentir encore les tresses de guerre à ses tempes, ainsi que la sueur et la saleté qui avaient formé sur son corps une gangue de crasse. Ses yeux luisaient d'une haine farouche, et pourtant la charmante enfant lui avait fait confiance au premier regard.

Il avait fini par lui faire comprendre qu'elle n'aurait pu être plus mal placée.

2

Les Saint-Clair voyageaient depuis une semaine pour se rendre chez leur fils dans les Highlands, lorsque Gibraltar se décida à faire part à Elizabeth de son plan. S'il l'avait pu, il s'en serait abstenu, mais il ne supportait pas de voir sa femme contrariée.

— As-tu entendu ça ? demanda-t-elle après avoir fait volter sa monture pour le rejoindre.

— Quoi donc ? répondit-il. Tu étais trop loin. Comment veux-tu que je puisse entendre ?

— À présent, ça suffit ! s'emporta-t-elle. J'en ai assez !

Gibraltar arqua un sourcil, intrigué.

— De quoi parles-tu, mon amour ?

Elizabeth secoua énergiquement la tête.

— Je suis fatiguée d'entendre les hommes discuter entre eux de Jillian comme d'une sainte pure et sans défaut – autant dire une vieille fille !

— Tu as encore été écouter aux portes… lui reprocha gentiment Gibraltar. N'est-ce pas ?

— Si les gardes eux-mêmes se mettent à canoniser ma fille, dit-elle en montrant d'un geste excédé les soldats de l'escorte, je suis en droit d'écouter ce que je veux ! Figure-toi que nos fiers protecteurs – des hommes en pleine force de l'âge et en pleine santé – étaient en train de vanter ses vertus… Et par là, ils n'entendaient pas ses seins, ses yeux ou ses courbes féminines, mais son doux tempérament, sa patience... et son attrait pour le cloître ! Dieu nous vienne en aide... T'a-t-elle fait part, à toi, de cette soudaine vocation de nonne ?

Sans attendre de réponse, Elizabeth fit stopper sa monture et fusilla son mari du regard.

— À les entendre, reprit-elle, il n'y aurait plus qu'à lui accrocher une auréole au-dessus de la tête. Et pas un pour avoir un propos déplacé à son sujet ou vouloir la...

Gibraltar éclata de rire en tirant sur les rênes de son étalon pour qu'il se range à côté de la jument de sa femme.

— Comment oses-tu trouver cela drôle ? se récria-t-elle.

Les yeux brillants, il secoua la tête d'un air attendri. Il n'y avait que son Elizabeth pour tirer offense de ce que les hommes ne parlent pas de séduire leur fille unique.

— Gibraltar, je te demande d'être sérieux un instant ! Jillian a déjà vingt et un ans et aucun homme n'a jamais tenté sérieusement de lui faire la cour. Je suis sûre que c'est la plus belle fille de toute l'Écosse, mais ceux qui devraient se disputer ses faveurs se tiennent prudemment loin d'elle. Tu dois *faire* quelque chose. Je m'inquiète.

Le sourire de Gibraltar se figea. Elizabeth avait raison. Le sujet ne prêtait plus à rire. Lui-même était arrivé aux mêmes conclusions. Il n'était pas juste de la laisser s'en faire alors qu'il était passé à l'action pour tenter de régler le problème.

— Tranquillise-toi, répondit-il. Je m'en suis déjà occupé.

— Que veux-tu dire ?

— J'ai fait en sorte que trois hommes viennent résider à Caithness en notre absence. Lorsque nous reviendrons, Jillian aura choisi l'un d'eux – ou l'un d'eux l'aura choisie. Ils ne sont pas du genre à se laisser décourager par un soupçon de résistance, pas plus qu'à gober ces fables sur « l'attrait du couvent ».

L'expression horrifiée de sa femme doucha quelque peu son contentement.

— L'un d'eux l'aura choisie ? répéta-t-elle. Es-tu en train de me dire que l'un des trois pourrait la compromettre si elle s'obstinait à ne pas choisir ?

— La séduire, pas la compromettre ! protesta-t-il. Aucun d'eux n'irait jusqu'à la déshonorer. Ce sont de respectables lairds. Je les ai choisis en partie parce que ce sont des hommes très...

Gibraltar marqua une pause, à la recherche d'un mot suffisamment innocent pour ne pas alarmer sa femme.

— ... masculins, conclut-il. Exactement ce dont Jillian a besoin.

Le hochement de tête qui accompagnait ces paroles visait à achever de la tranquilliser. Ce en quoi il échoua.

— Masculins ! Tu veux dire une bande d'invétérées canailles prêtes à sauter sur tout ce qui bouge... Qui plus est, probablement dominateurs et dénués de la moindre tendresse. N'essaie pas de tergiverser avec moi !

Gibraltar soupira longuement. Renonçant à toute tentative de subtile persuasion, il demanda :

— Tu as une meilleure idée ? Franchement, je pense que le problème de Jillian vient du fait qu'elle n'a jamais rencontré d'homme qui ne soit pas intimidé par elle. Je peux te garantir qu'aucun de ceux que j'ai invités chez nous ne se laissera impressionner. Captiver ? oui. Intriguer ? oui. Au point de se montrer insistant ? sans aucun doute. Exactement ce dont une Sacheron a besoin : un homme qui soit suffisamment homme pour savoir quand il faut *agir*.

Elizabeth Saint-Clair, née Sacheron, se mordilla la lèvre inférieure et se plongea dans ses réflexions. Son mari y vit un signe encourageant.

— Rappelle-toi à quel point tu avais envie de faire la connaissance de notre nouveau petit-fils, poursuivit-il. Menons à bien ce projet de lui rendre visite, et voyons ce qui résultera de notre absence. Je peux t'assurer qu'aucun des hommes que j'ai choisis ne touchera un cheveu de notre précieuse fille. Ils la décoifferont peut-être un peu, mais ce sera pour son bien. Il est grand temps que notre impeccable Jillian se fasse décoiffer un peu.

— Tu crois vraiment que je vais accepter de rester au loin en la laissant à la merci de ces trois hommes – de *ce genre* d'hommes ?

— Elizabeth... Des hommes de ce genre, comme tu dis, ne voueront pas un culte parfaitement platonique à notre fille. De toute façon, si tu veux bien t'en rappeler, j'étais moi aussi l'un d'eux. Il faut un homme hors du commun à notre si peu commune Jillian.

D'une voix radoucie, il ajouta :

— J'espère pouvoir le lui trouver.

Elizabeth soupira à son tour, repoussant de son visage une mèche de cheveux.

— Je suppose que tu as raison, admit-elle. C'est vrai, elle n'a pas encore rencontré d'homme qui ne la considère pas avant tout comme une sainte. Je me demande... à ton avis, comment réagira-t-elle quand elle en rencontrera un qui ne se laissera pas abuser par les apparences ?

— Je soupçonne que, dans un premier temps, elle ne saura pas comment réagir. Cela devrait la déstabiliser, mais je suis prêt à parier qu'un des trois hommes que j'ai choisis pour elle saura l'aider à se reprendre.

La panique eut aussitôt raison des bonnes résolutions d'Elizabeth, qui s'écria :

— C'est décidé : nous rentrons ! Je ne peux être au loin alors que ma fille va être confrontée pour la première fois aux exigences de sa vie de femme. Dieu seul sait ce qu'un homme pourrait lui apprendre ou comment il s'y prendrait, sans parler du choc qui serait le sien ! Je ne peux partir en visite alors que ma fille se fait peut-être bousculer et embobiner par un gredin prêt à tout pour lui ravir son hymen ! Ce n'est tout simplement pas possible et c'est pourquoi nous devons rentrer.

Sur ce, elle lança à son mari un regard plein d'espoir, s'attendant à le voir acquiescer à ses désirs.

— Elizabeth.

C'était tout doucement, avec une grande circonspection, qu'il avait prononcé son nom.

— Gibraltar ? répondit-elle, elle aussi sur ses gardes.

— Nous ne rentrerons pas maintenant, décréta-t-il d'une voix plus ferme. Nous allons assister au baptême de notre petit-fils et résider quelques semaines chez notre fils, comme prévu.

— Jillian est-elle au courant ? s'enquit Elizabeth d'un ton glacial.

Non sans une certaine satisfaction, Gibraltar secoua négativement la tête.

— Elle n'en a pas la plus petite idée dans sa jolie tête.

— Et ces hommes ? Ne crois-tu pas qu'ils vont vendre la mèche ?

Le sourire de Gibraltar se fit diabolique.

— Je ne leur ai rien dit à eux non plus. Je les ai pressés de venir, c'est tout. Mais Hatchard est au courant et se tient prêt à leur dire toute la vérité au moment le plus approprié.

— Quoi ! protesta-t-elle, choquée. Tu n'en as parlé à personne sauf au capitaine de la garde ?

— Hatchard est un homme avisé. Et Jillian a besoin que les choses se passent ainsi, Elizabeth. De toute façon, ajouta-t-il d'un air provocateur, quel homme accepterait de faire le siège de la virginité d'une jeune femme alors que sa mère écoute aux portes ?

— *Och !* Ma mère, mon père, mes sept frères et mes grands-parents ne t'ont pas empêché de faire le siège de la mienne... Ni de m'enlever.

Gibraltar laissa fuser un petit rire ravi.

— Tu le regrettes ?

Pour toute réponse, Elizabeth lui adressa sous ses cils à demi baissés un regard torride qui l'assura du contraire.

— Tu vois ! triompha-t-il. Parfois, c'est l'homme qui sait ce qu'il convient de faire. N'ai-je pas raison ?

Elle ne répondit pas, mais Gibraltar n'en avait cure. Il savait que sa femme lui faisait aveuglément confiance. Elle avait juste besoin d'un peu de temps pour s'habituer à son plan, et accepter l'idée que leur fille puisse avoir besoin d'un petit coup de pouce pour s'envoler hors du nid.

Quand Elizabeth reprit enfin la parole, ce fut d'un ton presque résigné :

— Quels hommes as-tu choisis, sans faire appel à mon intuition pénétrante et sans requérir mon consentement ?

— Eh bien... tout d'abord, Quinn de Moncreiffe.

Le regard de Gibraltar ne quittait pas celui de sa femme, à l'affût de la moindre de ses réactions.

Quinn, blond comme les blés, était un homme aussi séduisant qu'attachant. Avant d'hériter de ses titres, il avait navigué sous pavillon noir pour le roi. À présent, il avait sous ses ordres une flotte de navires marchands qui avaient considérablement accru la fortune déjà grande de son clan. Les Saint-Clair lui avaient servi de famille d'accueil alors qu'il n'était encore qu'un enfant, et Elizabeth lui avait toujours voué une tendresse particulière.

— Bon choix... commenta-t-elle. Ensuite ?

— Ramsay Logan.

— Oh ! s'exclama-t-elle, les yeux ronds. Quand je l'ai vu à la cour, il était habillé en noir de la tête aux pieds !

Et il paraissait dangereusement séduisant. Comment se fait-il qu'aucune femme ne lui ait encore mis le grappin dessus ? Mais continue, Gibraltar... Cela devient intéressant. Qui est le troisième ?

Gibraltar préféra détourner la conversation.

— Nous nous attardons trop loin des gardes, Elizabeth. La paix règne dans les Highlands depuis quelque temps, mais on n'est jamais trop prudent. Nous devrions y aller.

Penché sur sa selle, il prit les rênes de sa femme et tenta de l'entraîner. Elizabeth le foudroya du regard et récupéra son bien.

— Nous les rattraperons plus tard, dit-elle sèchement. Qui est le troisième ?

Les sourcils froncés, Gibraltar regarda leur escorte disparaître à un tournant de la route.

— Elizabeth ! protesta-t-il. Il ne faut pas nous attarder. Tu n'as pas idée de...

— Le troisième, Gibraltar, répéta-t-elle patiemment.

— Tu es spécialement belle aujourd'hui, mon amour... dit-il d'une voix enrouée par le désir.

Ses paroles ne lui ayant valu qu'un regard glacial, il arqua un sourcil et s'étonna :

— T'ai-je vraiment parlé de trois hommes ?

Le visage de sa femme se ferma davantage encore.

Gibraltar laissa fuser un soupir exaspéré, avant de marmonner entre ses dents un nom incompréhensible et de relancer sa monture en avant.

— Qu'est-ce que tu viens de dire ? cria-t-elle en mettant sa jument au trot pour ne pas se laisser distancer.

— Grand Dieu, Elizabeth ! s'emporta-t-il. Cesse donc et laisse-nous chevaucher en paix.

— Quand tu m'auras répété ce que tu viens de dire.

De nouveau, il lui fit une réponse inintelligible.

— Je ne comprends pas un mot lorsque tu marmonnes, insista-t-elle sans s'énerver.

Douce comme une sirène, songea Gibraltar. Et tout aussi fatale.

— J'ai dit : Gavrael McIllioch. D'accord ? À présent que tu es satisfaite, nous pouvons reprendre notre voyage ?

Il fit volter son étalon en la défiant du regard, savourant le fait d'être pour une fois parvenu à surprendre Elizabeth Saint-Clair plus qu'elle ne l'avait jamais été.

Incrédule, celle-ci dévisagea son mari.

— Dieu du ciel ! Le Berserker...

Sur la pelouse en pente de Caithness, Jillian Saint-Clair frissonna en dépit de la chaleur d'une belle journée. Pas un nuage à l'horizon... Quant à la forêt ombreuse qui cernait la pelouse, elle n'était pas assez proche pour avoir suscité chez elle cette réaction.

Une inexplicable sensation de malaise, confinant au mauvais pressentiment, fit remonter le long de son échine un nouveau frisson. Elle décida de l'ignorer, accusant sa trop fertile imagination. Sa vie était aussi dénuée de tout nuage que l'était l'immense étendue du ciel bleu. Elle se faisait des idées, rien de plus.

— Jillian ! Jemmie me tire les cheveux ! cria Mallory en venant se réfugier contre ses jambes.

Une dizaine d'enfants se partageaient l'étendue d'herbe verte. Comme chaque après-midi, ils se rassemblaient autour de Jillian pour écouter ses histoires et bénéficier de ses cajoleries.

Elle s'accroupit pour serrer Mallory dans ses bras et jeta à son tourmenteur un regard de reproche.

— Il existe d'autres moyens de montrer à une fille qu'on s'intéresse à elle que de lui tirer les cheveux, Jemmie MacBean ! Et je crois savoir que les filles dont les garçons tirent les cheveux sont celles qu'ils courtisent plus tard.

Le visage de Jemmie s'empourpra violemment.

— Je ne lui tire pas les cheveux parce que je l'aime ! protesta-t-il, les poings serrés. C'est *une fille* !

— *Aye*, c'en est une. Et très jolie, avec ça.

Jillian lissa l'épaisse chevelure auburn de sa protégée. Dans la fillette qu'elle était s'annonçaient déjà les prémices de la très belle jeune femme qu'elle deviendrait.

— Et pourrais-tu me dire, enchaîna-t-elle, pourquoi tu lui tirais les cheveux, Jemmie ?

— Parce que si je la frappe comme je frappe les copains, elle va sûrement se mettre à pleurer.

— Mais... pourquoi faut-il absolument que tu lui *fasses* quelque chose ? Pourquoi ne pas simplement lui parler ?

— Qu'est-ce qu'une fille pourrait bien avoir à raconter ?

Jemmie leva les yeux au ciel, puis chercha d'un regard menaçant le soutien des autres garçons.

Seul Zeke ne se laissa pas impressionner.

— Jillian a des choses intéressantes à raconter, fit-il valoir. Tu viens ici chaque après-midi l'écouter ; pourtant, elle aussi c'est une fille.

— C'est pas pareil, maugréa Jemmie. Elle est... enfin... elle est presque une mère pour nous – sauf qu'elle est bien plus belle.

Jillian chassa une mèche blonde de son visage et garda pour elle le scepticisme que lui inspirait cette réflexion. Que lui avait apporté sa « beauté » ? Elle mourait d'envie d'avoir des enfants rien qu'à elle, mais pour en avoir, il aurait fallu qu'un mari potentiel se décide à la remarquer. Or, belle ou pas, les candidats ne se bousculaient pas. Tu n'as qu'à arrêter de te montrer aussi difficile ! lui reprocha la voix de sa conscience.

— Puis-je vous raconter une histoire ? demanda-t-elle en changeant habilement de sujet.

— Oh, oui ! Raconte-nous une histoire, Jillian !

— Une histoire d'amour... précisa une fille plus âgée.

— Une avec du sang ! implora Jemmie.

Mallory lui fit une grimace.

— Raconte-nous une fable, suggéra-t-elle à Jillian. J'adore les fables. Elles nous apprennent des choses utiles, et certains ici…

De nouveau, elle foudroya Jemmie du regard et conclut :

— Certains ici feraient bien d'en prendre de la graine !

— Les fables, c'est de la… commença l'intéressé.

— Certainement pas ! l'interrompit la petite fille.

— Une fable, une fable ! clamèrent les autres en chœur.

— Vous aurez donc une fable, décida Jillian. Je vais vous raconter la dispute du Vent et du Soleil. C'est celle que je préfère entre toutes les fables.

Les enfants se chamaillèrent pour obtenir les places d'honneur auprès d'elle tandis que tous s'asseyaient dans l'herbe pour l'écouter. Zeke, le plus petit d'entre eux, fut relégué à l'arrière.

— Ne cligne pas des yeux comme ça… lui lança gentiment Jillian. Viens, rapproche-toi.

Quand il l'eut rejointe, elle prit le petit garçon sur ses genoux et poussa une mèche de cheveux hors de ses yeux. Zeke était le fils de Kaley Twillow, sa servante préférée. Il était né affligé d'une si mauvaise vue qu'il y voyait à peine au-delà du bout de ses doigts. Comme dans l'attente d'un miracle qui lui permettrait un jour d'accommoder sa vision sur le monde, il clignait sans arrêt ses paupières. Jillian, qui imaginait difficilement de pouvoir se passer de la vue des splendides paysages d'Écosse, s'était prise d'affection pour lui. Les difficultés au quotidien que posait ce handicap n'étaient pas minces. Il l'empêchait notamment de participer aux jeux que les autres enfants adoraient. Lors des parties de ballon, il était bien plus susceptible d'être touché que d'atteindre une cible. Aussi, pour compenser, lui avait-elle appris à lire. Il devait enfouir son nez dans le livre pour déchiffrer les lettres, mais au moins il y trouvait un moyen d'explorer ce monde qui se dérobait à lui.

Tandis que Zeke s'installait confortablement dans son giron, elle commença son histoire.

— Un jour, alors que le Vent et le Soleil se disputaient pour savoir qui des deux était le plus fort, ils virent venir à eux sur la route un chemineau. "Tranchons dès à présent cette controverse, suggéra le Soleil. Celui de nous deux qui parviendra à faire ôter son manteau à ce miséreux pourra être considéré comme le plus puissant."

» Le Vent accepta aussitôt. "À toi de commencer", décida le Soleil en se retirant derrière un nuage pour ne pas interférer. Le Vent commença à souffler aussi fort qu'il le put, mais plus il soufflait, plus le pauvre chemineau serrait sur lui les pans de sa houppelande. Finalement, désespérant de gagner le pari, le Vent renonça.

» Alors, le Soleil émergea de la nuée et brilla dans toute sa gloire au-dessus du chemineau. Celui-ci eut bientôt si chaud qu'il dut retirer son manteau. Après l'avoir plié et posé sur son épaule, il reprit allègrement son voyage en sifflotant un petit air joyeux.

— Ouais ! s'exclama une des auditrices, se faisant le porte-parole de toutes les autres. Le Soleil a gagné ! Nous, on aime le Soleil !

— C'est rien qu'une stupide histoire de filles, grommela Jemmie.

— Moi je l'ai bien aimée, protesta Zeke.

— Normal, riposta l'autre. T'es trop bigleux pour les guerriers, les dragons et les épées. Moi, ce que j'aime, c'est les histoires pleines d'aventures...

— Cette fable a une morale, Jemmie, intervint gentiment Jillian. Une morale qui te concerne quand tu tires les cheveux de Mallory.

Le jeune garçon parut stupéfait.

— Ah ouais ? s'étonna-t-il. Je vois pas le rapport entre le Soleil et les cheveux de Mal.

Zeke secoua la tête, découragé par le manque de finesse de son camarade. Doctement, il lui expliqua :

— Cette fable nous montre qu'en faisant tout pour que le chemineau se sente mal, le Vent n'est parvenu qu'à le forcer à se protéger davantage. Le Soleil, lui, a fait en sorte que l'homme se sente suffisamment bien pour ôter son manteau et reprendre sa marche librement.

Mallory regardait Zeke avec adoration, comme s'il était le plus intelligent de tous les garçons au monde.

— Alors sois gentil avec Mallory et elle sera gentille avec toi, conclut-il, très sérieux.

— Je sais pas où tu vas chercher toutes ces idées idiotes ! protesta Jemmie d'un ton bourru.

— Il écoute, intervint Jillian. La morale de cette fable, c'est que la gentillesse a plus d'effets que la cruauté. Zeke comprend qu'il n'y a rien de mal à se montrer gentil avec les filles. Un jour, tu regretteras de ne pas l'avoir été davantage.

Quand la moitié des filles du village seront tombées amoureuses de Zeke malgré sa mauvaise vue, ajouta-t-elle avec amusement pour elle-même. Déjà joli garçon, il serait un jour un jeune homme séduisant, doté qui plus est de la sensibilité exacerbée que ceux naissant avec un handicap ont tendance à développer.

— Elle a raison, gamin…

Une voix grave et profonde venait de se joindre à la conversation, celle d'un homme, à la lisière du bois proche, qui faisait sortir sa monture du couvert des arbres.

— Pour ma part, reprit-il, je regrette encore de ne pas avoir été plus gentil avec les filles.

Le sang parut se figer dans les veines de Jillian. Dans le ciel immaculé de sa vie, d'épais nuages noirs annonciateurs d'orage s'amassèrent aussitôt. *Cet homme-là* ne pouvait tout de même pas être assez inconscient pour remettre les pieds à Caithness ! Elle pressa sa joue dans les cheveux de Zeke, cachant son visage, regrettant de n'avoir pas enfilé une plus jolie robe ce matin-là – désirant l'impossible, en somme, comme elle l'avait toujours fait avec celui qui était sur le point de la rejoindre. Car même si cela faisait des années qu'elle n'avait plus entendu le son de sa voix, elle savait exactement de qui il s'agissait.

— Je me souviens d'une fille avec qui je n'ai pas été gentil, dans mon enfance, enchaîna-t-il. Et aujourd'hui, sachant ce que je sais à présent, que ne donnerais-je pas pour réécrire l'histoire...

Grimm Roderick.

Jillian eut l'impression que ses muscles fondaient sous sa peau, réduits à néant par cette voix torride. Plus grave que toutes celles qu'elle avait entendues, son timbre était si précisément modelé qu'elle en devenait intimidante. Une telle voix évoquait l'autodiscipline et la rigueur. Elle était celle d'un homme en pleine possession de ses moyens, qui exerçait un contrôle absolu sur son existence.

Quand elle finit par redresser la tête pour le regarder, ses yeux s'agrandirent sous l'effet de la stupeur. Son souffle resta bloqué au fond de sa gorge. Même si le passage des années l'avait changé, comment aurait-elle pu ne pas le reconnaître ? Ayant mis pied à terre, il s'approchait d'elle avec la grâce arrogante d'un conquérant. Grimm Roderick avait toujours été une arme vivante. Son corps avait atteint une sorte de perfection physique, associée à un redoutable instinct. Eût-elle bondi sur ses pieds en une tentative futile de le fuir qu'il l'aurait rejointe en un rien de temps. Eût-elle essayé de donner l'alerte en criant que sa main se serait aussitôt posée sur sa bouche pour l'en empêcher. Il lui était arrivé une seule fois d'observer une créature aussi rapide : un de ces chats sauvages des montagnes, dont on voit jouer les muscles puissants sous la fourrure.

Jillian peina à reprendre son souffle. Grimm était plus magnifique encore qu'autrefois. Un lacet de cuir rassemblait sur sa nuque ses cheveux noirs. L'angle de sa mâchoire semblait plus impressionnant que dans son souvenir, et ses lèvres arboraient toujours cette moue sensuelle dont il ne se déparait pas.

L'air lui-même paraissait avoir une qualité différente lorsque Grimm Roderick était dans les parages. Tout ce qui l'entourait se fondait dans une toile de fond indistincte, jusqu'à ce qu'il ne reste plus que lui. Et ces yeux... Jamais elle ne pourrait les confondre avec ceux d'un autre. D'un bleu de glace, aussi moqueur et insondable qu'il l'avait toujours été, son regard se riva au sien, par-dessus les têtes des enfants qui les observaient curieusement.

Jillian se mit debout, posant sur le sol un Zeke étonné. En soutenant vaille que vaille le regard de Grimm, les souvenirs refirent surface dans sa mémoire et elle sentit la bile amère de l'humiliation lui monter à la gorge. Elle se rappelait bien trop clairement le jour où elle s'était promis de ne plus jamais lui parler. Elle s'était juré qu'aussi longtemps qu'elle vivrait, elle ne le laisserait plus approcher de Caithness – ni de son cœur trop vulnérable. Et voilà qu'il osait débarquer sans prévenir, comme si rien ne s'était passé ? Ses blessures, de nouveau à vif, rendirent instantanément inconcevable toute idée de réconciliation. Elle était décidée à ne pas lui faire l'honneur d'une parole, à ne pas se montrer aimable avec lui, à ne pas faire preuve d'une once de courtoisie.

Grimm passa nerveusement la main dans ses cheveux.

— *Lass*... Comme tu as... grandi.

Spontanément, Jillian ouvrit la bouche, avant de se souvenir de sa promesse de silence. Quand elle céda enfin à son besoin de répliquer, elle le fit d'un ton glacial.

— Comment oses-tu te montrer ici ? Tu n'es pas le bienvenu chez moi ! Va-t'en...

— Je ne peux pas faire ça, Jillian.

Sa voix douce et égale l'énervait davantage encore que sa prestance. Le cœur battant, elle inspira à fond.

— Si tu ne t'en vas pas de toi-même, je vais devoir demander aux gardes de te jeter dehors.

— Ils ne feront jamais ça, Jillian.

— Gardes ! cria-t-elle en frappant dans ses mains.

— Ça ne sert à rien, Jillian… assura Grimm sans bouger d'un pouce.

— Arrête de prononcer mon nom comme ça !

— Comment cela, Jillian ?

Il paraissait sincèrement intrigué.

— Comme… comme… une prière, ou je ne sais quoi ! balbutia-t-elle.

— Comme tu voudras…

Il marqua une pause, durant laquelle elle s'étonna qu'il ait pu capituler devant elle – ce qu'il n'avait jamais fait – puis il ajouta, d'une voix de velours qui lui alla droit au cœur :

— … Jillian.

Qu'il aille au diable !

— Gardes ! cria-t-elle de plus belle, forçant la voix. *Gardes !*

Ceux-ci arrivèrent en courant, puis s'immobilisèrent brutalement en découvrant l'homme qui se tenait devant leur maîtresse.

— Milady, vous nous avez appelés ? s'étonna Hatchard.

— Débarrassez-moi de ce gredin avant qu'il embrasse…

Elle se figea et se corrigea en hâte :

— Avant qu'il *embarrasse* toute la maisonnée avec son insolence et sa dépravation.

Les regards des gardes allaient et venaient entre elle et Grimm, mais ils ne faisaient pas mine d'intervenir.

— Allez ! insista-t-elle. Jetez-le dehors, tout de suite !

Voyant qu'elle n'obtenait pas plus de succès, sa colère monta encore d'un cran.

— Hatchard ! Je vous ai demandé de me débarrasser de lui. Par tous les saints ! Bannissez-le de ce château, de ce pays ! *Och !* Pour ce que j'en ai à faire, bannissez-le même de ce monde, voulez-vous ? Et sans tarder !

Les soldats dévisageaient Jillian, bouche bée.

— Vous sentez-vous bien, milady ? s'enquit Hatchard. Devons-nous faire venir Kaley pour qu'elle vérifie si vous n'avez pas un accès de fièvre ?

— Je n'ai ni fièvre ni quoi que ce soit d'autre ! protesta-t-elle. Il y a une canaille dépravée sur mes terres et je veux que vous m'en débarrassiez !

— Pourquoi parlez-vous entre vos dents serrées ? reprit le capitaine de la garde, ébahi.

— Pardon ?

— Je vous assure, milady, que vous venez de parler sans desserrer les dents, ce qui indique que vous...

— Si vous continuez à me désobéir, l'interrompit-elle vivement, je vais même *hurler* derrière mes dents serrées ! Je vous ai dit de jeter ce viril...

Elle s'éclaircit la voix et se reprit :

— ... ce *vil* scélérat à la porte !

— Hurler ? répéta doucement Hatchard. Jillian Saint-Clair ne hurle pas, ne serre pas les dents et ne se met jamais en colère. Que diable se passe-t-il ici ?

— Le diable, c'est *lui* ! fulmina Jillian en désignant Grimm d'un geste.

— Pensez de lui ce que vous voudrez, déclara Hatchard d'un ton déterminé. Je ne peux néanmoins vous obéir.

Jillian eut un mouvement de recul, comme s'il l'avait giflée.

— Vous oseriez me désobéir ? murmura-t-elle.

— Il ne te désobéit pas, Jillian, rectifia Grimm d'une voix calme. Il obéit aux ordres de ton père.

— Quoi ?

Médusée, elle se tourna vers lui, pour le voir tendre dans sa direction une feuille de vélin froissé.

— Qu'est-ce que c'est ? demanda-t-elle, refusant de s'avancer vers lui.

— Approche et vois par toi-même… suggéra-t-il, les yeux brillants d'une étrange lueur.

— Hatchard ! lança-t-elle. Allez-y pour moi.

— Inutile, répliqua le capitaine de la garde. Je sais ce que dit cette lettre.

— Vraiment ? Alors que dit-elle ? Et comment se fait-il que vous soyez au courant ?

Ce fut Grimm qui répondit.

— Elle dit « Viens pour Jillian »… Jillian.

Il avait recommencé ! Après une courte pause, il avait prononcé son nom avec une sorte de vénération, d'une voix rauque qui la laissait curieusement essoufflée et effrayée. Elle était certaine qu'il y avait un avertissement caché dans ce manège, un message qu'elle aurait dû appréhender mais qui demeurait hors de sa portée. Tout semblait avoir changé depuis la dernière fois qu'ils s'étaient vus et qu'ils s'étaient si amèrement disputés. Quelque chose en lui n'était plus pareil, mais elle n'aurait su dire quoi.

— « Viens pour Jillian » ? répéta-t-elle, interdite. C'est mon père qui t'a fait parvenir ce message ?

En le voyant répondre par l'affirmative d'un hochement de tête, Jillian faillit s'étrangler d'indignation et se mettre à pleurer. Un tel étalage d'émotions en public aurait été une première, pour elle. À la place, elle préféra opter pour une solution qui lui était aussi peu coutumière que serrer les dents ou se mettre en colère. Pivotant sur ses talons, elle s'élança vers le château comme si toutes les *banshees* d'Écosse lui mordaient les talons ; alors qu'en fait, c'était juste Grimm Roderick qu'elle fuyait ainsi – ce qui, en un sens, était pire encore.

Jetant un rapide coup d'œil par-dessus son épaule, elle se souvint un peu tard de la présence des enfants. Réunis en demi-cercle, ils observaient sa fuite éperdue avec une stupéfaction muette. Totalement mortifiée, elle se rua à l'intérieur. Claquer la porte n'était pas chose aisée, étant donné que celle-ci devait être quatre fois plus grande qu'elle, mais la fureur qui l'animait lui permit cependant de le faire.

3

— Inimaginable !

Jillian tempêtait à haute voix en faisant les cent pas dans sa chambre. Elle s'était efforcée de se calmer, jusqu'à parvenir à la conclusion que tant qu'elle ne serait pas débarrassée de *lui*, cela serait impossible.

Aussi continuait-elle à fulminer en s'agitant en tout sens. Elle aurait bien cassé quelque chose pour se défouler, mais elle aimait trop tout ce qui se trouvait chez elle pour pouvoir s'y résoudre. En revanche, si elle avait pu mettre la main sur *lui*… Oh ! Elle lui aurait volontiers cassé une chose ou deux !

Faute de mieux, fâchée, elle se glissa rapidement hors de sa robe sans cesser de jurer tout bas. Elle refusait de se demander pour quelle raison la tenue toute simple qui lui semblait parfaite une heure plus tôt ne la satisfaisait plus désormais. Nue, elle se rendit devant son armoire située à côté de la fenêtre. Parvenue là, elle fut momentanément distraite par le bruit que faisaient deux cavaliers en pénétrant dans la cour en contrebas. Piquée par la curiosité, elle se pencha vers la grande baie pour assister à leur entrée. Comme un seul homme, tous deux choisirent cet instant pour lever la tête vers elle. Jillian retint un petit cri. Un sourire illumina le visage d'un homme blond, lui donnant l'impression qu'il l'avait aperçue, habillée en tout et pour tout du rougissement de sa colère. D'instinct, elle se rencogna derrière l'armoire, de laquelle elle tira hâtivement une robe d'un vert vibrant. Elle tenta de se rassurer en se disant que ce n'était pas parce qu'elle avait vu les cavaliers que la réciproque était vraie. À n'en pas douter, la vitre reflétant le soleil avait dû les aveugler.

Qui d'autre encore arrivait à Caithness ? se demanda-t-elle, agacée. C'était déjà bien suffisant de devoir le supporter, *lui* ! Comment osait-il revenir ici, et surtout, comment son propre père avait-il osé l'inviter ? *Viens pour Jillian.* Quel but avait-il visé en lui faisant parvenir ces mots ? Un frisson lui remonta l'échine lorsque l'aspect intime de cette formulation lui apparut clairement. Pourquoi Grimm Roderick aurait-il voulu répondre à une aussi étrange invite ? Alors qu'elle n'était encore qu'une enfant, il n'avait cessé de la tourmenter, et lorsqu'elle était devenue jeune fille, il l'avait rejetée. Il n'était rien d'autre qu'un rustre autoritaire – ce qui ne l'empêchait pas d'avoir été autrefois le héros de ses rêveries secrètes.

À présent, il était de retour et cela lui était intolérable. Peu importaient les motifs qui avaient poussé son père à l'inviter. Il fallait qu'il s'en aille. Puisque les gardes refusaient de passer à l'action, elle allait s'en charger – à la pointe de l'épée s'il le fallait. Elle savait exactement où trouver une telle arme. Une massive claymore ornait le manteau de cheminée, dans la grande salle. Elle ferait parfaitement l'affaire.

Sa décision prise, sa robe boutonnée, Jillian sortit de ses appartements. Cette fois, elle était prête à l'affronter. Tout son corps vibrait d'indignation. Il n'avait aucun droit de se trouver là, et elle allait se charger de le lui expliquer. Il l'avait quittée autrefois alors qu'elle le suppliait de rester. Cela lui ôtait tout droit de revenir. Repoussant d'un grand geste ses cheveux vers l'arrière, elle les noua avec un ruban et remonta le corridor d'un pas pressé.

Au bord de la balustrade, elle s'arrêta brusquement, alertée par le brouhaha de voix mâles qui montait jusqu'à elle.

— Que disait ton message, Ramsay ? entendit-elle Grimm demander.

Les voix s'élevaient dans la grande salle. Les tapisseries ayant été descendues pour être nettoyées, la réverbération des sons était accentuée le long des murs de pierre.

— Gibraltar disait qu'il devait s'absenter durant quelque temps avec sa dame. Il se prévalait d'une dette ancienne que j'ai envers lui pour me demander de veiller sur ses domaines en son absence.

Jillian se pencha subrepticement par-dessus la balustrade et vit Grimm assis en compagnie de deux hommes près de l'âtre principal. Durant ce qui lui parut durer une éternité, il lui fut impossible de le quitter du regard. Rageusement, elle se força à détourner les yeux afin d'observer les nouveaux venus. L'un d'eux s'était confortablement installé sur son siège, comme si le château lui appartenait. En l'observant avec plus d'attention, Jillian décida qu'il devait se comporter ainsi en n'importe quel endroit où il daignait se montrer. De la tête aux pieds, cet homme ressemblait à une étude en noir : cheveux de jais, peau tannée par le soleil, uniformément vêtu dans cette couleur, sans une touche d'aucune autre teinte pour rompre l'effet produit. Aucun doute que le sang des Highlands coulait dans les veines de ce jeune fat, songea-t-elle. Et pour compléter le tout, une fine cicatrice lui barrait le visage, de la mâchoire jusque sous l'œil.

Jillian porta son attention sur le troisième compère.

— Quinn... murmura-t-elle tout bas.

Elle n'avait plus revu Quinn de Moncreiffe depuis que les Saint-Clair lui avaient servi de famille d'accueil il y avait des années de cela. Grand, doré, beau à couper le souffle, il l'avait réconfortée chaque fois que Grimm l'avait repoussée. Le temps qui s'était écoulé depuis son départ avait fait de lui un homme d'allure impressionnante, aux larges épaules, à la taille fine et aux longs cheveux blonds retenus en arrière par une queue-de-cheval.

— Il semble bien que la totalité des hommes d'Écosse et la moitié de ceux d'Angleterre soient en dette vis-à-vis de Gibraltar Saint-Clair, fit remarquer Quinn.

L'homme en noir croisa les mains derrière sa nuque et s'adossa à son siège.

— *Aye,* approuva-t-il. Il m'a tiré d'affaire plus d'une fois dans mon jeune temps, quand j'étais plus porté à réfléchir avec mon vit qu'avec ma tête.

— *Och !* s'exclama Quinn d'un ton provocant. Tu t'imagines donc avoir changé, Ramsay Logan ?

— Pas suffisamment pour ne plus pouvoir te battre comme plâtre, de Moncreiffe ! répliqua-t-il sèchement.

Jillian songea avec amusement qu'elle avait vu juste quant aux origines du personnage. Les Logan étaient de véritables Highlanders qui possédaient une grande partie du sud des Highlands.

En dépit de ses bonnes résolutions, Jillian ne put empêcher son regard de se fixer sur Grimm. Détendu et parfaitement à l'aise, il trônait tel un monarque, agissant comme s'il était en droit de se trouver là. Les yeux plissés, il esquissa un petit sourire et dit :

— Vous entendre vous chamailler ainsi me donne l'impression que le bon vieux temps est de retour, mais épargnez-moi vos disputes. Il y a ici un mystère à résoudre. Pour quelle raison Gibraltar Saint-Clair nous a-t-il fait venir tous trois à Caithness ? Cela fait des années que je n'ai pas entendu parler de troubles dans la région. Quinn, tu disais qu'il comptait aussi sur toi pour veiller sur ses domaines en son absence ?

Au-dessus des trois hommes et ignorée d'eux, Jillian fronça les sourcils. La question méritait effectivement d'être posée. Qu'est-ce qui avait pu pousser ses parents à inviter ces trois hommes à Caithness alors qu'ils assistaient au baptême de leur petit-fils ? Hatchard commandait une force puissante, et cette région des Lowlands, comme l'avait souligné Grimm, était en paix depuis des années.

— Il me demandait dans son message de veiller sur Caithness, répondit Quinn. Et il ajoutait que si je ne pouvais prendre le temps de m'éloigner de mes bateaux pour lui, je devais le faire pour Jillian. J'ai trouvé cela plutôt curieux, mais je me suis dit qu'il devait s'inquiéter à son sujet. Et pour tout vous dire, elle me manquait.

En entendant cela, Jillian tressaillit. Que pouvait bien avoir en tête son rusé de père ?

— Jillian... répéta Ramsay avec un sourire carnassier. La déesse impératrice en personne.

Les narines frémissantes, Jillian se raidit.

— Quoi ? s'étonna Grimm.

— Tu n'as pas entendu les lads lui tresser des couronnes de laurier, à ton arrivée ?

Voyant Grimm secouer négativement la tête, il laissa fuser un petit rire caustique et poursuivit :

— Tu as loupé quelque chose ! Sans même nous avoir laissé le temps de mettre pied à terre, ils se répandaient en louanges à son sujet. Ils ont même été jusqu'à nous mettre en garde de ne pas « profaner » la « sainteté » de leur « déesse impératrice », comme disait le plus jeune d'entre eux. Sans doute trouvait-il le mot « reine » trop commun pour elle...

— Jillian, une sainte ? murmura Grimm, dubitatif.

Au-dessus de lui, l'intéressée le foudroya du regard.

— Envoûtés ! trancha Ramsay. Tous autant qu'ils sont. Il y en a même eu un pour affirmer qu'elle était une seconde Madone. Il doit croire dur comme fer que si elle tombe enceinte, ce sera par l'intervention du Saint-Esprit !

— Je dois dire, renchérit Quinn en souriant, que toute « intervention » impliquant Jillian ne peut qu'être divine.

— *Aye !* approuva Ramsay. Aussi divine que ce qui se cache entre ses cuisses… Avez-vous jamais vu femme mieux taillée pour satisfaire aux désirs d'un homme ?

Jillian écarquilla les yeux et plaqua une main sur sa bouche pour étouffer un cri.

— Attendez un peu ! protesta Grimm en lançant à ses acolytes un regard ombrageux. Que sais-tu de ses cuisses, Logan ? Tu ne la connais même pas ! Et toi, Quinn ? Tu ne l'as plus revue depuis qu'elle était petite fille…

De Moncreiffe détourna le regard, gêné.

— A-t-elle les cheveux blonds ? demanda Ramsay. Des masses de cheveux blonds qui ondulent jusqu'à ses reins ? Un visage sans défaut ? Un teint de lait ? Sa chambre donne-t-elle à l'est, au premier étage ?

Grimm acquiesça d'un hochement de tête prudent.

— Je *sais* à quoi elle ressemble, conclut Logan. Quinn et moi, nous l'avons aperçue à sa fenêtre en arrivant ici.

Jillian poussa un gémissement sourd, priant en son for intérieur pour qu'il en reste là, mais Ramsay Logan poursuivit :

— Elle se changeait devant sa fenêtre, et je dois dire que ses seins feraient le bonheur de n'importe quel homme…

En un geste protecteur, les mains de Jillian se portèrent à sa poitrine. Un peu tard pour ça ! se morigéna-t-elle.

— Vous ne l'avez tout de même pas vue s'habiller ! s'exclama Grimm.

— Non, répondit Ramsay. Nous l'avons vue *se déshabiller*, encadrée dans la fenêtre de sa chambre, le soleil éclaboussant la plus splendide robe d'Ève qu'il m'ait été donné d'admirer : la face d'un ange, les cuisses crémeuses, les boucles dorées entre les deux.

Mortifiée, Jillian sentit la honte l'empourprer. Ainsi donc, ils l'avaient vue *entièrement*...

— Ce qu'il dit est vrai ? demanda Grimm à Quinn.

Tout penaud, celui-ci hocha la tête et se justifia d'un ton plaintif.

— Bon sang, Grimm ! Que voulais-tu que je fasse ? Détourner le regard ? Elle est... stupéfiante ! Je me doutais bien qu'une si adorable petite fille ne pourrait que se transformer en une jeune femme charmante, mais je ne m'attendais pas à trouver une telle beauté ! Même si Jillian a toujours été une sœur pour moi, après ce que j'ai vu aujourd'hui...

Secouant la tête, il eut un sifflement admiratif et conclut :

— Eh bien... mes sentiments pour elle ne peuvent que changer de nature.

— J'ignorais que Gibraltar gardait chez lui un tel trésor, s'empressa d'ajouter Ramsay. Sinon, il y a des années que je serais venu renifler...

— Elle n'est pas du genre à être reniflée ! l'interrompit Grimm sèchement. Elle est du genre à être épousée.

— *Aye !* approuva Logan sans s'offusquer. À épouser, à garder précieusement, et à fourrer dans son lit ! Ces lourdauds de Caithness peuvent se laisser impressionner par sa beauté, ce n'est pas mon cas. Une femme comme elle a besoin d'un homme de chair et de sang.

En lui jetant un regard noir, Quinn se dressa sur ses jambes et s'emporta :

— Qu'es-tu exactement en train de prétendre, Logan ? Si quelqu'un ici peut avoir des vues sur Jillian, c'est moi ! Je la connais depuis qu'elle est toute petite. Le message que j'ai reçu m'enjoignait de *venir pour elle*, et je compte bien le prendre au pied de la lettre.

Ramsay se mit debout, dépliant lentement son imposante carcasse jusqu'à dominer de deux bons centimètres le mètre quatre-vingt-dix de Quinn.

— Si le message que j'ai reçu quant à moi n'était pas formulé ainsi, rétorqua-t-il, ce doit être uniquement parce que Saint-Clair savait que je n'ai jamais rencontré sa fille. Quoi qu'il en soit, il est grand temps pour moi de prendre femme, et j'ai l'intention d'offrir à l'adorable *lass* une autre option que celle d'avoir à ôter sa nuisette – si jamais elle en porte – devant quelque banal fermier des Lowlands.

— Qui peut se permettre d'appeler l'autre un fermier, ici ? répliqua Quinn. Je suis un marchand dont la fortune excède de beaucoup ce que tes misérables vaches au cul pelé pourront jamais te rapporter !

— Bah ! Ce n'est pas de mes vaches au cul pelé, comme tu dis, que je tire mes richesses, bouseux de Lowlander !

— *Aye !* C'est plus sûrement en attaquant d'innocents Lowlanders... Et qui traites-tu de bouseux, au juste ?

— Un *flatlander*, qui tire sa pitance de la boue !

— Gentlemen ! S'il vous plaît...

Hatchard venait de faire son entrée dans la grande salle, affichant une expression de vive inquiétude. Capitaine de la garde de Caithness depuis plus de vingt ans, il était capable de repérer les prémices d'une rixe à un demi-comté de distance.

— Il n'y a aucune raison de se quereller, reprit-il. Tenez vos langues et patientez quelques instants, car j'ai un message à vous transmettre de la part de Gibraltar Saint-Clair. Asseyez-vous, je vous prie.

D'un geste de la main, il désigna les chaises réunies près de l'âtre :

— Je sais par expérience que des hommes dressés sur leurs jambes et qui s'affrontent du regard n'écoutent rien.

En effet, campés l'un devant l'autre, les yeux dans les yeux, Ramsay et Quinn continuaient de se défier.

Les nerfs à vif, Jillian faillit passer la tête entre deux balustres pour mieux voir, curieuse de découvrir la nouvelle manigance de son père. Hatchard était l'homme de confiance de Gibraltar Saint-Clair et un de ses amis de longue date. Son faciès et son perpétuel air matois donnaient une claire indication de sa principale qualité : prudent et rusé comme un renard, il savait démêler les pires situations. Tandis qu'il attendait de se faire obéir par les deux hommes, ses doigts longs et forts pianotaient sur la garde de son épée.

— *Asseyez-vous !* répéta-t-il avec force.

Ramsay et Quinn battirent en retraite de mauvaise grâce sur leurs chaises.

— Je suis ravi de constater que vous avez tous pu vous libérer et vous rendre ici rapidement, enchaîna Hatchard d'un ton plus enjoué. Mais… Grimm ? Pourquoi ton étalon divague-t-il à sa guise dans la cour intérieure ?

— Il n'aime pas être enfermé, répondit Grimm d'un ton feutré. Cela pose problème ?

Telle monture, tel maître… songea Jillian.

La réponse du chef de la garde fut tout aussi courtoise.

— Non, cela ne me pose aucun problème. Mais s'il commence à se régaler des fleurs de Jillian, tu peux t'attendre à de sérieux problèmes avec elle.

Sur ce, il prit place sur une chaise vacante, et ajouta d'un air amusé :

— D'ailleurs, il me semble que tu peux t'attendre à cela, quoi que tu fasses de ton cheval. C'est bon de te revoir ici, mon garçon. Accepterais-tu de participer à l'entraînement de mes hommes durant ton séjour ?

Grimm acquiesça d'un bref hochement de tête.

— Alors ? lança-t-il. Pourquoi Gibraltar nous a-t-il fait venir tous les trois ?

Hatchard frotta un instant sa courte barbe d'un air pensif.

— J'avais prévu de vous laisser vous installer un peu avant de vous transmettre son message, mais vous avez pris les devants en allant droit au but. Saint-Clair a réclamé votre présence ici pour que sa fille choisisse l'un de vous.

— Je le savais ! se rengorgea Ramsay.

Du haut de sa cachette, Jillian réprima un gémissement de dépit. Comment a-t-il osé ? D'autres soupirants encore pour la harceler... Et parmi eux, l'homme qu'elle s'était juré de haïr jusqu'à sa mort. Combien d'hommes son père lui jetterait-il encore dans les jambes avant d'accepter le fait qu'elle ne se marierait pas, sauf si elle trouvait l'amour absolu que ses parents partageaient ?

S'adossant à son siège, Hatchard dévisagea les trois hommes l'un après l'autre et précisa :

— Il espère qu'elle choisira l'un de vous avant que lui et sa dame soient de retour, ce qui vous laisse jusqu'à la fin de l'automne pour lui faire la cour.

— Et si elle ne choisit aucun de nous ? s'enquit Grimm.

— Elle choisira, assura Logan, bras croisés, parfaite incarnation de l'arrogance.

— Jillian est au courant ? reprit tranquillement Grimm.

— *Aye !* approuva Quinn. Est-elle complice ou innocente ?

— Et si elle est innocente, jusqu'à quel point ? renchérit Ramsay d'un air grivois. Je compte le découvrir, en ce qui me concerne, à la première opportunité.

— Il faudra d'abord me tuer, Logan ! gronda Quinn.

Ramsay haussa les épaules.

— S'il le faut...

— Du calme, gentlemen, intervint Hatchard. Quelle qu'ait pu être l'intention de mon maître, ce n'était sûrement pas que vous vous entretuiez. Il espère simplement voir sa fille mariée avant qu'elle ait à fêter un anniversaire de plus, et l'un de vous trois doit être celui qu'elle épousera.

Puis, adressant à Grimm un sourire bienveillant, il enchaîna :

— Pour répondre à ta question, Jillian n'est au courant de rien. Si elle avait eu la moindre idée de ce que son père lui réservait, elle se serait empressée de quitter Caithness. Au cours de l'année écoulée, Gibraltar s'est arrangé pour lui présenter des dizaines d'hommes. Elle a fait en sorte de tous les éconduire sous un prétexte ou un autre. Jillian et son père rivalisent d'astuces : plus il fait preuve d'inventivité pour la surprendre, plus sa riposte est créative... Mais je dois dire qu'elle manifeste la plupart du temps une subtilité et une délicatesse dont seule une Sacheron est capable. Les hommes dont elle a réussi à se débarrasser ne se sont même pas rendu compte qu'elle les manipulait... Jillian peut être l'image même de l'innocence et de la responsabilité, tout en ourdissant secrètement les pires complots. L'un de vous doit la conquérir, car pour tout vous dire, en vous résident les derniers espoirs de Gibraltar Saint-Clair.

Impossible, songeait Jillian. Son père n'était tout de même pas capable de lui faire ça ! Ces regards appuyés qu'elle avait sentis sur elle avant qu'il ne se mette en route lui revenaient à présent en mémoire. Soudain, son expression coupable et ses embrassades prolongées au moment du départ prenaient un autre sens que la simple culpabilité de la laisser seule. Par tous les saints ! Avec autant de patience et de sang-froid qu'il sélectionnait dans ses écuries les meilleurs reproducteurs pour saillir ses juments, son père avait choisi de la mettre en présence de trois jeunes étalons !

Enfin... deux étalons fringants et un barbare arrogant qui ne lui témoignait qu'un dédain glacial. Car aussi sûrement que le soleil se levait le matin et se couchait le soir, Grimm Roderick ne daignerait pas la toucher, même avec des pincettes... Découragée par ce constat, elle sentit ses épaules s'affaisser.

Comme s'il avait été capable de lire ses pensées, Grimm s'adressa alors aux deux autres :

— Quoi qu'il en soit, les amis, vous n'avez pas à vous en faire pour moi. Même si Jillian était la dernière femme d'Écosse, pour rien au monde je ne l'épouserais. Il ne reste donc en course que vous deux.

Jillian serra les mâchoires et remonta en hâte le corridor en direction de sa chambre. C'était cela ou succomber à l'envie d'enjamber la balustrade pour tomber sur le dos de Grimm Roderick, toutes griffes et toutes dents sorties, boule de fureur féminine assoiffée de vengeance !

4

Maldebann Castle, Highlands, dans les hauteurs de Tuluth

— Milord… votre fils est proche.

Ronin McIllioch bondit sur ses jambes, ses yeux bleus scintillant d'espoir.

— Il arrive ? Maintenant ? s'écria-t-il.

— Non, milord… rectifia Gilles en hâte. On m'a signalé sa présence à Caithness.

— Caithness… répéta Ronin, songeur.

Il échangea quelques regards avec les hommes présents autour de lui. Dans leurs yeux, il discerna de l'inquiétude, de la prudence… et le même espoir qui soulevait son cœur.

— As-tu une idée de ce qu'il vient y faire ? demanda-t-il à Gilles.

— Non. Dois-je chercher à le savoir ?

— Envoie Elliott. Il sait se fondre dans le décor. Recommande-lui la plus grande discrétion.

D'une voix songeuse, il ajouta :

— Mon fils est plus près d'ici qu'il ne l'a été depuis des années…

— Oui, milord. Pensez-vous qu'il puisse revenir ?

Ronin McIllioch sourit, mais son sourire se cantonna à ses lèvres et n'atteignit pas ses yeux.

— Le temps de son retour n'est pas encore arrivé, répondit-il. Nous avons encore beaucoup de travail à faire. Qu'Elliott se fasse accompagner de ce jeune garçon qui sait si bien dessiner. Je veux des images de mon fils. Détaillées.

— Bien, milord.

— Gilles ?

Le serviteur, qui s'éclipsait, se figea sur le seuil. Ronin dut se forcer pour demander :

— Y a-t-il... du nouveau ?

Gilles soupira et secoua négativement la tête.

— Il se fait toujours appeler Grimm. Et pour autant que nos hommes aient pu s'en faire une idée, pas une fois il n'a demandé si vous étiez toujours en vie... pas plus qu'il n'a regardé vers l'ouest, en direction de Maldebann.

Ronin inclina la tête.

— Merci, Gilles. Ce sera tout.

Jillian trouva celle qu'elle cherchait en train de couper en dés des pommes de terre à la cuisine. La trentaine bien avancée, Kaley Twillow avait une présence maternelle et un corps plantureux dans lequel battait un cœur d'or. Originaire d'Angleterre, elle était arrivée à Caithness sur la recommandation d'un ami de Gibraltar lorsque son mari était mort prématurément. Servante, aide cuisinière, confidente en lieu et place d'une mère trop indiscrète : Kaley était pour elle tout cela à la fois.

Après s'être plantée auprès d'elle, Jillian déclara sans préambule :

— Quelque chose m'intrigue...

— De quoi s'agit-il ? s'enquit Kaley en reposant son couteau et en lui adressant un tendre sourire. En règle générale, tes questions, pour être assez étranges, ne manquent pas d'intérêt.

Jillian rapprocha sa chaise du bloc à découper devant lequel son amie se tenait, afin que les autres servantes, dans la cuisine en pleine activité, ne puissent entendre.

— Qu'est-ce que ça veut dire quand un homme dit... qu'il veut « venir » pour une femme ?

— « Venir » ? répéta Kaley en clignant des yeux.

— Venir, confirma Jillian.

Kaley récupéra son couteau et le brandit comme elle aurait pu le faire d'une courte épée.

— Dans quel contexte as-tu entendu cette phrase ? Est-ce toi qui étais concernée ? C'est un des gardes qui a dit ça de toi ?

Jillian haussa les épaules et expliqua :

— J'ai simplement entendu un homme affirmer qu'on lui avait demandé de « venir pour Jillian » et qu'il comptait bien le prendre « au pied de la lettre ». Je ne comprends pas : il ne peut plus « venir »... puisqu'il est déjà là.

Kaley réfléchit un instant, puis gloussa et se détendit visiblement.

— Celui que tu as entendu dire cela... ne serait-ce pas par hasard ce beau blond de Quinn ?

Les joues de Jillian, qui s'empourprèrent aussitôt, donnèrent à Kaley la réponse. Calmement, elle reposa son couteau sur le bloc à découper.

— Cela veut dire, ma chère petite fille...

Penchée sur elle, elle lui chuchota au creux de l'oreille :

— ... qu'il a l'intention de te mettre dans son lit.

— Oh !

Les yeux écarquillés, Jillian se redressa vivement.

— Je... Je te remercie, dit-elle en prenant abruptement congé.

Les yeux brillants, Kaley la regarda battre en retraite précipitamment hors de la cuisine.

— Un bel homme, murmura-t-elle. Petite chanceuse...

Jillian fulminait toujours lorsqu'elle regagna sa chambre. Elle pouvait certes comprendre le souci de ses parents de la voir mariée, mais c'était leur faute autant que la sienne si elle ne l'était pas. Ils ne l'avaient encouragée dans cette voie que l'année précédente, et tout de suite après, ils l'avaient confrontée sans la prévenir à une armée de prétendants. L'un après l'autre, elle avait brillamment réussi à les décourager en se faisant passer pour un parangon de vertu, totalement coupée des réalités charnelles de l'existence et davantage faite pour le cloître que pour le lit nuptial. Cela avait suffi à refroidir les ardeurs de la plupart de ses soupirants.

Et lorsqu'une politesse distante et une réserve glaciale ne suffisaient pas, elle évoquait une prédisposition familiale à la folie qui suffisait à faire s'enfuir les hommes en courant. Elle n'avait cependant eu à recourir à de telles extrémités qu'en deux occasions. Apparemment, sa petite comédie pieuse se révélait convaincante. Et pourquoi ne l'aurait-elle pas été ? songea-t-elle tristement. De toute son existence, elle n'avait jamais eu d'attitude déplacée ni commis d'acte répréhensible, ce qui lui avait valu la réputation d'être une « femme d'une grande bonté ».

— À vomir… commenta-t-elle à l'intention du mur qui lui faisait face. Je vois déjà cette épitaphe sur ma tombe : « C'était une femme d'une grande bonté, mais à présent elle est morte. »

Même si ses efforts pour faire fuir les hommes s'étaient révélés efficaces, elle n'était apparemment pas parvenue à dissuader ses parents de comploter pour la marier. En désespoir de cause, ils avaient convoqué trois nouveaux postulants à Caithness en la laissant seule avec eux. La situation était critique, car Jillian savait que ceux-là ne se laisseraient pas décourager par quelques paroles et une attitude distante. Ils ne mordraient pas davantage à l'hameçon d'une soi-disant tare familiale. Ces hommes avaient trop confiance en eux, ils étaient trop imbus d'eux-mêmes pour se laisser leurrer. Oh ! Enfer et damnation ! Jillian était accoutumée aux hommes doux, gentils, modestes. Elle n'avait pas l'expérience des mâles arrogants pour qui le mot « faiblesse » n'avait de sens que s'il s'agissait pour eux de profiter de celle des autres.

Des trois hommes qui avaient envahi sa maison, le seul dont elle pouvait espérer qu'il se montre clément avec elle, c'était Quinn – et encore n'en était-elle plus tout à fait sûre. Le garçon enjoué qu'elle avait connu avait cédé la place à un homme autrement plus impressionnant. Sa réputation de conquérant – du monde des affaires comme du sexe faible –, après avoir fait le tour de l'Écosse, était parvenue jusque dans un endroit aussi reculé que Caithness. Pour couronner le tout, si l'interprétation de Kaley était exacte, son attitude protectrice d'autrefois s'était muée en un besoin de possession nettement plus... masculin.

Difficile, également, d'ignorer l'intrépide Ramsay Logan. Personne n'avait à prévenir Jillian de se méfier du gentleman vêtu de noir. Le danger semblait exsuder du moindre pore de sa peau.

Grimm Roderick posait un autre genre de problème. Il avait beau ne pas vouloir participer à la compétition pour conquérir sa main, sa simple présence était un constant rappel des jours les plus douloureux et les plus humiliants de son existence.

Trois barbares tout spécialement choisis par son propre père pour la séduire et l'épouser occupaient sa maison. Qu'allait-elle bien pouvoir faire pour remédier à cette situation ? Même si la tentation était forte, fuir n'avait aucun sens. On se lancerait tout simplement à sa poursuite et elle doutait de pouvoir parvenir chez l'un de ses frères avant que les hommes de Hatchard l'aient rattrapée. De toute façon, décida-t-elle avec humeur, elle n'allait certainement pas quitter son foyer pour s'éloigner de *lui*.

Comment pouvait-on lui faire subir un sort aussi injuste ? Pire encore : comment allait-elle oser quitter sa chambre, désormais ? Non seulement deux de ces hommes l'avaient vue entièrement nue, mais ils paraissaient décidés qui plus est à cueillir le fruit – trop mûr, s'il fallait en croire ses parents – de sa virginité. Après s'être jetée sur son lit, Jillian se roula en chien de fusil, replia ses bras sur sa tête et décida que les choses ne pourraient aller plus mal pour elle.

Il ne fut pas facile à Jillian de ne pas quitter sa chambre de toute la journée. Elle n'était pas du genre à rester tapie dans un trou, mais elle n'était pas non plus assez folle pour se soumettre aux périls auxquels l'exposaient ses parents sans disposer d'un solide plan pour s'en protéger. Mais quand l'après-midi se fondit doucement dans le début de soirée, l'inspiration ne l'avait toujours pas visitée, ce qui la mit d'une humeur noire. Elle détestait devoir rester claquemurée chez elle. Elle aurait voulu aller jouer du virginal[1], chercher querelle à la première personne venue, rendre visite à Zeke… et aller manger un morceau. Elle s'était imaginé que quelqu'un viendrait frapper à sa porte à l'heure du déjeuner, que la fidèle Kaley lui porterait un plateau en ne la voyant pas descendre pour le dîner, mais les femmes de chambre n'étaient même pas venues faire un peu de ménage ou allumer le feu. Ainsi les heures avaient-elles passé, solitaires, attisant sa colère. Et plus elle était en colère, moins elle considérait de manière objective les dangers qui la guettaient. Tant et si bien que, finalement, elle décida qu'elle pouvait se contenter simplement d'ignorer les trois hommes et de reprendre son existence comme si de rien n'était.

La nourriture était à présent sa priorité. Pour se prémunir de la fraîcheur du soir, elle passa sur ses épaules

---

1. Virginal : épinette rectangulaire très répandue, notamment dans les pays anglo-saxons, aux XVIe et XVIIe siècles. *(N.d.T.)*

une cape fine mais enveloppante dont elle rabattit soigneusement la capuche. Peut-être, si elle avait le malheur de tomber sur l'une des trois brutes, la combinaison de l'obscurité et de l'ample vêtement suffirait-elle à lui garantir l'anonymat. Cela ne suffirait probablement pas à tromper Grimm, mais les deux autres ne l'avaient pas encore vue *habillée*.

Jillian referma doucement sa porte et se glissa dans le corridor. Optant pour l'escalier de service, elle descendit avec précaution les marches traîtresses et mal éclairées. Le château était vaste, mais elle en connaissait les moindres recoins. Neuvième porte sur la gauche, elle trouverait la cuisine, juste à côté de l'office. Au bas de l'escalier, elle se pencha pour observer le long couloir. Éclairé par de faibles lampes à huile, il semblait désert et tout était silencieux. Où étaient-ils donc tous passés ?

Alors qu'elle s'élançait en avant, une voix résonna dans les ténèbres, juste derrière elle.

— Pardon, *lass*... Peux-tu me dire où se trouvent les réserves ? Nous sommes à court de whisky et toutes les servantes ont disparu.

Jillian se figea en plein élan, momentanément réduite au silence. Comment toutes les servantes pouvaient-elles disparaître d'un coup et cet homme surgir au moment même où elle décidait de quitter sa chambre ?

— Je t'ai demandé de partir, Grimm Roderick, dit-elle sèchement. Que fais-tu encore ici ?

— C'est toi, Jillian ?

Il s'approcha d'elle, les yeux plissés pour tenter d'y voir dans le noir.

— Y a-t-il tant de femmes à Caithness qui ont réclamé ton départ, pour que tu aies un doute concernant mon identité ? rétorqua-t-elle d'un ton sucré, cachant ses mains prises de tremblement dans les plis de sa cape.

— Je ne t'ai pas reconnue sous ta capuche avant que tu te mettes à parler. Quant aux femmes... tu sais ce qu'il en était pour celles qui vivaient ici quand j'y vivais. Je pense que cela n'a pas dû beaucoup changer.

Jillian faillit s'étrangler d'indignation. Arrogant il avait été, arrogant il demeurait. D'un geste rageur, elle repoussa la capuche. Attirées comme des mouches par ses airs ténébreux, son corps musclé et sa totale indifférence à leur égard, les femmes, tant qu'il était resté sous la protection des Saint-Clair, avaient toujours eu pour lui des faiblesses coupables. Des servantes s'étaient jetées à ses pieds. Des dames de passage lui avaient offert des bijoux. Tout cela avait été pour elle révoltant à observer.

— Certes, riposta-t-elle. Mais tu es plus vieux. Avec l'âge, un homme peut perdre de ses attraits.

La bouche de Grimm, aux commissures, s'incurva légèrement vers le haut. Il fit un pas et la lumière d'une torche accrochée au mur éclaira son visage. De discrètes pattes-d'oie, aux coins de ses yeux, contrastaient par leur pâleur sur sa peau tannée par le soleil. Loin de nuire à sa beauté, cela le rendait plus attirant encore.

— Tu es plus vieille, toi aussi, constata-t-il en l'étudiant attentivement.

— Cela ne se fait pas de faire sentir son âge à une dame ! protesta-t-elle. Je ne suis pas vieille.

— Je n'ai jamais rien dit de tel, répliqua-t-il. Les années ont même fait de toi une bien belle femme.

— Mais ? insista Jillian.

— Mais quoi ? s'étonna-t-il.

— Eh bien... vas-y, ne me laisse pas dans l'incertitude, à attendre la méchanceté qui va suivre. Sors-la, qu'on en finisse !

— Quelle méchanceté ?

— Grimm Roderick... Tu ne m'as jamais rien dit d'aimable de toute ta vie. Alors ne fais pas comme si tu allais commencer maintenant.

En voyant sa bouche se retrousser d'un seul côté, Jillian songea qu'il détestait toujours autant sourire. Il luttait pour ne pas se laisser aller, ne se livrait qu'à contrecœur. Sa volonté de fer et sa maîtrise de lui-même ne se laissaient que très rarement prendre en défaut. Un véritable gâchis, selon elle, car Grimm était encore plus séduisant quand il souriait.

Elle le vit s'avancer d'un nouveau pas et s'écria :

— Arrête-toi là !

Ignorant son avertissement, il continua d'approcher.

— J'ai dit : *arrête* !

— Sinon, tu vas faire quoi, Jillian ?

Sa voix était douce et amusée. La tête nonchalamment penchée sur le côté, il croisa les bras.

— Eh bien, je...

Par son silence, elle dut reconnaître qu'elle ne pourrait faire grand-chose pour l'empêcher d'aller où il voulait et de la manière qu'il lui plaisait de le faire. Physiquement, il était deux fois plus impressionnant qu'elle. La seule arme dont elle avait toujours disposé contre lui, c'était sa langue acérée.

Grimm manifesta son impatience d'un haussement d'épaules :

— Dis-moi, *lass*... que feras-tu ?

Jillian ne put lui répondre, fascinée qu'elle était par les muscles qui jouaient souplement, au moindre mouvement, sous la peau dorée de ses bras croisés. Soudain, la vision s'imposa à elle de son corps étendu sur le sien. Sur son visage, son expression habituelle et insupportable de condescendance avait fait place à une autre, bien plus troublante, de désir passionné.

De nouveau, il réduisit la distance qui les séparait, jusqu'à ne plus laisser que quelques centimètres entre eux. Jillian ravala difficilement sa salive et entremêla ses doigts sous sa cape.

Lentement, elle le vit baisser la tête.

Même si les murs du corridor avaient été sur le point de s'abattre sur elle, elle aurait été incapable de bouger. Et si le sol s'était brusquement ouvert sous ses pieds, elle serait restée en suspension sur son petit nuage. Ensorcelée, elle plongea au fond de ses yeux brillants, admira ses cils noirs et soyeux, la douceur satinée de sa peau, la ligne de son nez aquilin, les courbes sensuelles de ses lèvres, la fossette au bas de son menton. Il se rapprocha encore et elle sentit, troublée, son souffle lui caresser la joue.

Serait-il sur le point de m'embrasser ? Se pourrait-il que Grimm Roderick ait réellement envie de me donner un baiser ? Et serait-il ici, comme la lettre de mon père l'y invitait, *pour moi* ?

Jillian sentit ses genoux faiblir. Grimm s'éclaircit la voix, ce qui lui procura un frisson de plaisir anticipé. Qu'allait-il faire à présent ? Lui demander sa permission ?

— Donc, *milady*, auriez-vous l'amabilité de m'indiquer où se trouvent les réserves ? énonça-t-il, ses lèvres effleurant presque son oreille. Il me semble vous avoir dit au début de cette ridicule conversation que nous sommes à sec et qu'il ne se trouve aucun domestique dans les parages.

En butte à son silence, il insista, d'une voix étrangement rauque :

— Whisky, *lass*. Les hommes ont besoin de boire. Dix minutes viennent de s'écouler et je n'ai toujours aucune idée de l'endroit où il faut chercher.

T'embrasser, vraiment... songea-t-elle. Quelle idiote !

— Une chose n'a pas changé, Grimm Roderick, lança-t-elle d'une voix tendue par la colère. Et je te conseille de ne pas l'oublier. Je te déteste toujours autant...

Sans rien ajouter, Jillian le contourna, battant une fois de plus en retraite vers le refuge de ses appartements.

5

Dès l'instant où elle ouvrit les yeux le lendemain matin, Jillian commença à paniquer. Grimm était-il parti, à cause des choses affreuses qu'elle lui avait dites ?

Et alors ? susurra une voix en elle. N'est-ce pas ce que tu voulais ?

Le voulait-elle vraiment ? Les sourcils froncés, elle réfléchit à l'impossible dualité de ses sentiments à son égard. D'aussi loin qu'elle se souvenait, elle avait toujours souffert de cette ambivalence en ce qui concernait Grimm : l'adorant un instant, le détestant la minute suivante, mais toujours souhaitant qu'il reste auprès d'elle. S'il ne s'était pas montré aussi désagréable, elle n'aurait fait que l'adorer, mais il lui avait fait clairement comprendre que son adoration était la dernière chose dont il avait envie. Et manifestement, cela n'avait pas changé. Dès le premier instant de leur première rencontre, elle s'était sentie irrésistiblement attirée vers lui. Mais après avoir été durant des années mise de côté, ignorée et finalement abandonnée, elle avait fini par renoncer à ses rêveries enfantines.

Au fond, y avait-elle renoncé autant qu'elle le croyait ? Et n'était-ce pas là sa plus grande crainte : renouveler ses erreurs du passé et se conduire comme une adolescente auprès du magnifique guerrier qu'il était devenu ?

Après s'être habillée rapidement, Jillian saisit ses chaussons au passage et se hâta vers la grande salle. Arrivée au seuil de la pièce, elle se figea en s'exclamant tout bas :

— Oh, mon Dieu !

D'une manière ou d'une autre, elle était parvenue à occulter de son esprit le fait que trois hommes séduisants occupaient sa maison. Sans doute son obsession pour Grimm l'y avait-elle aidée. Ils s'étaient regroupés devant l'âtre, laissant quelques servantes débarrasser des dizaines de plats sur la massive table centrale. La veille, à l'abri derrière sa balustrade, Jillian avait été frappée par leur taille et leur carrure impressionnantes. Aujourd'hui, alors qu'elle ne se trouvait plus qu'à quelques pas d'eux, elle se faisait l'impression d'être une jeune pousse de saule égarée dans une forêt de chênes. Chacun d'eux faisait au moins un pied de plus qu'elle. Même pour une femme qui n'avait pas pour habitude de se laisser intimider par les hommes, il lui fallait reconnaître que c'était assez impressionnant. Incapable de détourner les yeux, elle laissa son regard courir de l'un à l'autre.

Ramsay Logan était à deux doigts de paraître terrifiant. Quinn n'était plus le jeune fils d'un chef de clan des Lowlands, mais un laird puissant sûr de son bon droit. Quant à Grimm, il était le seul à ne pas la regarder, préférant fixer le feu. Tirant avantage de sa distraction, elle étudia son profil avidement.

— Jillian...

Quinn vint à sa rencontre pour l'accueillir. Elle se força à cesser sa contemplation fascinée de Grimm et reporta son attention sur lui.

— Bienvenue, Quinn ! lança-t-elle avec un chaleureux sourire.

Il prit ses mains dans les siennes et le lui rendit.

— C'est tellement bon de te revoir, *lass*... Cela fait des années et... *Och !* On peut dire que le temps a été d'une grande bienveillance avec toi. Tu es... époustouflante.

Jillian se sentit rougir et jeta à la dérobée un coup d'œil à Grimm, qui ne prêtait aucune attention à la conversation. Elle réprima l'envie de le titiller pour lui montrer que quelqu'un la trouvait à son goût.

— Tu as toi-même beaucoup changé, Quinn ! répondit-elle gaiement. Pas étonnant que j'aie si souvent entendu ton nom accolé à celui de tant de belles dames de ce royaume.

— Et peux-tu me dire où tu as pu entendre ce genre de choses, *lass* ? s'enquit-il doucement.

— Caithness n'est pas exactement à l'autre bout du monde. Il nous arrive, à l'occasion, d'accueillir quelques visiteurs.

— Et tu leur as demandé qu'ils te parlent de moi ? insista-t-il, manifestement intéressé.

Derrière lui, Ramsay s'éclaircit la voix impatiemment.

En catimini, Jillian glissa un autre regard en direction de Grimm.

— Mais naturellement ! répliqua-t-elle. Comme mon père, j'aime bien avoir des nouvelles de ceux à qui il nous est arrivé de servir de famille d'accueil.

— Eh bien, même si ce n'est pas mon cas, votre père m'a *tout de même* demandé de venir, maugréa Ramsay. Cela doit signifier quelque chose.

S'efforçant de pousser Quinn sur le côté, il ajouta :

— Et si ce lourdaud voulait bien se conduire de manière un peu plus civilisée, il me présenterait à la plus belle femme de toute l'Écosse.

Jillian eut l'impression d'entendre Grimm étouffer un ricanement. Elle tourna la tête pour le foudroyer du regard, mais il n'avait pas bougé d'un pouce et paraissait toujours aussi indifférent.

— Attention ! reprit Quinn. Bien que je sois entièrement d'accord avec son appréciation de ta beauté, méfie-toi de la langue bien pendue de ce Highlander. Sa réputation de coureur de jupons n'est plus à faire.

Puis, pivotant à contrecœur vers Ramsay :

— Jillian, laisse-moi te présenter…

— Ramsay Logan, l'interrompit l'intéressé. Chef du clan le plus puissant des Highlands et…

— Des clous ! le coupa Quinn à son tour. C'est tout juste si les Logan possèdent un pot pour…

Hésitant, il s'éclaircit la voix et conclut :

— … pour y faire cuire la soupe.

Ramsay le repoussa de plus belle et prit sa place devant Jillian en lâchant sèchement :

— N'insiste pas, de Moncreiffe. Elle n'est pas intéressée par un Lowlander.

— Mais… *je suis* une Lowlander, lui fit-elle remarquer.

— Uniquement par la naissance, non par choix. Un bon mariage peut corriger cela.

Ramsay se rapprocha aussi près d'elle qu'il le put sans lui marcher sur les pieds.

— Les Lowlanders constituent l'élite civilisée de la nation écossaise, Logan ! assena Quinn. Et cesse de l'importuner ainsi, tu l'empêches de respirer.

Jillian le remercia d'un sourire, puis frissonna lorsque Grimm daigna finalement reconnaître sa présence en lui jetant un regard de côté.

— Jillian… dit-il.

Hochant vaguement la tête dans sa direction, il retourna aussitôt à sa contemplation fascinée du feu.

Elle ne parvenait pas à comprendre comment cet homme pouvait avoir sur elle une telle emprise. Il suffisait qu'elle l'entende prononcer son nom pour en avoir le souffle coupé et ne pouvoir lui répondre. Pourtant, elle en aurait eu des choses à lui demander, afin de trouver réponse à toutes les questions qui n'avaient cessé de la hanter. *Pourquoi m'as-tu quittée ? Pourquoi me hais-tu ? Pourquoi es-tu incapable de m'adorer comme je t'adore ?*

— Pourquoi ? s'entendit-elle demander à voix haute, sans même avoir eu conscience d'ouvrir la bouche.

Ramsay et Quinn la dévisagèrent, étonnés, mais elle n'avait d'yeux que pour Grimm.

Incapable de s'en empêcher, Jillian bondit vers lui et lui assena un petit coup de poing dans l'épaule.

— Pourquoi ? répéta-t-elle avec véhémence. Pourrais-tu enfin me le dire, une fois pour toutes ? *Pourquoi ?*

— Pourquoi quoi, Jillian ? s'enquit-il sans se retourner.

Elle lui donna un nouveau coup de poing, un peu plus violent cette fois.

— Tu le sais très bien.

De mauvaise grâce, il lui jeta un coup d'œil pardessus son épaule.

— Vraiment, Jillian... je n'ai pas la plus petite idée de ce que tu racontes.

Ses yeux d'un bleu de glace se rivèrent aux siens. L'espace d'un instant, elle crut qu'il la mettait au défi, ce qui lui fit reprendre son sang-froid.

— Ne sois pas ridicule, protesta-t-elle. C'est une simple question. Que venez-vous faire, tous les trois, à Caithness ?

Jillian était parvenue à sauver ce qui restait de sa dignité. Ils ne pouvaient savoir qu'elle les avait surpris en train de parler du plan méprisable de Gibraltar Saint-Clair, et elle allait quant à elle apprendre si l'un d'eux voulait se montrer honnête avec elle.

Au fond des yeux de Grimm flotta une étrange lueur. De la part de tout autre que lui, elle aurait pu croire qu'ainsi s'exprimait son désappointement, mais il demeurait égal à lui-même. Lentement, il la toisa de la tête aux pieds, notant au passage les chaussons entre ses mains. Et lorsque ses yeux se posèrent sur ses doigts de pieds nus, elle les recroquevilla sous sa robe, avec le sentiment d'être redevenue une petite fille vulnérable.

— Enfile tes chaussons, *lass*. Tu vas attraper froid.

Jillian le foudroya du regard.

Quinn vint se placer près d'elle et lui offrit son bras pour qu'elle s'y appuie, le temps de se chausser.

— Il a raison, approuva-t-il. Les dalles sont glacées. Quant à la raison de notre présence ici, ton père nous a demandé de veiller sur Caithness en son absence.

— Vraiment ? fit-elle mine de s'étonner.

Au fond de son cœur, Jillian ajouta « menteurs » à la liste des épithètes peu flatteuses qui convenaient selon elles le mieux aux hommes. Quant à Grimm, elle se doutait qu'il ne craignait pas de la voir mourir d'un refroidissement. Tout juste s'agissait-il dans son esprit de la rabaisser. Il lui avait donné l'ordre d'enfiler ses chaussons comme il aurait pu le faire pour une gamine incapable d'assumer la simple tâche de s'habiller correctement.

— S'attend-on à des troubles dans cette partie des Lowlands ? insista-t-elle.

— Prudence est mère de sûreté, *lass*...

Quinn lui avait offert cette platitude avec son plus charmant sourire.

Sûreté, mon œil ! songea-t-elle amèrement. Être en sécurité, cela ne consistait certainement pas, pour elle, à se retrouver cernée par un trio de farouches guerriers.

— Votre père ne voulait pas prendre le risque qu'il puisse arriver malheur à Caithness en son absence, intervint Logan d'une voix suave. Et en vous découvrant, je peux le comprendre. Moi aussi, je ne choisirais que les meilleurs pour vous protéger.

— Elle n'a pas besoin d'autre protection que la mienne, Logan ! répliqua Quinn sèchement.

Il prit la main de Jillian et l'entraîna vers la table en hélant une servante.

— Apportez son déjeuner à votre maîtresse !

— Une protection contre quoi ? s'étonna-t-elle.

— Contre toi-même, certainement...

Grimm s'était exprimé à mi-voix, mais elle avait très bien entendu.

Jillian se contorsionna sur son siège pour lui faire face. Toute excuse pour s'opposer à lui était bonne à prendre.

— Qu'as-tu dit ? s'emporta-t-elle.

— J'ai dit qu'il s'agissait certainement de te défendre contre toi-même, morveuse ! rétorqua-t-il en lui rendant son regard noir. Tu n'arrêtes pas de te mettre en danger. Comme la fois où tu t'es sauvée pour suivre une bande de romanichels : nous avons mis deux jours à te retrouver !

— Par Odin ! s'exclama Quinn dans un grand rire. Je l'avais oubliée, celle-ci. Nous étions morts d'inquiétude. J'ai fini par te retrouver au nord de Dunrieffe...

— Je l'aurais retrouvée à ta place si tu n'avais pas voulu à toute force m'envoyer vers le sud, lui rappela Grimm. C'est moi qui t'ai dit qu'elle avait dû partir vers le nord.

— Sacrebleu, l'ami ! protesta l'intéressé en lui jetant un regard en biais. Tu ne continues tout de même pas à bouder des années plus tard ? Ce qui compte, c'est qu'elle a été retrouvée, non ?

— Sauf que je n'ai jamais été perdue... fit valoir Jillian. Je savais exactement où je me trouvais.

Ce qui fit bien rire les trois hommes.

— Et je ne me mets pas toujours en danger ! argumenta-t-elle de plus belle. Je voulais juste goûter à la liberté de ces romanichels. J'étais bien assez grande pour...

Grimm l'interrompit sèchement.

— Tu n'avais que treize ans !

— L'âge d'être responsable de mes actes, s'entêta-t-elle.

— Tu ne faisais que des bêtises, comme d'habitude ! la taquina Quinn.

— Jillian ne fait jamais de bêtises, assura Kaley.

La servante, qui venait d'entrer dans la grande salle, avait surpris les derniers échanges. Dignement, elle vint déposer une assiette fumante de saucisses et de pommes de terre devant sa protégée.

— Si c'est vrai, c'est bien dommage... susurra Ramsay.

— Il y a aussi cette fois où elle est restée prisonnière dans la porcherie ! renchérit Quinn. Je jure que Jillian couinait plus fort que la truie elle-même !

Il s'esclaffa, et même Grimm ne put réprimer un sourire. Jillian se dressa d'un bond :

— Maintenant, ça suffit ! Et toi, Kaley, arrête de sourire bêtement !

— J'avoue que j'avais oublié cet épisode, répondit-elle en ne pouvant s'empêcher de pouffer. On peut dire que tu étais un sacré numéro...

Ce constat arracha une grimace à Jillian.

— Peut-être, mais je ne suis plus une enfant ! se justifia-t-elle. J'ai vingt et un ans et...

— Comment se fait-il que vous ne soyez pas encore mariée, *lass* ? s'enquit Ramsay à voix haute et claire.

Un grand silence se fit dans la pièce. Tous les regards – y compris ceux de quelques servantes qui ne manquaient pas une miette de la conversation – convergèrent sur elle. Jillian se figea et sentit ses joues s'empourprer. Pas un de ses soupirants ne s'était risqué à une attaque aussi frontale. Par tous les saints ! Ces trois-là ne lui épargneraient donc rien... Mais il était vrai, conclut-elle sombrement, qu'ils ne ressemblaient à aucun de ceux auxquels elle avait été confrontée jusque-là. Même Grimm et Quinn, qu'elle pensait connaître, étaient devenus dangereusement imprévisibles.

— Eh bien ? lança ce dernier d'une voix douce. Comment cela se fait-il ? Tu es belle, intelligente et bien dotée. Que sont devenus tous tes prétendants ?

Oui, on se le demande... songea Jillian, amusée.

Se détournant lentement du feu, Grimm jugea utile d'insister à son tour.

— Dis-le-nous, Jillian... Pourquoi n'es-tu pas mariée ?

Un long moment, elle demeura captive de son regard moqueur, incapable de se soustraire aux émotions étranges qu'il faisait naître en elle. Enfin, par un immense effort de volonté, elle parvint à s'en libérer.

— Parce que je me destine au cloître, répondit-elle d'un ton enjoué. Mon père ne vous l'a pas dit ? Sans doute est-ce la raison pour laquelle il a réclamé votre présence : afin de pouvoir m'escorter chez les sœurs de Gethsémani, l'automne venu.

Ignorant le regard de reproche que lui adressait Kaley, Jillian se carra dans son siège et s'attaqua à son repas avec un appétit retrouvé. Ils n'avaient qu'à se débrouiller pour digérer ça, maintenant... Si aucun d'eux ne jugeait utile d'admettre la vérité, pourquoi l'aurait-elle fait ?

— Le cloître ? répéta Quinn au terme d'un long silence.

— Au couvent, précisa-t-elle.

— Mariée au Christ et à personne d'autre ? s'enquit Ramsay dans un grognement dégoûté.

— Exactement, confirma Jillian.

Grimm, lui, ne fit pas de commentaire en quittant la grande salle.

Quelques heures plus tard, Jillian se promenait à l'extérieur de l'enceinte du château, sans but précis, et certainement pas celui de découvrir où un certain hôte de Caithness avait bien pu passer. Alors qu'elle atteignait l'une des portes secondaires, elle vit Kaley qui s'y tenait et qui semblait l'attendre, les bras croisés.

— Le cloître, hein ? la réprimanda-t-elle gentiment. Vraiment, Jillian...

Il ne lui en fallut pas davantage pour s'enflammer.

— Par tous les saints, Kaley ! Ils étaient en train de raconter des histoires sur moi !

— De charmantes histoires.

— D'humiliantes histoires !

Rien que d'y penser, Jillian se sentit rougir. Kaley n'en persista pas moins dans son jugement.

— De touchantes histoires... et qui avaient l'avantage d'être vraies, contrairement à tes sornettes !

— Kaley... ce sont des hommes, répliqua Jillian, comme si cela suffisait à tout expliquer.

— Et même la crème des hommes de ce pays, que ton père a fait venir ici tout spécialement pour toi, afin que tu puisses choisir un mari. Et toi, tu ne trouves rien de mieux à faire que de leur affirmer que tu te destines au couvent...

— Tu savais que mon père les a fait venir pour ça ?

Pour toute réponse, Kaley détourna les yeux et rougit.

— Comment se fait-il que tu le saches ? insista Jillian.

— Je... les ai espionnés, avoua-t-elle, au comble de l'embarras. Alors que tu les écoutais toi-même tapie derrière la balustrade.

Retrouvant son aplomb, Kaley enchaîna, indignée :

— Il faut vraiment que tu arrêtes de t'habiller à ta fenêtre, *lass*...

— Mais... je ne l'ai pas fait exprès !

Une grimace dépitée déforma les lèvres de Jillian.

— Pendant un moment, reprit-elle, j'ai cru que père et mère t'en avaient parlé.

— Non, *lass*. Ils n'ont rien dit à personne. Sans doute y sont-ils allés un peu fort, mais tu n'as le choix qu'entre deux attitudes : soit tu restes en colère et pleine de ressentiment, ce qui équivaudrait à ruiner toutes tes chances, soit tu remercies la Providence et ton père de t'avoir livré sur un plateau ce qui se fait de mieux.

Jillian leva les yeux au ciel.

— Si ces trois hommes sont ce qui se fait de mieux, alors je suis sûre de préférer le cloître.

— Jillian, montre-toi raisonnable ! Ne refuse pas ce qui peut faire ton bonheur. Choisis-toi un bon mari et arrête de faire ta tête de mule.

— Mais je ne veux pas d'un mari !

Refusant de s'en laisser conter, Kaley la dévisagea un long moment et demanda :

— Au fait... que fais-tu donc à vagabonder dehors ?

— Je profite du grand air et des fleurs, répliqua-t-elle dans un haussement d'épaules nonchalant.

— N'as-tu pas pour habitude, chaque matin, de faire une promenade à cheval jusqu'au village ?

Jillian répondit d'un ton courroucé :

— Je n'en avais pas envie. C'est un crime ?

Un sourire indulgent flotta sur les lèvres de Kaley.

— À propos de chevaux, je crois avoir vu ce magnifique Highlander, Ramsay Logan, se diriger vers les écuries.

— Grand bien lui fasse ! J'espère qu'il se fera piétiner par les chevaux, même si je doute que l'un d'eux soit assez grand pour ça. Peut-être leur facilitera-t-il la tâche en se couchant sur le sol ?

Sans cesser de scruter le visage de Jillian, Kaley ajouta :

— Quinn m'a indiqué qu'il allait au village chercher du whisky chez les McBean.

— J'espère qu'il se noiera dans la cuve !

Ayant lâché son venin, dans l'attente de ce qui allait suivre, Jillian lança à son amie un regard plein d'espoir.

— Fort bien... conclut celle-ci. Je m'en retourne aux cuisines. Avec tous ces hommes dans la maison, il y a une montagne de nourriture à préparer.

Sur ce, elle pivota et commença à s'éloigner, laissant Jillian, muette et interdite, derrière elle.

— Kaley ! s'impatienta-t-elle.

— Oui ? fit l'intéressée, lui lançant un regard innocent par-dessus son épaule ronde.

— L'innocence ne te va pas très bien ! grogna Jillian, les yeux plissés.

— Me parler sur ce ton ne te va pas non plus.

Jillian sentit ses joues s'empourprer.

— Pardon, s'excusa-t-elle, penaude.

Puis, avec un regain de curiosité impatiente :

— Alors ? Tu n'as rien d'autre à me dire ?

Kaley secoua la tête en riant doucement.

— Je suis sûre que tu t'en moques, mais j'ai vu Grimm se diriger vers le loch. Il semblait avoir un peu de lessive à faire.

Dès l'instant où la servante se fut éclipsée, Jillian scruta les alentours pour s'assurer que personne ne pouvait la voir, retira ses chaussures, et se mit à courir vers le loch.

Dissimulée derrière un rocher, Jillian l'observait.

Grimm se tenait accroupi au bord du loch et frottait sa chemise entre deux pierres polies. Avec tout un château empli de servantes à sa disposition, prêtes à faire sa lessive, son raccommodage, et à satisfaire à tous ses désirs – y compris à sauter dans son lit –, Grimm Roderick marchait jusqu'au loch, choisissait ses pierres et lavait lui-même sa chemise. Quel orgueil... Quelle indépendance ! Quel... isolement.

Jillian n'aurait pas demandé mieux que de laver son linge pour lui. Mieux encore : elle aurait voulu laver elle-même ce torse musclé. Elle aurait voulu laisser ses doigts courir le long des muscles qui sculptaient son abdomen, suivre ce filet de poils soyeux qui disparaissait sous son tartan. Elle aurait voulu le rejoindre pour rompre cette solitude qu'il entretenait, car elle était convaincue que Grimm Roderick s'était délibérément retranché derrière la façade de froide indifférence qu'il présentait au monde.

Un genou dans l'herbe, il frottait sa chemise, sans se lasser. En voyant ses muscles jouer souplement sur ses épaules, Jillian songea qu'il était vraiment magnifique, avec sa taille élancée et son corps parfaitement proportionné, ses cheveux noirs retenus par un lien de cuir, ses yeux perçants.

Je t'adore, Grimm Roderick... Combien de fois s'était-elle répété ces mots dans le secret de ses pensées ? *Je t'aime depuis le premier jour où je t'ai rencontré. Et j'attends que tu me remarques depuis lors.*

Jillian se laissa glisser dans la mousse. Au pied du rocher, jambes repliées, elle posa le menton sur ses bras croisés sur ses genoux, sans cesser de le dévorer des yeux. Un rayon de soleil illuminait son dos. De ses larges épaules, ses flancs s'évasaient jusqu'à une taille fine, au bas de laquelle son tartan enserrait ses hanches. Soudain, elle le vit plonger une main dans ses cheveux pour les chasser de son visage. Sans même s'en rendre compte, elle poussa un soupir en voyant les muscles jouer sous sa peau.

Grimm se retourna et posa son regard directement sur elle. Jillian se figea. Bon sang ! Il avait toujours eu l'ouïe – de même que tous ses autres sens – particulièrement développée. Comment avait-elle pu l'oublier ?

— Va-t'en, poulette ! lança-t-il sèchement.

Sans plus se préoccuper d'elle, il reporta son attention sur la chemise qu'il était en train de laver.

Jillian, submergée par la honte, ferma les yeux et laissa retomber son front sur ses mains jointes. Elle n'avait même pas le courage d'essayer de lui parler ou de le rejoindre. Dès l'instant où elle se laissait aller à son égard à des pensées torrides, ce rustre la désarçonnait et lui ôtait toute envie d'aller vers lui en l'accablant de quelque méchanceté. Laissant libre cours à son abattement, elle soupira de plus belle.

Grimm se retourna de nouveau et demanda, agacé :

— Quoi ?

Piquée au vif, Jillian redressa la tête.

— Comment ça, « quoi » ? Je n'ai rien dit !

— Tu restes là, assise, à soupirer comme si le monde s'écroulait sur toi ! Tu fais tant de bruit que je ne peux même pas laver ma chemise en paix ! Et maintenant, tu as le culot de te montrer désagréable avec moi, alors que je m'enquiers poliment de ce qui ne va pas...

— Poliment ! se récria-t-elle. Un « Quoi ? » vaguement marmonné, tu appelles ça de la politesse ? Un « Quoi ? » qui ne veut rien dire d'autre que : « Comment oses-tu m'importuner en m'imposant tes pitoyables bruits incongrus ? » Un « Quoi ? » pour me signifier crûment : « Pourrais-tu aller mourir ailleurs, poulette ? » Grimm Roderick, tu es parfaitement incapable de la moindre politesse.

— Inutile de t'énerver ainsi, poulette… rétorqua-t-il le plus calmement du monde.

— Je ne suis pas une *poulette* !

Par-dessus son épaule, il la foudroya du regard.

— Bien sûr que si ! répliqua-t-il durement. Tu es sans arrêt en train de picoter une chose ou une autre. *Pic-pic ! Pic-pic !*

— De… de *picoter* !

Jillian bondit sur ses pieds, contourna le rocher et alla se camper face à Grimm en s'exclamant d'une voix blanche :

— On va voir si je « picote » !

Rapide comme un chat, elle lui subtilisa sa chemise, agrippa solidement le tissu à chaque épaule, et fendit en tirant d'un coup sec le vêtement par le milieu.

— Voilà ce que j'ai *vraiment* envie de faire ! reprit-elle d'un ton rageur. Voilà ce que j'appelle t'importuner ! De toute façon, qu'est-ce qui te prend de laver toi-même ta stupide chemise ?

En le foudroyant du regard, elle agitait le vêtement devant elle pour ponctuer ses paroles.

Assis sur ses talons, la tête levée vers elle, Grimm l'observait avec circonspection.

— Est-ce que tu te sens bien ? demanda-t-il enfin.

— Non, je ne me sens pas bien ! Je ne me suis pas sentie bien de toute la matinée ! Et cesse de changer de sujet en espérant détourner l'attention vers moi comme tu le fais toujours. Réponds à ma question : pour quelle raison laves-tu toi-même ta chemise ?

— Parce qu'elle était sale, répliqua-t-il avec une condescendance étudiée.

Avec une retenue qu'elle trouva admirable, Jillian parvint à ne pas mordre à l'hameçon et reprit :

— Il y a des servantes pour...

— Je ne voulais pas déranger...

— ... laver les chemises des invités...

— ... une servante en lui demandant de...

— ... et je te l'aurais lavée, moi, de toute façon, ta sacrée chemise, si tu me l'avais demandé !

Grimm en resta bouche bée.

Réalisant dans quel bourbier elle s'était fourrée, Jillian fit de son mieux pour faire marche arrière.

— Je veux dire... je l'aurais fait si... toutes les servantes avaient été mortes, ou gravement malades...

Avec un brusque haussement d'épaules, elle poursuivit :

— Si c'était la seule chemise que tu avais à te mettre. Et s'il faisait très froid. Et si tu étais malade, ou risquais de le devenir.

Réalisant qu'elle ne faisait que s'enferrer, Jillian ferma brusquement la bouche et se tint coite. Grimm scrutait son visage avec ce qui ressemblait à une certaine fascination.

En un seul mouvement puissant et gracieux, il se mit debout, de sorte qu'ils se retrouvèrent quasiment nez à nez.

Jillian supportait mal de devoir de nouveau lever la tête pour le regarder, mais son ressentiment céda bien vite le pas au trouble. Leur trop grande proximité la tétanisait. Elle se sentait crucifiée par l'intensité de son regard. Venait-il de se rapprocher d'elle, ou penchait-elle vers lui, trahie par ses jambes faibles ?

— *Tu* aurais lavé *ma* chemise ? s'étonna-t-il en scrutant intensément son visage.

Jillian soutint son regard sans ciller, préférant ne pas se risquer à parler. Si elle ouvrait la bouche, Dieu seul savait ce qui risquait d'en sortir.

Embrasse-moi, magnifique Highlander…

Soudain, elle sentit les phalanges de Grimm dessiner le contour de sa mâchoire et faillit défaillir. Sa peau était brûlante. Ses lèvres n'étaient plus qu'à un souffle des siennes. Ses yeux, sous leurs paupières mi-closes, étaient insondables.

Il mourait d'envie de l'embrasser. Jillian en avait la certitude.

Elle pencha la tête sur le côté, pour mieux se prêter au baiser. Elle ferma les yeux afin de s'abandonner tout à fait. L'haleine de Grimm déposa une caresse légère sur sa joue. N'osant bouger le moindre muscle, elle attendit.

— Eh bien… c'est trop tard, maintenant.

Jillian rouvrit brusquement les yeux. Non, ce n'est pas vrai ! faillit-elle protester. Embrasse-moi !

— Pour laver ma chemise, précisa-t-il.

Son regard se porta sur le vêtement en loques qu'elle avait toujours en main, et il ajouta :

— De toute façon, je n'ai pas besoin qu'une poulette hystérique me tourne autour. Au moins, les servantes ne déchireraient pas ma chemise. Sauf, bien entendu, dans leur hâte à me sauter dessus pour me déshabiller, mais c'est là un tout autre problème, dont je suppose que tu n'as aucune envie de discuter avec moi.

— Grimm ? fit Jillian d'une voix tendue.

Avant de lui répondre, il laissa son regard errer sur le loch.

— Mmm ?

— Je te hais.

— Je sais, *lass*… Tu me l'as dit la nuit dernière. J'ai l'impression que nos petites « discussions » sont vouées à se terminer par ce constat. Essaie de te montrer un peu plus créative, la prochaine fois…

Grimm ne broncha pas lorsque les restes de sa chemise mouillée vinrent le frapper au visage. Impassible, il regarda Jillian s'éloigner de lui à grands pas.

Grimm portait un tartan propre, ce soir-là au dîner. Ses cheveux, encore humides d'un bain récent, avaient été tirés soigneusement vers l'arrière. Et si sa chemise était propre elle aussi, elle arborait une déchirure qui la séparait en deux dans le dos. Il avait laissé les deux pans flotter derrière lui, ce qui au goût de Jillian laissait visible un peu trop son dos musclé.

— Qu'est-il arrivé à ta chemise ? demanda Quinn en le voyant s'asseoir.

Grimm jeta un coup d'œil à Jillian, installée à l'autre bout de la table. Elle redressa la tête et s'efforça de soutenir son regard d'un air suffisant. Il affichait de nouveau cette étrange expression qu'elle ne parvenait pas à interpréter, comme lors de son arrivée, quand il n'avait cessé de répéter son nom sur un ton particulier. Avec une bouchée de pain devenu soudain très sec dans sa bouche, elle ravala les paroles blessantes qu'elle avait été sur le point de prononcer.

Son visage, nota-t-elle en soutenant vaille que vaille le regard de Grimm, était parfaitement symétrique. L'ombre d'une barbe accentuait les creux qui marquaient ses joues, juste sous les pommettes, soulignant le tracé plein d'arrogance de son menton. Ses cheveux mouillés, noués par un lien de cuir, luisaient comme de l'ébène à la lumière dansante des chandeliers. Le bleu de ses yeux formait un contraste saisissant avec le hâle de sa peau, dans lequel éclatait la blancheur de ses dents dès que ses lèvres s'entrouvraient. Celles-ci, roses, fermes et sensuelles, se retroussèrent en un sourire moqueur.

— Une rencontre impromptue avec une tigresse déchaînée, expliqua-t-il sans la quitter des yeux.

— Ah oui ? s'étonna Ramsay. Dans ce cas, pourquoi ne pas avoir changé de chemise ?

— Je n'ai apporté que celle-ci.

— Tu n'as qu'une chemise à te mettre ! railla Ramsay. Par la lance d'Odin ! Tu peux t'en offrir un millier, si tu le veux. Deviendrais-tu avaricieux, l'ami ?

— Ce n'est pas la chemise qui fait l'homme, Logan.

Ramsay replaça le col de sa chemise d'un blanc immaculé.

— Ça t'arrange bien de le croire, répliqua-t-il. Mais tu négliges le fait qu'elle peut être un reflet de sa personnalité.

— Je suis sûr qu'une servante pourrait t'arranger ça, intervint Quinn. Je peux t'en envoyer une, si tu veux.

— Cela ne me dérange pas de la porter ainsi, assura Grimm.

— Tu ressembles à un maraud ! ricana Ramsay.

Jillian poussa un soupir résigné.

— Je vais la recoudre, murmura-t-elle en piquant du nez dans son assiette pour ne pas voir leurs mines stupéfaites.

— Vous savez coudre, *lass* ? questionna Ramsay d'un air dubitatif.

— Naturellement ! rétorqua-t-elle sèchement. Ce n'est pas parce que je suis toujours célibataire que je suis une vieille fille incapable !

— Mais... insista-t-il, n'est-ce pas plutôt aux servantes de s'en charger ?

— Parfois, elles ont mieux à faire... maugréa-t-elle.

Surpris par cette réponse sibylline, Quinn s'inquiéta :

— Tu es sûre que tu te sens bien, Jillian ?

— Oh ! gémit-elle. Tais-toi un peu, s'il te plaît...

6

Cela avait le don de la mettre en fureur… Chaque fois qu'elle apercevait l'alignement de points inégaux dans le dos de Grimm, Jillian se sentait devenir aussi douce qu'un porc-épic. Le voir déambuler dans cette tenue était aussi humiliant que s'il avait écrit au dos de sa chemise : *Jillian a perdu le contrôle d'elle-même et je vais faire en sorte qu'elle ne l'oublie jamais.* Elle avait encore du mal à croire qu'elle ait pu faire cela. Toutes ces années d'enfance qu'il avait passées à la tourmenter avaient causé sa perte, et un rien l'avait fait craquer.

Grimm Roderick était de retour à Caithness, plus séduisant que jamais, et pourtant il la traitait de la même façon qu'autrefois. Que faudrait-il faire pour qu'il comprenne qu'elle n'était plus une gamine ? Pour commencer, arrête de te conduire comme si tu en étais une… se morigéna-t-elle. Après avoir reprisé sa chemise, elle avait dû lutter contre son envie de ne pas la lui rendre et d'aller la brûler. Mais elle avait compris qu'en s'abaissant à cela, elle ne ferait que le renforcer dans son idée qu'elle avait un penchant pour les coups de tête. Aussi, à la place, elle s'était procuré trois chemises neuves de la plus belle facture, chargeant une servante de les placer bien en vue dans sa chambre.

Les portait-il pour autant ? Que nenni !

Chaque jour, il apparaissait affublé de cette unique chemise balafrée d'une couture malhabile dans le dos. Jillian avait failli lui demander pourquoi il ne portait pas celles qu'elle lui avait offertes, mais cela aurait été aussi humiliant que de reconnaître que son stratagème fonctionnait et qu'elle se sentait aussi stupide et coupable qu'il voulait qu'elle le soit. Elle préférait mourir plutôt que de se laisser emporter encore par l'émotion devant cet homme froid comme la glace qui parvenait d'un mot à la faire sortir de ses gonds.

Arrachant ses yeux de l'objet de ses tourments qui traversait la cour intérieure vêtu de son habituelle chemise couturée, Jillian inspira à fond pour se calmer. *Jillian Alanna Roderick...* Elle fit rouler ce nom sur sa langue, à l'abri de ses dents, en un murmure audible d'elle seule. Les syllabes s'enchaînaient bien. Si seulement...

— Ainsi donc, *lass*, ce sera le cloître pour vous...

Jillian se figea. Elle se serait bien passée, pour l'heure, du grondement rauque de la voix de Ramsay Logan dans son dos.

Sans quitter des yeux la fenêtre, elle émit un vague grognement en guise d'assentiment.

— Vous ne tiendrez pas une quinzaine ! reprit-il d'un ton sans réplique.

— Comment osez-vous ! s'offusqua-t-elle en faisant volte-face. Vous ne savez rien de moi.

Ramsay sourit d'un air suffisant.

En se rappelant qu'il l'avait vue nue le jour de son arrivée, Jillian se sentit blêmir.

— Sachez, monsieur, que j'ai entendu l'appel ! déclara-t-elle sèchement.

— Oh ! Je n'en doute pas un seul instant... susurra-t-il. Mais je crains fort que vos oreilles soient bouchées et que vous n'ayez pas entendu le bon. Quelqu'un comme vous doit ressentir l'appel exercé sur ses sens par un homme de chair et de sang, non par quelque

Dieu inaccessible qui ne lui fera jamais connaître la joie d'être femme.

— Il y a d'autres joies dans l'existence que de devenir la pouliche d'un homme imbu de lui-même, Logan !

— Jamais la femme que j'épouserai ne sera ainsi, protesta-t-il. Comprenez-moi bien : je ne méprise pas l'Église et ceux que Dieu appelle à Lui. Je ne vous vois tout simplement pas céder à de telles séductions. Vous êtes trop passionnée pour cela.

— Absolument pas. Je suis parfaitement calme et maîtresse de moi-même.

— Sauf en présence de Grimm... fit-il remarquer.

— Uniquement parce qu'il m'irrite !

Jillian le vit arquer un sourcil et sourire de plus belle.

— Qu'y a-t-il de si drôle ? s'agaça-t-elle.

— Votre façon de présenter la chose. « Irriter » est un mot intéressant, mais ce n'est pas celui que j'aurais choisi. « Exciter » me paraît plus indiqué, voire... « charmer ». Vos yeux flambent comme de l'ambre au soleil dès qu'il entre dans une pièce où vous vous trouvez.

— Très bien.

Jillian se retourna vers la fenêtre et s'abîma de nouveau dans la contemplation de la cour en poursuivant :

— À présent que nous avons débattu des termes les plus adéquats et que vous avez choisi les plus inappropriés, faisant ainsi preuve de votre méconnaissance des femmes, vous pouvez vaquer à vos occupations. Allez, ouste !

Pour bien marquer sa détermination, Jillian avait accompagné ces paroles d'un geste éloquent de la main.

Ce qui eut pour seul effet de réjouir Logan, dont le sourire s'élargit encore lorsqu'il constata lucidement :

— Je ne vous impressionne pas le moins du monde, n'est-ce pas ?

— À part votre attitude autoritaire et le fait que vous utilisez votre force et votre corpulence pour barrer toute retraite à une faible femme, maugréa-t-elle, j'imagine que vous représentez davantage une nuisance qu'un danger.

— La plupart des femmes ne se plaignent pas de me sentir près d'elles… répliqua-t-il en la serrant d'un peu plus près.

Par-dessus son épaule, Jillian lui lança un regard dégoûté.

— Je ne suis pas la plupart des femmes. Et inutile d'essayer de grimper sur mes pieds, il n'y a là de place que pour moi. Vous feriez mieux de retourner au fier pays des Logan, où les hommes sont de vrais hommes et où les femmes leur appartiennent. Je ne suis pas le genre de donzelle auquel vous êtes habitué.

À ces mots, Ramsay éclata de rire.

Lentement, elle se retourna vers lui, les mâchoires crispées.

— Voudriez-vous que je vous donne un coup de main, avec Roderick ? demanda-t-il en jetant un coup d'œil à la fenêtre, par-dessus l'épaule de Jillian.

— Je pensais que nous venions d'établir que vous n'êtes pas dangereux. Ce qui signifie que vous ne pouvez m'être d'aucune utilité.

— Et moi, je pense que vous avez besoin de mon aide. Ce type peut se montrer aussi sot que bouché.

Quand la porte de la grande salle s'ouvrit, un instant plus tard, Ramsay agit si rapidement que Jillian n'eut pas le temps de protester. Le baiser qu'il lui donna fut habilement délivré et prolongé, autant que le permit l'effet de surprise. Lorsqu'il prit fin, elle se retrouva grimpée sur la pointe des pieds, toute tendue et étrangement essoufflée.

Stupéfaite, Jillian dévisagea Ramsay, ne sachant que penser. En fait, elle avait si peu d'expérience en la matière que rien ne l'avait préparée au baiser expérimenté d'un homme dans la fleur de l'âge et séducteur émérite.

Le claquement brusque de la porte d'entrée la fit sursauter et la ramena à la réalité.

— Était-ce Grimm ? demanda-t-elle dans un souffle.

Tout sourire, Ramsay acquiesça d'un hochement de tête. En le voyant abaisser de nouveau ses lèvres à la rencontre des siennes, Jillian s'empressa de plaquer sa main sur sa bouche.

— Allons, *lass*... protesta-t-il. Un petit baiser pour me remercier d'avoir prouvé à Grimm que s'il est trop stupide pour vous faire sienne, quelqu'un d'autre le fera.

— Qu'est-ce qui vous fait croire que je me soucie de ce qu'il peut penser ? s'agaça-t-elle. *Lui*, en tout cas, n'a certainement cure que vous m'embrassiez.

— Vous vous êtes remise de mon baiser bien trop rapidement à mon goût, maugréa Ramsay. Pour ce qui est de Grimm, je vous ai vue l'épier par cette fenêtre. Si vous ne vous décidez pas à lui parler de cœur à cœur...

— Il faudrait déjà qu'il ait un cœur ! l'interrompit-elle.

— D'après ce que j'ai pu observer à la cour, je ne parierais pas sur le contraire, admit-il. Mais vous ne pourrez en être certaine tant que vous n'aurez pas tenté de le faire. Je parle dans mon intérêt : dès que vous aurez essayé – et échoué –, il vous sera possible de vous le sortir de la tête et de me considérer de cet œil énamouré que vous lui réservez pour le moment...

— Merci de ce judicieux conseil, Logan. Mais je ne suis pas intéressée.

— Je vous montrerai ce qu'est un homme au grand cœur. Je vous traiterai comme une reine. Roderick ne vous mérite pas.

Soudain morose, Jillian soupira longuement.

— Il ne veut pas de moi. Et si vous lui dites un mot de ce que vous imaginez que je ressens pour lui – ce qui n'est pas le cas, je vous le répète –, je trouverai un moyen de vous le faire regretter.

Ramsay eut un geste de dépit et se dirigea vers la porte.

— Pitié ! lança-t-il. Je tiens à mes chemises. Si on me demande, *lass*, je me rends de ce pas au village.

Sur ce, il s'éclipsa.

Un long moment après son départ, Jillian demeura à fixer d'un œil noir la porte close. Par tous les saints ! Ces hommes allaient finir par lui donner l'impression d'avoir de nouveau treize ans – et l'année de ses treize ans n'avait pas été pour elle une année faste. En fait, à la réflexion, cela avait même été la pire qu'il lui ait été donné de vivre. C'était à l'âge de treize ans qu'elle avait surpris Grimm dans la grange en compagnie d'une servante, avant de courir se réfugier dans sa chambre pour contempler tristement le manque d'attraits féminins de son propre corps. Cela avait été la période la plus éprouvante de toute son existence, au cours de laquelle il lui avait fallu se confronter aux désirs d'une adulte dans un corps d'enfant. Et voilà qu'à présent elle se retrouvait en butte à des désirs d'enfant dans le corps d'une femme. Trouverait-elle un jour un équilibre dans ses relations avec Grimm Roderick ?

Caithness, autrefois, avait été dans l'esprit de Grimm synonyme de paradis terrestre, où régnaient la paix et le bonheur. Mais il n'avait pu y goûter sans se départir de la certitude qu'ils ne pourraient jamais tout à fait être à lui. Même si Gibraltar et Elizabeth lui avaient ouvert leur porte et leurs cœurs, il y avait toujours eu une barrière invisible entre eux. Chaque soir, en dînant avec eux dans la grande salle, il avait écouté les Saint-Clair, leurs cinq fils et leur unique fille discuter gaiement, rire et plaisanter. La joie que ces parents prenaient à regarder leurs enfants grandir, à savourer chaque étape de leur développement, lui avait sauté aux yeux, suffisant à faire de lui un étranger. Il n'avait jamais perdu de vue que Caithness n'était pas son foyer mais celui d'une autre famille, unie, heureuse, au sein de laquelle il n'était accueilli que par pure générosité, et non par le droit qu'apporte la naissance.

Grimm laissa fuser un soupir de frustration. Pourquoi ? aurait-il voulu crier, les poings levés vers le ciel. Pourquoi fallait-il que ce soit Ramsay ? Logan était un incorrigible don juan, totalement dénué de la sincérité et de la tendresse dont une femme telle que Jillian avait besoin. Il avait fait sa connaissance à la cour, bien des années plus tôt, et avait pu constater combien il laissait de cœurs brisés dans son sillage de séducteur impénitent. Pourquoi Ramsay ? Cette interrogation en amena une autre dans son esprit, aussitôt réprimée. Pourquoi pas moi ? Cela ne serait jamais de l'ordre du possible. *Fils, nous n'y pouvons rien... nous naissons tous ainsi.* Tueur sans état d'âme, par la naissance – et pire encore : Berserker par choix –, voilà ce qu'il était. Même sans avoir invoqué le Berserker, son père avait assassiné sa propre femme. Quelles horreurs la folie dont il était porteur, combinée à sa malédiction de surhomme, pourrait-elle l'inciter à commettre ? S'il y avait une chose dont il était certain, c'est qu'il préférait ne jamais le découvrir.

Grimm enfouit ses deux mains dans ses cheveux et s'immobilisa. Il fit glisser ses doigts dans leur profondeur, dénouant le lien de cuir et s'assurant qu'ils étaient propres. La crasse qui les avait raidis alors qu'il vivait en forêt n'était jamais revenue les ternir. Il ne portait plus de tresses de guerre aux tempes. Il n'était plus brun comme un Maure à cause d'une exposition incessante au soleil et du manque de bains. Il ne ressemblait plus au barbare que Jillian avait trouvé dans les bois. Mais parfois, il avait la sensation que jamais il ne pourrait se débarrasser des traces accumulées au cours de ces années passées dans les forêts, à rivaliser d'habileté avec les prédateurs les plus farouches pour chasser de quoi survivre. Peut-être était-ce à cause du souvenir d'avoir grelotté lors des hivers glaciaux. Peut-être était-ce à cause du sang qu'il avait versé, et de la crainte que s'il se laissait aller à aimer une femme, à son tour il reviendrait un jour à lui avec un couteau ensanglanté entre les mains et son fils pour le regarder.

Jamais ! se promit-il farouchement. Jamais il ne ferait de mal à Jillian.

Elle était encore plus belle que dans son souvenir. C'était une femme dans le plein épanouissement de sa féminité, désormais. Quant à lui, il n'avait de défenses contre elle que sa formidable volonté. Il s'était entraîné. Inlassablement, il avait discipliné son corps et son esprit, apprenant peu à peu à dominer le Berserker en lui – du moins, en grande partie.

Lorsqu'il était arrivé, quelques jours plus tôt, et avait aperçu cette jeune femme blonde et rieuse entourée d'enfants ravis, les regrets que lui inspirait son enfance perdue avaient failli le faire suffoquer. Il avait eu envie, lui aussi, de s'inscrire dans ce charmant tableau, sur cette verte pelouse en pente douce. Il se serait volontiers allongé à ses pieds pour l'écouter, tout comme il l'aurait de grand cœur prise dans ses bras pour lui donner des enfants rien qu'à elle.

Frustré, il s'était résigné à faire dans la provocation. Mais quand Jillian avait redressé la tête pour le regarder, Grimm avait senti son cœur sombrer. Penser à elle en gardant le souvenir d'un visage juvénile et innocent lui avait facilité la tâche. À présent, le petit nez retroussé et les yeux scintillants de malice étaient ceux d'une jeune femme sensuelle à l'irrésistible beauté. Mais dans son regard, en plus d'un reste d'innocence, il avait découvert une maturité nouvelle qui allait de pair avec une secrète affliction.

Pour quelle raison Gibraltar lui avait-il enjoint de venir ici ? Il n'imaginait pas une seconde que c'était dans le but de le voir rivaliser avec les deux autres pour gagner la main de sa fille. Plus probablement Saint-Clair avait-il dû se rappeler le vœu que Grimm avait fait de protéger Jillian si besoin était. Dans cette optique, sans doute avait-il cherché un guerrier assez fort pour prévenir tout trouble possible entre Jillian et ses deux « vrais » soupirants : Ramsay et Quinn. Cela paraissait plausible. Il n'était là que pour empêcher Jillian de se compromettre d'une manière ou d'une autre, et pour parer aux éventuelles disputes entre les concurrents.

Jillian... Une odeur de chèvrefeuille, une masse de cheveux blonds comme les blés, des yeux d'un brun peu commun pailleté d'or : la couleur même de cet ambre auquel les Vikings accordaient le plus grand prix. Ils paraissaient dorés à la lumière du soleil, mais prenaient une teinte chaude de brun veiné de jaune quand elle était en colère. Jillian était la quintessence de ses rêves, l'incarnation de ses fantaisies nocturnes. Et lui, il était dangereux pour elle par sa nature même – une bête.

— Milord... Quelque chose ne va pas ?

Grimm fit glisser ses mains de son visage, qu'elles recouvraient. Le jeune garçon qui s'était trouvé sur les genoux de Jillian à son arrivée lui tirait la manche.

— Vous allez bien ? insista-t-il, manifestement inquiet.

Grimm acquiesça d'un signe de tête.

— Ça va, mon garçon. Mais tu n'as pas à m'appeler « milord ». Je ne suis pas laird.

— Pour moi, vous ressemblez à un laird.

— Peut-être, mais je n'en suis pas un.

— Pourquoi Jillian ne vous aime pas ?

Un sourire triste flotta sur les lèvres de Grimm.

— Vois-tu, Zeke, je pense que...

Il s'interrompit et demanda :

— Tu t'appelles bien Zeke, n'est-ce pas ?

— Vous connaissez mon nom ! s'exclama le gamin.

— J'ai entendu Jillian t'appeler ainsi.

— Mais vous vous en êtes souvenu !

— Pourquoi ne l'aurais-je pas fait ?

Zeke recula d'un pas, la tête levée vers lui, une expression d'adoration sur le visage.

— Parce que vous êtes un guerrier puissant, répondit-il. Et moi je ne suis que... eh bien, je ne suis que moi : Zeke. Personne ne me remarque. Sauf Jillian.

Grimm observa l'enfant, notant au passage une attitude qui trahissait autant la honte que le défi. Plaçant sa main sur son épaule, il suggéra :

— Pendant que je suis ici, à Caithness... cela te dirait de me servir d'écuyer, mon garçon ?

— D'écuyer ! répéta-t-il, les yeux ronds. Mais... je ne peux pas vous servir d'écuyer... je ne vois pas très bien.

— Laisse-moi libre d'en juger par moi-même. Mes besoins sont assez simples. Il me faut quelqu'un qui puisse s'occuper de mon cheval. Il ne supporte pas d'être enfermé à l'écurie. Il faut donc lui apporter sa nourriture et son eau où qu'il choisisse de se trouver. Il faut aussi le brosser, le panser, et le monter de temps à autre.

Avec ces dernières paroles s'envola l'expression pleine d'espoir qui était apparue sur le visage de Zeke. Grimm s'empressa de rectifier :

— En fait, il n'a pas besoin d'être monté pour le moment, puisqu'il vient de faire un long voyage jusqu'ici. Et je pourrais te donner quelques leçons d'équitation.

— Mais... protesta Zeke de plus belle. Puisque je n'y vois pas beaucoup... je ne peux pas monter !

— Un cheval possède du bon sens, mon garçon. On peut l'entraîner à rendre tout un tas de services à celui qui le monte. Nous irons doucement, mais faisons les choses dans l'ordre. Pour commencer, veux-tu t'occuper de mon cheval ?

— *Aye !* Je le ferai !

— Dans ce cas, allons le voir. Je vais te présenter à lui. Il peut être un peu farouche avec les gens qu'il ne connaît pas.

Grimm prit la main du jeune garçon. Il fut surpris de la voir totalement disparaître, si fragile, dans la sienne. Un souvenir s'imposa sans crier gare à lui : un enfant, pas plus âgé que Zeke, transpercé par l'épée d'un McKane. Secouant la tête, il chassa l'image sanglante de sa mémoire et serra les doigts menus entre les siens.

— Attendez un peu ! s'exclama Zeke en tirant sur son bras. Vous ne m'avez pas répondu... Pourquoi Jillian ne vous aime pas ?

Grimm se creusa la tête.

— Je crois que c'est parce que je n'ai pas arrêté de l'embêter quand elle était petite, dit-il enfin.

— Vous la poursuiviez ?

— Sans répit.

— Jillian dit que les garçons n'embêtent que les filles dont ils sont secrètement amoureux. Vous lui avez aussi tiré les cheveux ?

Grimm fronça les sourcils, incapable de comprendre où il voulait en venir.

— Je suppose que j'ai dû le faire une fois ou deux, admit-il après y avoir réfléchi.

— *Och !* Tant mieux, alors... s'exclama Zeke avec un soulagement évident. Vous allez donc lui faire la cour, maintenant. C'est bien. Elle a besoin d'un bon mari.

Le tout avait été énoncé sur le ton de l'évidence. Ils se remirent en route et Grimm réprima un sourire amusé. Celle-là, songea-t-il, il aurait dû la voir venir...

7

Grimm avait beau plaquer ses mains sur ses oreilles, rien n'y faisait. En désespoir de cause, il enfouit sa tête sous un oreiller, sans plus de résultats. Il envisagea de se lever pour aller fermer les volets, mais un rapide coup d'œil lui révéla que cette petite satisfaction lui serait également refusée : ils étaient déjà clos. Parmi les « dons » qui constituaient l'apanage d'un Berserker, une ouïe extraordinaire n'était pas le moindre. Cela lui avait permis de survivre en bien des occasions où tout autre se serait laissé surprendre par un ennemi survenant en catimini. Mais à présent, cet avantage tournait au cauchemar, car il ne pouvait qu'entendre ce qui l'empêchait de dormir.

Elle. Jillian.

Pour l'amour de Dieu ! Ce n'était pas encore l'aube... Était-ce trop demander, une heure supplémentaire de sommeil ? Cette femme ne dormait donc jamais ? Le chant solitaire d'une flûte ne cessait de s'élever jusqu'à lui, porté par la brise matinale glacée, escaladant les murs de pierre du château et se glissant dans sa chambre par les claires-voies des persiennes. Les notes mélancoliques faisaient le siège des solides murailles qui protégeaient son cœur. À Caithness, Jillian était partout à la fois. Dans les arrangements floraux sur les tables. Dans le sourire des enfants. Dans les vives couleurs des tapisseries murales. Impossible de lui échapper... Et à présent, elle avait décidé de hanter également son sommeil, grâce aux notes lancinantes d'une antique chanson d'amour gaélique. La mélopée s'élevait en une plainte aiguë, puis retombait en un murmure rauque de manière si dramatique et convaincante qu'il ne put s'empêcher de ricaner. Comment aurait-elle pu connaître la souffrance d'un amour non partagé ? Elle était magnifique, parfaite ; elle avait la chance d'avoir des parents qui l'aimaient, un foyer, un endroit où se sentir chez elle. Elle n'avait jamais connu la morsure de l'amour, et il ne pouvait imaginer un seul homme capable de lui refuser quoi que ce soit. Dans ce cas, où avait-elle appris à jouer cette déchirante chanson d'amour avec une telle empathie ?

N'en pouvant plus, Grimm jaillit de son lit, bondit jusqu'à la fenêtre et ouvrit les volets si énergiquement qu'ils allèrent battre contre le mur.

— Dis-moi ! s'écria-t-il. Tu n'en as pas assez de jouer cette ritournelle ridicule ?

Bon sang, comme elle était belle... Et que Dieu lui pardonne, il la désirait toujours avec autant de force que des années plus tôt. À l'époque, il avait su se raisonner en se disant qu'elle était trop jeune. Maintenant qu'elle était une femme, il n'avait plus cette excuse pour le retenir.

Jillian se tenait debout en contrebas de sa fenêtre, sur une avancée rocheuse dominant le loch. Le dos tourné vers lui, elle contemplait le globe d'or pâle du soleil qui se levait sur l'étendue d'eau argentée. Au son de sa voix, elle s'était raidie et la mélodie douce-amère s'était tue.

— Je croyais que tu logeais dans l'aile est, dit-elle sans se retourner vers lui.

— Je choisis mon propre domaine. Comme je l'ai toujours fait.

Grimm se pencha légèrement par la fenêtre et s'absorba dans la contemplation de Jillian, de sa chevelure blonde agitée par le vent, de ses épaules fièrement redressées et de son port de reine. Elle contemplait le loch avec obstination.

— Rentre chez toi, Grimm ! lança-t-elle sèchement.

— Ce n'est pas pour toi que je reste, mais pour ton père.

Le mensonge était tout naturellement monté à ses lèvres.

— Tu lui as donc fait allégeance ! railla-t-elle. Toi qui ne plies devant rien ni personne...

Grimm accusa le coup en grimaçant.

— Je ne suis pas réfractaire à toute allégeance, dit-il. C'est juste que très peu de gens en sont dignes.

— Je ne veux pas de toi ici !

Cela l'irritait qu'elle refuse de le regarder. Alors qu'ils s'envoyaient des méchancetés à la tête, c'était le moins qu'elle pouvait faire.

— Peu m'importe ce que tu veux ou non, se força-t-il à prétendre. Ton père m'a convoqué ici, je resterai jusqu'à ce qu'il me libère de mes obligations envers lui.

— Je t'en ai déjà libéré !

Grimm laissa fuser un grognement incrédule. Même si elle l'avait voulu, elle n'aurait pu le libérer, tant le lien qui les unissait semblait indestructible. Lui-même était bien placé pour le savoir. Il s'était efforcé durant des années d'en venir à bout, de ne plus penser à elle, de ne plus se soucier de savoir où elle se trouvait, comment elle se portait, et si elle était heureuse.

— Les désirs d'une femme sont de peu d'importance quand ils vont à l'encontre de ceux d'un homme.

Dans la bouche de Grimm, ce n'était que provocation. En insultant la gent féminine, il ne visait qu'à l'obliger à se tourner vers lui, afin de pouvoir savourer sur son visage la colère qu'il avait fait naître en elle, à défaut de la passion qu'il se languissait de pouvoir lui offrir.

Berserker ! le réprimanda la voix de sa conscience. Laisse-la tranquille. Tu n'as aucun droit sur elle !

Par mégarde, Jillian donna satisfaction à ses désirs les plus vils, pivotant si rapidement sur ses talons qu'elle trébucha sur le rocher. Sa chute lui offrit une vue à couper le souffle sur la naissance de ses seins. D'une blancheur de lait, ils déclinaient lentement jusqu'à une douce vallée disparaissant sous le corsage de la robe. Sa peau était si translucide qu'il lui était possible de deviner le dessin bleuté de quelques veines de surface. Grimm dut se presser contre le rebord de la fenêtre pour masquer la soudaine protubérance qui déformait son tartan.

— Espèce de malotru ! lança-t-elle. Parfois, j'ai l'impression que tu te fais une joie de me provoquer.

Prenant appui des deux mains sur le sol, elle se redressa, dérobant à ses yeux la vue plongeante sur son décolleté.

— Franchement, pourquoi ferais-je une chose pareille ?

Il lui avait répondu d'un ton égal dont la parfaite maîtrise, par contraste avec ses éclats de voix, était en elle-même une insulte.

— Peut-être parce que si tu arrêtais de me tourmenter, tu finirais par découvrir que tu m'aimes bien ? suggéra-t-elle.

— Ne te berce pas d'illusions, Jillian.

Grimm passa la main dans ses cheveux, se maudissant aussitôt de l'avoir fait. Il ne pouvait s'empêcher de faire ce geste chaque fois qu'il lui mentait. Heureusement pour lui, elle l'ignorait.

— Tu sembles avoir développé un amour immodéré pour ta chevelure, Grimm Roderick. Jusqu'à aujourd'hui, je n'avais pas remarqué ces petites vanités chez toi. Sans doute parce que je ne pouvais voir grand-chose sous toute cette crasse...

Ces paroles suffirent pour qu'il se sente de nouveau sale, taché par la boue et le sang, au-delà de toute rédemption possible. Aucun bain prolongé, aucun récurage ne pourrait le débarrasser de la crasse accumulée. Seul le jugement de Jillian était susceptible de le purifier, alors qu'il faisait tout pour ne lui inspirer aucune compassion.

— Certains grandissent et deviennent adultes, gamine ! rétorqua-t-il avec morgue. Un jour, après m'être rasé, je me suis bien regardé et j'ai découvert que j'étais bel homme.

Voyant Jillian écarquiller les yeux devant tant d'outrecuidance, Grimm décida de pousser le bouchon un peu plus loin encore.

— Certaines femmes me trouvent trop beau. Peut-être craignent-elles de ne pouvoir me garder ?

— Épargne-moi ta suffisance.

Grimm réprima un sourire. Jillian était si adorable, les joues rougies par la colère, la mine dédaigneuse… et si facile à provoquer. Un nombre incalculable de fois, il s'était demandé comment cette passion toujours prête à se manifester l'amènerait à se conduire entre les bras d'un homme – d'un homme comme lui.

Le tour pris par ses pensées l'incita à amorcer un virage dangereux en territoire interdit.

— J'ai entendu des hommes vanter ta beauté, si grande, à les entendre, qu'elle te rendrait intouchable. Est-ce vrai ? Es-tu réellement *intouchée* ?

Grimm se mordit la langue aussitôt que ces mots eurent franchi le seuil de ses lèvres. Jillian en resta un instant bouche bée.

— Tu oses me demander une chose pareille ! s'offusqua-t-elle enfin.

Grimm déglutit péniblement. À une certaine époque, il avait su très précisément que nul ne l'avait touchée, souvenir qu'il avait bien fait d'enfouir profondément au fond de sa mémoire.

— Quand une jeune femme permet à un parfait étranger de l'embrasser, on est en droit de se demander quelles autres privautés elle lui a permises.

L'amertume plissait sa bouche. La réplique avait fusé de ses lèvres, cruelle et accusatrice.

Jillian recula d'un pas, comme s'il venait de lui asséner une gifle. Le premier effet de surprise passé, ses yeux se réduisirent à deux fentes laissant filtrer un regard inquisiteur.

— Curieusement, répliqua-t-elle, on jurerait que tu le prends pour un affront personnel.

— Absolument pas. Je n'ai simplement pas envie de devoir te forcer au mariage avec Ramsay avant le retour de ton père. Je suppose que Gibraltar aimerait être présent pour conduire sa fille *vierge* à l'autel.

Jillian le dévisageait avec insistance – beaucoup trop à son goût. Grimm se demanda désespérément ce qu'elle pouvait bien avoir en tête à cet instant. Elle s'était toujours montrée d'une perspicacité redoutable, et il était quant à lui bien trop près de se comporter en soupirant jaloux. Lorsqu'elle était plus jeune, il lui avait fallu une attention de tous les instants pour feindre en sa présence le mépris et la détestation. À présent qu'elle était devenue femme, des mesures drastiques s'imposaient.

— Écoute, poulette... Tout ce que je veux, c'est que tu emmènes ta sacrée flûte ailleurs pour que je puisse dormir. Je ne t'aimais déjà pas quand tu n'étais qu'une gamine, et je ne t'aime pas plus aujourd'hui. Il n'empêche que j'ai une dette envers ton père et que je compte l'honorer. La seule chose dont je me souvenais à propos de Caithness, c'est que la nourriture y était bonne et que ton père était gentil avec moi.

Le mensonge lui brûlait la langue.

— Tu... Tu ne te souvenais absolument pas... de moi ? s'enquit-elle prudemment.

— Quelques petites choses. Rien d'important.

Grimm ne put empêcher ses doigts d'aller jouer dans ses cheveux. Pour se donner une contenance, il les libéra du lien de cuir qui les maintenait.

Jillian le foudroya du regard.

— Tu ne te souviens même pas du jour où tu es parti ?

— Tu veux parler de l'attaque des McKane ? demanda-t-il d'un ton mielleux.

Les sourcils froncés, elle répondit sèchement :

— Non. Je veux parler d'un autre moment, dans la soirée, quand je t'ai retrouvé dans les écuries.

— Qu'est-ce que tu racontes, *lass* ? Je ne me rappelle pas t'avoir vue dans les écuries avant mon départ.

Grimm parvint à retenir à mi-course sa main traîtresse et la glissa dans sa ceinture.

— Tu n'as vraiment aucun souvenir de moi ? insista-t-elle d'une voix blanche.

— Je me rappelle une chose : tu me suivais partout comme un petit chien et tu me rendais fou avec ton bavardage incessant.

Il était parvenu à mentir avec un aplomb confondant et l'expression du plus parfait ennui. En silence, Jillian lui tourna brusquement le dos.

Le regard assombri par les souvenirs qui assaillaient sa mémoire, il la contempla quelques instants avant de refermer les volets. Et lorsque, deux minutes plus tard, les notes plaintives de sa flûte s'élevèrent de nouveau jusqu'à lui, il plaqua ses mains sur ses oreilles à s'en faire mal. Comment pouvait-il espérer demeurer à Caithness et résister à la tentation alors que chaque fibre de son être le poussait à la faire sienne ?

Je ne me rappelle pas t'avoir vue dans les écuries avant mon départ.

Il n'avait jamais proféré de plus flagrant mensonge. Non seulement il se souvenait parfaitement d'avoir vu Jillian dans les écuries avant son départ, mais ce moment s'était inscrit au fer rouge dans sa mémoire.

C'était cette nuit-là que le jeune Grimm Roderick, âgé de vingt-deux ans, s'était offert un inestimable aperçu du paradis.

Quand tous les McKane avaient été vaincus et que la bataille avait pris fin, Grimm avait pris le temps de se débarrasser du sang qui lui poissait le corps, avant de fourrer à la hâte toutes ses possessions dans un sac. Par insouciance, il avait failli apporter la mort et la ruine dans la maison dont on lui avait ouvert les portes. Il était déterminé à ce que cela ne puisse plus jamais se reproduire. Edmund, l'un des frères de Jillian, avait été blessé dans les combats. Même s'il paraissait certain qu'il guérirait, il garderait des cicatrices à vie. La décision de Grimm avait été vite prise. Partir était la seule conduite honorable.

C'est en mettant la main sur le volume relié des *Fables* d'Ésope qu'elle lui avait offert pour son premier Noël à Caithness, qu'il avait trouvé le message de Jillian. Elle avait glissé la courte note rédigée de son écriture ronde et féminine de manière qu'elle dépasse de la reliure, pour qu'il ne puisse la rater.

Je t'attendrai sur le chemin de ronde au coucher du soleil. Je dois te parler, Grimm !

Après avoir rageusement froissé la missive, Grimm s'était saisi de son sac et rué vers les écuries. Pour rien au monde il ne voulait voir Jillian avant son départ. Déjà dégoûté de lui-même pour avoir attiré les McKane dans cet endroit sacré, il ne commettrait pas une transgression de plus. Depuis que les formes féminines de Jillian avaient commencé à apparaître, elle était devenue une obsession pour lui. Il savait que cela n'était pas acceptable. Il avait vingt-deux ans, et elle n'en avait que seize. Même si elle était assez âgée pour être offerte en mariage – combien de jeunes filles étaient-elles mariées dès l'âge de treize ans ? – il ne pouvait l'épouser. Il n'avait pas de foyer, pas de clan, et il était dans l'âme une bête dangereuse et imprévisible. Les faits étaient irréfutables : même s'il désirait Jillian plus que tout au monde, elle ne pourrait jamais être à lui.

Alors qu'il avait seize ans, la petite fille toute dorée avait dérobé son cœur ; maintenant qu'il en avait vingt-deux et qu'elle devenait femme, elle menaçait de lui faire perdre la tête. Un mois plus tôt, Grimm était parvenu à la conclusion qu'il lui faudrait partir avant d'avoir commis quelque folie irréparable comme de l'embrasser, ou de se convaincre qu'il était en droit de la faire sienne. Jillian méritait ce qu'il y avait de mieux : un mari fiable et aimant, une famille, un lieu où se sentir chez elle. Il ne pouvait rien lui offrir de tel.

En fixant son sac sur le dos de sa monture, à l'arrière de sa selle, il soupira et passa une main nerveuse dans ses cheveux. Tandis qu'il commençait à guider son cheval vers la sortie, Jillian jaillit par la porte ouverte.

Rapidement, ses yeux coururent de lui à son étalon.

— Qu'est-ce que tu fais, Grimm ?

— À ton avis, que suis-je en train de faire ? rétorqua-t-il d'un ton hargneux.

Il était au-delà de l'exaspération de n'avoir pu s'éclipser sans être confronté à elle. À combien de tentations était-il supposé résister ?

Les yeux de Jillian s'embuèrent instantanément. Grimm se maudit. Elle avait déjà vu tant d'horreurs, ce jour-là... Elle s'était lancée à sa recherche pour trouver auprès de lui soutien et réconfort, mais il n'était nullement en état de la consoler. Au sortir d'une de ses transes de Berserker, il se retrouvait incapable de faire des choix clairs. L'expérience lui avait appris qu'il était plus vulnérable dans ces circonstances, plus fragile, physiquement comme mentalement. Tout ce dont il avait désespérément envie, c'était de s'enfuir et se trouver un coin sombre et tranquille pour y dormir durant des jours. Il lui fallait la faire déguerpir sans tarder, sous peine de faire quelque chose de stupide.

— Va retrouver ton père, Jillian. Laisse-moi !

— Pourquoi fais-tu ça, Grimm ? demanda-t-elle d'une voix plaintive. Pourquoi t'en vas-tu ?

— Parce que je le dois. J'aurais même mieux fait de ne jamais venir ici.

— C'est ridicule ! s'écria-t-elle. Tu t'es battu comme un lion, aujourd'hui. Père m'avait enfermée dans ma chambre, mais j'ai pu voir de ma fenêtre ce qui se passait. Si tu n'avais pas été là, nous n'aurions pas eu une chance contre les McKane...

Dans ses yeux, Grimm put lire l'effroi que lui avait inspiré la bataille sanglante.

L'horreur qui le figeait quant à lui avait une tout autre origine. Seigneur ! Elle m'a vu alors que j'étais sous l'emprise du Berserker...

— Si je n'avais pas été là... releva-t-il d'un ton amer.

Il se tut avant d'avoir avoué que sa présence seule suffisait à expliquer l'attaque du clan McKane.

— Quoi ? insista-t-elle, les yeux écarquillés. Si tu n'avais pas été là, que se serait-il passé ?

— Rien, maugréa-t-il, les yeux rivés au sol.

Jillian fit une nouvelle tentative.

— Je t'ai vu, depuis ma fe...

— Et tu aurais mieux fait de rester cachée, *lass* ! l'interrompit-il sèchement.

Grimm se sentait incapable de l'écouter célébrer sa « bravoure » – une bravoure qui lui venait du diable lui-même.

— Tu n'as aucune idée de ce à quoi tu ressembles ? enragea-t-il. Ignores-tu ce que les McKane t'auraient fait s'ils t'avaient trouvée ?

Sa voix se brisa sur ces mots. C'était la peur de ce que ses ennemis auraient pu faire à sa bien-aimée qui avait accentué sa transe de Berserker au cours de la bataille, le transformant en bête féroce.

Jillian mordilla nerveusement sa lèvre inférieure. Ce simple geste fit naître en lui un désir irrépressible, et il se sentit plus méprisable encore. La bataille l'avait laissé plus tendu qu'un arc. L'excitation de la transe avait pour effet secondaire d'exacerber ses sens, l'incitant à l'assaut, à la conquête – des femmes aussi bien que de ses ennemis. Le Berserker, démon tentateur, dominait encore en lui. Secouant la tête, Grimm préféra tourner le dos à Jillian.

— Va-t'en ! lança-t-il. Tu ne sais pas le risque que tu prends à rester ici avec moi.

Au bruit que fit l'ourlet de sa robe sur la paille, il comprit qu'elle s'approchait de lui.

— Je te fais entièrement confiance, Grimm Roderick.

La parfaite innocence de sa voix juvénile faillit avoir raison de lui.

— C'est là ta première erreur, répondit-il en grimaçant. La seconde, c'est de m'avoir rejoint ici. *Va-t'en !*

Elle s'approcha davantage, posa une main sur son épaule.

— Tu n'y pourras rien changer, Grimm. Tu as toute ma confiance.

— Cela ne se peut pas ! gronda-t-il, le corps rigidifié par la tension. Tu ne me connais même pas !

— Bien sûr que si ! Voilà des années que je te connais. Tu es venu vivre ici alors que j'étais encore une petite fille. Tu es mon héros, mon…

— Arrête, *lass* !

Sur ce rugissement féroce, Grimm fit volte-face et se débarrassa si violemment de la main de Jillian qu'elle dut reculer de quelques pas. Plissant ses yeux d'un bleu de glace, il marcha lentement sur elle et ajouta :

— Ainsi, tu t'imagines me connaître, n'est-ce pas ?

— Oui, répondit-elle d'un ton buté. J'en suis sûre.

Un ricanement sarcastique s'éleva des lèvres de Grimm.

— Tu ne sais rien de rien ! Tu ne sais pas qui j'ai tué, qui j'ai haï, qui j'ai dû porter en terre et comment… Tu ne sais rien de ce qui m'arrive parce que tu ignores qui je suis en réalité.

— Grimm… tu me fais peur, murmura-t-elle.

Les yeux de Jillian, éclairés par la lanterne, avaient pour lui l'apparence de deux lacs d'or liquide.

— Alors va vite retrouver ton père ! s'emporta-t-il. Lui saura te protéger.

— Il est au chevet d'Edmund.

— Où tu devrais être également !

— J'ai besoin de toi, Grimm ! Prends-moi dans tes bras, serre-moi contre toi… Ne me quitte pas !

Glacé jusqu'à la moelle, Grimm hésita. Les paroles de Jillian semblaient flotter entre eux, affolantes et tentatrices. *Serre-moi contre toi…* Seigneur ! Comme il en avait envie… Combien de fois, dans ses rêves, s'était-il contenté de l'illusion de pouvoir le faire ? In extremis, il parvint à retenir ses mains qui se tendaient vers elle. Ses épaules s'affaissèrent. Le conflit qui faisait rage en lui l'épuisait. Il savait pourtant ne pas pouvoir offrir à Jillian le réconfort qu'elle attendait. Jamais il ne se pardonnerait d'avoir causé du tort à ceux qui lui avaient ouvert leur cœur et leur foyer alors que personne d'autre ne se souciait de lui.

— Tu ne sais pas ce que tu dis, Jillian… protesta-t-il faiblement, envahi par une immense lassitude.

— Ne pars pas ! s'écria-t-elle en se jetant contre lui.

Les bras de Grimm se refermèrent automatiquement sur elle. Il la serra fort.

Jillian sanglotait et, en la berçant doucement, il ressentit une terrible empathie pour elle. Il se rappelait trop clairement la perte de sa propre innocence. Huit ans auparavant, il avait dû regarder, impuissant, le clan McKane attaquer le sien. Un spectacle d'une telle brutalité qui l'avait rendu presque fou de chagrin et de rage. Et à présent c'était à Jillian, si jeune, si désarmée, de connaître les mêmes terreurs. Comment avait-il pu lui faire ça ?

En ferait-elle des cauchemars ? Devrait-elle revivre toute cette épreuve, comme lui, au moins un millier de fois ?

— Chut… murmura-t-il en lui caressant la joue. Je te promets que le clan McKane ne reviendra plus jamais ici. Je te promets que d'une manière ou d'une autre je ferai en sorte de toujours veiller sur toi, où que je puisse me trouver. Je ne laisserai jamais personne te faire du mal.

Jillian renifla, le visage enfoui au creux de son épaule.

— Tu ne peux pas me protéger si tu n'es pas là ! protesta-t-elle.

— Je suis allé voir ton père pour lui annoncer mon départ. Mais je lui ai dit également que si un jour tu as besoin de moi, il n'aura qu'à m'appeler.

Jillian releva la tête vers lui. Grimm en eut le souffle coupé. Elle avait les joues empourprées, les yeux emplis de larmes. Ses lèvres étaient rouges et gonflées. Ses cheveux emmêlés formaient une crinière dorée autour de son visage.

Il n'avait absolument aucune intention de l'embrasser. Cela se fit presque sans qu'il s'en aperçoive. Soudain, il se retrouva penché sur elle, déposant sur ses lèvres un baiser léger qui était à lui seul une promesse d'allégeance et de protection.

Aussitôt que leurs bouches entrèrent en contact, le corps de Grimm fut traversé par une violente secousse.

— Tu… Tu as senti ça aussi ? balbutia-t-elle, en proie à la confusion.

Impossible ! songea-t-il. Le monde ne tremble pas sur ses bases quand on embrasse une femme ! Pour s'en convaincre, il embrassa de nouveau Jillian. Aussitôt, le tremblement de terre naquit juste sous ses pieds. Le baiser se transforma en échange passionné. Les lèvres virginales de Jillian sous les siennes, dures et conquérantes, s'entrouvrirent sans résister. Il la sentit fondre dans la chaleur de son corps…

Revenant au présent, Grimm ferma les yeux et les garda hermétiquement clos, incapable d'échapper au souvenir de cette étreinte que le chant lancinant de la flûte de Jillian, à l'extérieur, avait libéré. Il n'avait pas touché une seule autre femme depuis.

Quinn avait insisté pour l'emmener faire une promenade à cheval, et même si initialement elle s'était montrée réticente, elle n'avait pas tardé à apprécier la balade. Elle avait oublié à quel point il pouvait se montrer charmant et combien il lui était facile de la faire rire. Quinn était venu vivre à Caithness l'été suivant l'arrivée de Grimm. Le père de Jillian avait accueilli les deux jeunes garçons – l'un fils d'un chef de clan, l'autre vagabond sans foyer – en égaux. Mais, à ses yeux et dans son cœur, aucun autre n'aurait pu être l'égal de Grimm.

Quinn possédait d'excellentes manières et s'était montré attentionné, mais c'était de Grimm – l'enfant sauvage qu'elle avait découvert errant aux alentours de Caithness – qu'elle était tombée amoureuse dès leur première rencontre. C'était Grimm, également, qui l'avait tourmentée avec tant de constance qu'elle en avait versé des torrents de larmes amères. Mais c'était Quinn qui l'avait réconfortée lorsque Grimm était parti. Il était frappant de constater, songea-t-elle en observant à la dérobée l'homme fringant qui chevauchait à son côté, que sur ce plan-là rien n'avait changé.

Quinn finit par surprendre l'un de ses regards en biais et lui sourit chaleureusement.

— Tu m'as manqué, Jillian... avoua-t-il. Comment se fait-il que nous ayons pu nous perdre de vue ?

— Si j'en crois les histoires qui courent sur ton compte, le taquina-t-elle, tu étais trop occupé à conquérir le monde et les femmes pour prêter attention à une simple fille des Lowlands telle que moi.

— Conquérir le monde, peut-être, mais les femmes ? Je ne le pense pas, non. On ne part pas à la conquête d'une femme. Elle doit être courtisée, chérie.

— Va dire ça à Grimm ! lança-t-elle en levant les yeux au ciel. Cet homme ne chérit rien d'autre que son sale caractère. Pourquoi me hait-il ainsi ?

Quinn la dévisagea un instant. Finalement, il haussa les épaules :

— Je me disais jusqu'à présent que c'était parce qu'il t'aimait secrètement et ne pouvait se permettre de le montrer. À ses yeux, il n'était qu'un moins que rien, certainement pas assez bien pour la fille de Gibraltar Saint-Clair. Mais aujourd'hui, cela n'a plus aucun sens. Grimm est un homme riche – suffisamment riche pour épouser n'importe quelle femme, et Dieu sait qu'elles seraient nombreuses à vouloir lui dire oui. Franchement, Jillian, j'ignore pour quelle raison il se montre cruel avec toi. Je pensais que les choses changeraient entre vous, à présent que te voilà en âge d'être courtisée. Mais je ne peux pas dire que j'en sois désolé parce que, en ce qui me concerne, cela fait un adversaire de moins.

Un regard entendu avait accompagné cette dernière remarque. Les yeux écarquillés, Jillian protesta :

— Quinn...

Mais il la fit taire d'un geste impérieux de la main.

— Non, Jillian. Ne me réponds pas maintenant. Et ne m'oblige pas à me déclarer tout de suite. Prenons le temps de nous réhabituer l'un à l'autre avant de discuter de ce qui pourrait exister entre nous. Mais quoi qu'il puisse advenir, ajouta-t-il d'une voix douce, je serai toujours là pour toi.

Sans un mot, Jillian se mordit la lèvre et lança sa monture au petit galop, jetant un coup d'œil pardessus son épaule au si séduisant Quinn. Dans le secret de ses pensées, par pure curiosité, elle fit une tentative pour imaginer « ce qui pourrait exister » entre eux. *Jillian de Moncreiffe...* La réplique de son être profond fusa aussitôt, venue du cœur : *Jillian Alanna Roderick !*

8

Debout dans l'embrasure de la haute fenêtre étroite de la tour ronde, une centaine de pieds au-dessus de la cour, Jillian, une fois de plus, observait Grimm. Elle avait gravi l'escalier en colimaçon en essayant de se convaincre qu'elle cherchait à s'éloigner de lui, mais elle savait ne pas être entièrement honnête avec elle-même.

Bien des souvenirs l'attachaient à cette tour, et c'était pour s'y replonger qu'elle était là. Cette mémoire enfouie datait du premier été que Grimm avait passé à Caithness. Toutes les nuits de cette saison merveilleuse, elle avait dormi dans ce qui était à ses yeux son refuge de princesse. Ses parents avaient cédé à son caprice, envoyant des hommes pour colmater les brèches dans les murs et les couvrir de tapisseries afin qu'elle ne prenne pas froid. Elle avait rassemblé là tout ce à quoi elle tenait : ses livres favoris, quelques poupées qui avaient échappé aux « funérailles en mer » dans le loch organisées par Grimm, d'autres babioles encore, usées par le temps.

Au cours de ce premier été, elle et son « garçon des bois » ne s'étaient pas quittés. Il l'accompagnait dans de grandes excursions et lui apprenait à attraper à mains nues truites et salamandres. C'était lui qui l'avait pour la première fois juchée sur un poney. Il était toujours là pour la hisser à bout de bras lorsqu'elle était trop petite pour voir ce qui l'intéressait, et là aussi pour la relever quand elle tombait. La nuit, il lui racontait des histoires extraordinaires jusqu'à ce qu'elle sombre dans un sommeil d'enfant épuisé, rêvant aux prochaines aventures qu'ils partageraient.

La sensation magique qu'elle avait ressentie chaque fois qu'ils se trouvaient ensemble, Jillian s'en souvenait encore. Qu'il ait pu être un ange déchu spécialement chargé de veiller sur elle, lui avait semblé parfaitement plausible. Après tout, c'était elle qui l'avait découvert errant dans les épaisses forêts qui cernaient Caithness. C'était elle, également, qui l'avait apprivoisé patiemment, jour après jour, en s'asseyant avec son bien-aimé Savanna Tea-Garden sur une couverture froissée, au bord de laquelle elle déposait un morceau de choix pour l'appâter.

Grimm avait résisté pendant des mois, tapi dans l'ombre des fougères. Puis, par un jour pluvieux, il avait fini par émerger de la brume et venir s'agenouiller sur la couverture. Il l'avait couvée d'un regard qui l'avait fait se sentir belle et protégée. Il lui était arrivé parfois, au cours des années suivantes, de la regarder de nouveau ainsi, lorsqu'il pensait ne pas être observé. C'était ce qui avait incité Jillian à ne pas abandonner ses rêves. Elle s'était éloignée des rivages de l'enfance en tombant désespérément amoureuse de ce garçon farouche, devenu homme, qui semblait avoir le don de surgir chaque fois qu'elle avait besoin de lui, et qui l'avait tirée d'embarras à de multiples reprises.

Certes, il ne l'avait pas toujours fait de la plus douce des manières. Une fois, il l'avait solidement ligotée dans les hautes branches d'un chêne, avant d'aller au fond des bois sauver Savanna, cerné par des chiens errants qui s'en étaient dans un premier temps pris à elle. Prisonnière et folle d'inquiétude pour son chien, elle avait crié et s'était débattue tant et plus, sans parvenir à desserrer ses liens. Il l'avait laissée là pendant des heures. Mais, aussi sûrement que le soleil se lève et se couche à l'horizon, il était revenu la chercher, serrant dans ses bras le chien-loup blessé.

Il avait refusé de lui dire comment il s'y était pris pour sauver son chien de la meute enragée. Même si Jillian avait trouvé curieux qu'il n'ait lui-même pas été blessé, au fil des années elle s'était habituée à ce que Grimm sorte systématiquement indemne de chacune de ses aventures. Il était son héros.

Du haut de la tour, Jillian poussa un soupir en voyant Grimm disparaître dans le château. Elle se raidit, un instant plus tard, lorsqu'il reparut avec Zeke. Plissant les yeux, elle put voir ce dernier glisser sa main dans celle de Grimm. Elle se rappelait encore combien il lui était facile, petite fille, d'enfouir sa menotte dans cette pogne ferme, qui la rassurait. Grimm était le genre d'homme que les femmes comme les enfants aiment avoir auprès d'eux – quoique pour des raisons différentes.

Il ne faisait aucun doute qu'il y avait un mystère autour de lui. C'était comme si une brume opaque voilait le jour où Grimm Roderick était entré dans l'existence. Ni ses questions maintes fois réitérées ni sa curiosité n'étaient jamais parvenues à éclairer ce mystérieux passé. C'était un homme profond, inhabituellement sensible aux plus petites nuances lors d'une conversation ou d'une rencontre. Quand Jillian était encore enfant, il avait toujours semblé savoir exactement ce qu'elle ressentait, anticipant même ses réactions.

Pour être honnête, la seule chose réellement cruelle dont elle pouvait l'accuser, c'était son indifférence à son égard. Il ne lui avait jamais rien fait d'intrinsèquement méchant. Pourtant, la nuit où il avait quitté Caithness, le sentiment de rejet absolu qu'elle en avait conçu l'avait amenée à durcir son cœur contre lui.

En le voyant prendre Zeke dans ses bras, Jillian se demanda où il voulait en venir. Souhaitait-il réellement le faire monter à cheval, comme c'était apparemment le cas ? Zeke n'y voyait pas assez pour se risquer à cela ! Elle ouvrit la bouche pour protester du haut de son poste d'observation, avant de se raviser. Quoi qu'elle pût avoir à lui reprocher, Grimm n'était pas homme à commettre des erreurs. Aussi se résigna-t-elle à guetter en silence quelques instants encore. Zeke vibrait littéralement d'excitation. Plusieurs enfants du château et quelques-uns de leurs parents s'étaient réunis dans la cour pour assister à la scène. Jillian retint son souffle. Si ce que Grimm avait en tête tournait mal, ce serait pour le garçon une douloureuse humiliation publique dont il aurait du mal à se remettre.

Grimm approcha sa tête de celle du fringant étalon gris et l'on put croire, l'espace d'un instant, qu'il lui murmurait quelque chose à l'oreille. Jillian eut même la troublante impression que l'animal hochait la tête pour lui répondre. Ensuite, en le voyant installer Zeke en selle, elle dut plaquer sa main sur sa bouche pour ne pas crier. D'abord un peu raide, l'enfant se détendit progressivement lorsque Grimm fit décrire à sa monture de larges cercles autour de la cour en le tenant par la bride. Tout cela était bel et bon, songea-t-elle, mais que pourrait-il en découler ? Grimm ne pouvait passer sa vie à faire faire à Zeke des tours de manège : à quoi bon lui apprendre à monter à cheval s'il demeurait incapable de le conduire lui-même ?

Bien vite, elle décida qu'elle en avait vu assez. De toute évidence, Grimm n'avait pas compris qu'il ne pouvait bercer Zeke d'espoirs impossibles. Il aurait mieux fait de l'encourager à lire des livres, ou à poursuivre des buts davantage à sa portée, comme elle-même le faisait en toute occasion. Cela n'avait aucun sens d'encourager un enfant handicapé à se confronter à ses limites. Même si, comme tout autre enfant, Zeke n'aspirait qu'à jouer, sauter et courir, il fallait lui faire accepter le fait qu'il ne pouvait s'y risquer, à cause de sa mauvaise vision, sans mettre sa vie en péril.

Jillian décida de signifier son erreur à Grimm tout de suite, avant qu'il ait pu commettre davantage de dégâts. La petite foule avait encore grossi dans la cour, et certains parents secouaient la tête en échangeant des regards entendus. Elle se promit de traiter cette affaire le plus calmement du monde, de manière rationnelle et dépassionnée, afin de n'offrir aucune prise aux ragots. Elle allait montrer à Grimm comment il convenait de s'occuper du jeune Zeke. Et par la même occasion, elle lui prouverait qu'elle n'était pas une idiote écervelée.

Grimm fit faire à sa monture un dernier tour de cour, certain que Jillian allait jaillir d'un instant à l'autre du château. Il savait qu'il valait mieux l'éviter coûte que coûte, pourtant il s'était surpris à donner à Zeke sa première leçon à l'endroit précis où elle ne pourrait qu'y assister. Quelques instants plus tôt, il avait repéré un mouvement à la fenêtre de la tour ronde et le reflet d'une chevelure dorée. Le ventre serré par un mélange d'excitation et d'appréhension, il souleva Zeke par la taille.

— Je pense que tu t'es habitué à son pas, maintenant. C'est un bon début.

— Il est très facile à monter, répondit fièrement le garçon. Mais je suis incapable de le guider moi-même, alors à quoi bon ? Je ne pourrai jamais le monter seul.

— Il ne faut jamais dire « jamais », Zeke... le corrigea gentiment Grimm. Dès l'instant où tu dis « jamais », tu décides de ne pas essayer. Au lieu de t'inquiéter à cause de ce que tu ne sais pas faire, utilise ton intelligence pour trouver le moyen d'y parvenir. Tu pourrais ainsi te surprendre toi-même, tu sais...

Le visage levé vers lui, Zeke cligna des yeux.

— Mais… protesta-t-il, tout le monde me dit que je ne peux pas monter à cheval.

— Et *toi*, qu'en penses-tu ? répliqua Grimm en le posant à terre. Pourquoi es-tu persuadé que tu ne peux monter ?

— Parce que je n'y vois pas clair ! s'exclama-t-il. Sans le savoir, je pourrais conduire votre cheval sur un rocher !

— Mon cheval a des yeux, mon garçon. Penses-tu qu'il te laisserait le conduire sur un rocher ? Occam ne te laissera jamais lui faire faire quoi que ce soit de dangereux pour toi ou pour lui. Fais-moi confiance, et je te prouverai qu'il est possible de dresser un cheval de manière à compenser ton défaut de vision.

— Vous pensez réellement qu'un jour je pourrai chevaucher sans votre aide ?

Zeke s'était exprimé tout bas, afin que ceux qui les entouraient ne puissent percevoir la note d'espoir qui avait fait vibrer sa voix.

— Oui, je le pense, répondit Grimm fermement. Et je te le prouverai, le temps venu.

— Quelle idée folle es-tu en train de mettre dans la tête de cet enfant ? demanda Jillian en les rejoignant.

Grimm se retourna pour lui faire face, savourant la vue de ses joues empourprées et de ses yeux étincelants.

— File, Zeke ! lança-t-il en poussant le garçon vers le château. Nous reprendrons cet entraînement demain.

L'enfant lui adressa un sourire radieux, jeta un rapide coup d'œil à Jillian et s'empressa d'obéir.

— J'apprends à Zeke à monter à cheval, répliqua Grimm tranquillement.

— Pour quoi faire ? Tu sais très bien qu'il n'y voit pas correctement. Il ne sera jamais capable de mener un cheval tout seul. Tout ce qu'il aurait à y gagner, c'est de se blesser – ou, pire encore, de se rompre le cou.

— C'est faux. On a seriné à ce garçon qu'il ne peut pas faire un tas de choses qui sont parfaitement à sa portée. Il existe différentes méthodes pour dresser un cheval. Zeke a sans doute une mauvaise vue, mais Occam…

D'un geste de la main, il désigna son étalon et reprit :

— … y voit suffisamment clair pour deux.

— Qu'as-tu dit ? fit Jillian, les sourcils froncés.

— J'ai dit que mon cheval y voit suffisamment…

— Ça, j'ai compris ! l'interrompit-elle vivement. Mais comment as-tu appelé ton cheval ?

La foule, qui avait commencé à se disperser, se figea à cet éclat de voix.

Grimm déglutit discrètement. Qu'elle ait pu se souvenir et faire le lien était une surprise pour lui.

— Occam, répondit-il.

— Occam ! Tu as appelé ton cheval *Occam* ?

Hommes, femmes et enfants regardaient, les yeux ronds, leur demoiselle perdre peu à peu patience.

Jillian réduisit à rien la distance qui les séparait et pointa un doigt accusateur contre sa poitrine, en répétant :

— Occam ?

Grimm comprit qu'elle attendait de lui une réplique intelligente ou au moins sensée. Elle aurait pourtant dû savoir que c'était beaucoup lui demander alors qu'elle se trouvait si près de lui. Ce n'était pas par son intelligence qu'il brillait quand il se retrouvait confronté à elle ; ni par sa patience ou son sens de la mesure. Qu'on leur donne deux minutes, et ils allaient se retrouver à brailler l'un contre l'autre à qui mieux mieux.

Grimm scruta le visage de Jillian avec attention, à la recherche de quelque menu défaut susceptible de trahir une faiblesse de caractère, dans l'espoir d'en faire une défense contre ses charmes. Il aurait tout aussi bien pu sillonner les mers à la recherche de la légendaire *selkie*.

Jillian était tout simplement parfaite. Sa mâchoire bien dessinée trahissait son indépendance d'esprit. La franchise et la passion de la vérité faisaient briller ses clairs yeux dorés. Dans l'attente de sa réponse, ses lèvres s'ourlèrent d'un sourire de défi. Des lèvres bien trop pleines et trop roses à son goût... Des lèvres qui auraient pu s'entrouvrir sur un cri au plus fort de l'extase... entre lesquelles il aurait pu introduire sa langue... qui auraient pu s'arrondir autour de son...

Ces lèvres qui s'agitaient à présent sous ses yeux, il n'avait pas la moindre idée de ce qu'elles étaient en train de lui dire, car son esprit venait de s'égarer sur une voie dangereuse. Le bruit de son sang pulsant à ses tympans l'assourdissait. Il dut lutter pour se concentrer sur ses paroles.

— ... tu as menti ! entendit-il enfin. Tu disais n'avoir pas pensé à moi du tout...

En hâte, Grimm rassembla ses esprits. Jillian avait l'air bien trop contente d'elle-même.

— Qu'es-tu encore en train de picoter, petite poulette ? s'enquit-il en feignant le plus parfait ennui.

— Occam ! répéta-t-elle d'un ton triomphant.

— C'est mon cheval, confirma-t-il tranquillement. Où diable veux-tu donc en venir ?

Jillian marqua un temps d'hésitation. Celui-ci fut des plus brefs, mais Grimm discerna le doute et l'embarras au fond de ses yeux. Sans doute se demandait-elle s'il avait réellement oublié le jour où elle avait découvert le principe du « rasoir d'Occam » et s'était empressée d'en faire profiter tout le monde autour d'elle. Comment aurait-il pu oublier les mines déconfites de nobles en visite, experts en politique et chasseurs émérites, pris en défaut de culture générale par une damoiselle de onze ans ? Oh, Grimm s'en souvenait fort bien ! Il s'était senti si fier d'elle qu'il avait failli souffleter les faces dédaigneuses des visiteurs quand ils avaient conseillé aux Saint-Clair de brûler tous les livres de leur fille, sous peine d'en faire une harpie dont aucun homme ne voudrait. Et c'était bien en son honneur qu'il avait baptisé son étalon ainsi.

Selon le principe du rasoir d'Occam, la théorie la plus simple pour expliquer un phénomène est toujours la plus proche de la réalité. Médite ceci, Jillian, songea-t-il : à ton avis, pour quelle raison dois-je te traiter aussi mal ?

Grimm réprima une grimace de dépit. Pour expliquer le plus simplement du monde son comportement inqualifiable envers elle, il suffisait à Jillian de découvrir qu'il était tombé irrémédiablement amoureux d'elle. Et s'il n'y prêtait pas attention, elle n'allait pas tarder à aboutir à cette conclusion.

Plus que jamais, il devait lui battre froid – voire se montrer cruel avec elle. Jillian était une femme d'une redoutable intelligence, et s'il ne parvenait pas à maintenir une façade convaincante, elle n'aurait aucune difficulté à le percer à jour. Inspirant à fond, Grimm affermit sa résolution, arquant un sourcil sarcastique :

— Tu disais ?

Sous le feu de son regard goguenard, certains hommes parmi les plus puissants avaient été réduits à de balbutiants imbéciles.

Mais pas Jillian, ce qui fut pour le ravir autant que pour l'inquiéter. Campée sur ses deux jambes, elle tint bon et trouva le moyen de se pencher un peu plus vers lui, sans tenir compte des regards curieux et des oreilles aux aguets de ceux qui les entouraient. Elle était même si proche que son souffle lui caressait le cou, lui donnant l'irrépressible envie d'écraser ses lèvres sur les siennes.

Les yeux plongés au fond des siens, elle afficha un sourire satisfait.

— Tu t'en souviens... murmura-t-elle fièrement. Si tu as pu me mentir là-dessus, je me demande sur quoi d'autre tu m'as menti...

Grimm n'eut pas besoin d'en entendre davantage pour saisir qu'elle tentait de décrypter son comportement, et qu'elle ne tarderait pas à le démasquer.

D'un geste sec, il s'empara du poignet de Jillian et le serra fort entre ses doigts afin de lui faire comprendre qu'il lui suffirait d'une torsion pour le briser. Ensuite, délibérément, il laissa brièvement ses yeux luire de cet éclat malsain devant lequel frémissaient même les plus valeureux. Toute courageuse qu'elle fût, Jillian ne put s'empêcher de reculer sous le poids de son regard maléfique. À cette réaction, Grimm comprit qu'elle avait eu un aperçu du Berserker en lui. Cela lui servirait de leçon… Elle *devait* avoir peur de lui – Dieu savait qu'il vivait lui-même dans la crainte de ce qu'il était. Même si la fille de Gibraltar avait changé et gagné en maturité, il n'avait toujours rien à lui offrir – ni clan, ni famille, ni foyer.

— Lorsque j'ai quitté Caithness, expliqua-t-il d'une voix grondante, je m'étais juré de ne plus jamais y mettre les pieds. C'est de *ça* que je me souviens, Jillian…

Il laissa lourdement retomber son poignet et poursuivit :

— Et je n'y suis pas revenu de ma propre volonté, mais pour honorer un serment fait il y a bien longtemps. Si j'ai donné à mon cheval un nom qui t'est familier, quelle arrogance de ta part de penser que cela puisse avoir quoi que ce soit à voir avec toi !

— Oh ! Ce n'est pas moi qui suis arrogante. C'est…

— Sais-tu pour quelle raison ton père nous a fait venir ici tous les trois ? l'interrompit-il d'un ton glacial.

Jillian en resta sans voix.

— Le sais-tu ? insista-t-il. Je crois me rappeler que tu avais la mauvaise habitude d'écouter aux portes. Je doute que cela ait changé.

Piquée au vif, Jillian pointa le menton, cambra l'échine et carra les épaules, de telle sorte qu'elle lui offrit une vue plongeante sur les courbes saisissantes de son décolleté – l'une des choses qui avaient le plus changé en elle. Sans pouvoir s'en empêcher, il baissa le regard, et même s'il redressa rapidement la tête, il nota le sourire suffisant de la jeune femme.

— Ton père nous a convoqués pour que tu puisses choisir un mari dans nos rangs, reprit-il en la fixant durement au fond des yeux. Apparemment, tu t'es rendue tellement insupportable qu'il a dû faire appel aux trois plus fiers guerriers de toute l'Écosse pour percer tes défenses !

Un instant, il étudia sa mine fière et sa pose stoïque, avant de ricaner.

— J'avais donc raison ! triompha-t-il. Tu as bien écouté aux portes. Cette révélation ne te surprend pas le moins du monde. Puisque tu es déjà au courant, pourquoi ne pas te conduire comme une gentille petite fille, pour une fois ? Va trouver Quinn et persuade-le de t'épouser, que je puisse enfin reprendre le cours normal de mon existence.

Les tripes nouées par une rage noire, il lui avait fallu se forcer à prononcer ces mots.

— C'est ce que tu veux que je fasse ? s'enquit-elle d'une toute petite voix.

Grimm la dévisagea longuement.

— *Aye !* C'est ce que je veux que tu fasses.

Après avoir passé ses deux mains dans ses cheveux, Grimm saisit les rênes d'Occam et l'entraîna derrière lui.

La gorge serrée par l'émotion, Jillian le regarda s'éloigner. Elle était bien déterminée à ne pas pleurer. Elle avait juré de ne plus gâcher ses larmes pour lui. Dans un soupir, elle se retourna afin de regagner le château mais, ce faisant, elle faillit heurter le torse puissant de Quinn. La tête baissée vers elle, il la regardait avec compassion.

— Depuis combien de temps es-tu là ? demanda-t-elle d'une voix tremblante.

— Suffisamment longtemps, répondit-il doucement. Tu n'auras pas à me persuader, Jillian. J'avais pour toi une affection profonde quand tu étais enfant – tu étais comme une sœur aimée pour moi. Et je t'aime davantage que comme une sœur aujourd'hui.

— Que peut-il bien y avoir d'aimable en moi ? maugréa-t-elle. Je ne suis qu'une fieffée imbécile !

Un sourire amer joua sur les lèvres de Quinn.

— Seulement en ce qui concerne Grimm, répliqua-t-il. Mais il est vrai que tu as toujours perdu tous tes moyens en sa présence. Quant à ce qu'il y a d'aimable en toi : ta vivacité d'esprit, ton intelligence, ta curiosité insatiable, la musique que tu joues, ton amour des enfants. Tu as le cœur pur, Jillian, et c'est très rare.

— Oh, Quinn... Pourquoi faut-il que tu sois toujours si gentil avec moi ?

En un geste affectueux, elle déposa une caresse sur sa joue, puis le contourna pour se diriger – seule – vers le château.

9

— Bon sang ! Quel est ton problème ? s'exclama Quinn en jaillissant dans les écuries.

Grimm lui jeta un coup d'œil par-dessus son épaule tout en ôtant le licou d'Occam.

— De quoi parles-tu ? Je n'ai pas le moindre problème.

D'un geste, il congédia un lad pressé de se rendre utile.

— Je m'occupe moi-même de mon cheval ! lui lança-t-il. Et ne t'avise jamais de l'enfermer dans une stalle ! M'as-tu bien entendu ? Je le mène ici uniquement pour le panser. Ne *jamais* l'enfermer…

Hochant frénétiquement la tête, le lad s'éloigna à reculons et détala dès qu'il fut parvenu à la porte.

— À ton tour de m'écouter, McIllioch ! reprit Quinn. Je me fiche de comprendre pourquoi tu te conduis comme un salaud avec elle. Je ne veux même pas le savoir. Je veux juste que tu arrêtes ! Je ne te laisserai plus la faire pleurer – Dieu sait que tu l'as suffisamment fait quand nous étions jeunes. Je n'ai pas protesté, à l'époque, me disant que Gavrael McIllioch avait eu la vie suffisamment dure pour qu'on lui fiche la paix. Mais tu n'as plus la vie dure, désormais.

— Qu'est-ce que tu en sais ?

Quinn le foudroya du regard.

— Parce que je sais ce que tu es devenu. Tu es l'un des hommes les plus respectés de ce royaume. Tu n'es plus le pauvre Gavrael McIllioch. Tu es le très renommé Grimm Roderick, une légende, un modèle de discipline et de sang-froid. Tu as sauvé la vie du roi une dizaine de fois. Tu en as été si richement récompensé que ta fortune surpasse celle de Saint-Clair et la mienne réunies. Les femmes se jettent à tes pieds. Que pourrais-tu vouloir de plus ?

Une seule chose, songea Grimm lugubrement. Qui ne pourra jamais être à moi.

— Tu as raison, Quinn... finit-il par admettre de mauvaise grâce. Je suis un salaud et c'est toi qui es dans le vrai. Comme d'habitude. Tu dois donc l'épouser.

Grimm tourna le dos à son ami et s'activa à défaire la selle du dos de l'étalon. Un moment plus tard, lorsque la main de Quinn se posa sur son épaule, il s'en débarrassa d'un mouvement brusque.

— Fiche-moi la paix ! grogna-t-il. Tu feras un mari idéal pour elle, et puisque j'ai vu Ramsay l'embrasser l'autre jour, tu as tout intérêt à agir vite.

— Logan l'a embrassée ! s'exclama Quinn. Est-ce que... Est-ce qu'elle lui a rendu son baiser ?

— *Aye*, répondit Grimm avec amertume. Et ce type a gâché plus que son compte d'innocentes jeunes femmes. Alors fais-nous une faveur à tous les deux et tire Jillian de ses griffes en te déclarant toi-même.

— C'est déjà fait, assura-t-il tranquillement.

Grimm se retourna d'un bond.

— Comment ça ! s'écria-t-il. Tu l'as fait ? Quand ça ? Et qu'a-t-elle répondu ?

— Eh bien... commença Quinn en se dandinant d'un pied sur l'autre. Je ne lui ai pas *exactement* demandé de m'épouser, mais j'ai clarifié auprès d'elle mes intentions.

L'œil inquisiteur, Grimm attendit qu'il lui en dise davantage. Quinn alla s'installer sur un tas de foin et se pencha en arrière, appuyé sur les coudes. D'un air mécontent, il chassa de ses yeux une mèche blonde en expirant fortement.

— Elle s'imagine être amoureuse de toi, Grimm. Depuis qu'elle est toute petite, elle en est convaincue. Pourquoi ne te décides-tu pas à lui dire la vérité ? Explique-lui qui tu es réellement. Laisse-la décider si tu es assez bien pour elle ou non. Tu es l'héritier d'un chef de clan – si tu te décides un jour à retourner chez toi et faire valoir tes droits. Gibraltar sait exactement qui tu es, et cela ne l'a pas empêché de t'inviter à devenir l'un des trois prétendants choisis par lui-même pour sa fille. Manifestement, *lui* pense que tu es assez bien pour elle. Tu dois être le seul à ne pas être de cet avis.

— Peut-être m'a-t-il fait venir uniquement pour te servir de faire-valoir, répliqua Grimm. Quoi de mieux que le terrible Berserker, le monstre humain, pour rendre plus séduisant encore le beau laird aux cheveux d'or ? Elle ne peut pas être intéressée par moi. Pour ce qu'elle en sait, je ne suis même pas titré. Je ne suis rien. Et puis, n'es-tu pas censé vouloir l'épouser, toi ?

Sur ce, Grimm se retourna vers son cheval et commença à lui brosser les flancs.

— C'est vrai, reconnut Quinn. Je serais fier de pouvoir faire de Jillian mon épouse. N'importe quel homme le serait et...

— Est-ce que tu l'aimes ? l'interrompit Grimm en pivotant vers lui.

Les sourcils froncés, Quinn le dévisagea.

— Mais... bien sûr, répondit-il.

— Non, insista Grimm en scrutant attentivement son visage. L'aimes-tu *vraiment* ? Est-ce qu'elle te rend fou... à l'intérieur ?

Quinn baissa les yeux et dut avouer :

— Je ne sais pas... Je ne sais pas de quoi tu parles.

Grimm ricana et marmonna :

— Voilà qui n'est pas pour m'étonner.

— Oh, bon Dieu ! Quel inextricable sac de nœuds !

Quinn soupira et s'allongea de tout son long dans le foin. Choisissant une brindille sèche sur le tas, il la coinça entre ses dents et reprit rêveusement :

— Je la désire, elle te désire toi, et tu es mon ami. La seule inconnue de cette équation, c'est ce que *toi* tu veux.

— Pour commencer, objecta Grimm, je doute sincèrement qu'elle me « désire », comme tu dis. Tout au plus s'accroche-t-elle aux restes d'une amourette d'enfant dont je vais me charger de la guérir. Ensuite, peu importe ce que je veux.

Tirant une pomme de son *sporran*, il la tendit à Occam.

— Comment cela, peu importe ce que tu veux ? s'étonna Quinn. Bien sûr que si, cela importe !

— Pas du tout, s'entêta Grimm. Je suis un Berserker...

— Et alors ? Beaucoup d'hommes donneraient leur âme pour en être un.

— Un bien triste marché de dupes... Il y a certaines choses dont tu ne sais rien et qui font partie intégrante de la malédiction.

— Une malédiction ? Elle t'a rendu virtuellement invincible, en tout cas ! Je me souviens qu'à Killarnie...

— Je ne veux pas entendre parler de Killarnie.

— ... tu as tué à toi tout seul la moitié de...

— Ferme-la ! hurla Grimm en faisant volte-face d'un bond. Je ne veux plus entendre parler de massacres. On dirait que c'est la seule chose pour laquelle je suis doué. Même si l'on a fait de moi ce ridicule parangon de discipline, il reste une part de moi-même que je suis incapable de contrôler, de Moncreiffe. Je n'ai aucun contrôle sur la rage du Berserker – je n'en ai jamais eu.

Il avait délivré cette confession d'une voix rauque et brisée. Il dut interrompre sa tâche pour poursuivre :

— Quand cela arrive, je perds la mémoire et la notion du temps. Je n'ai pas la moindre idée de ce qui se passe lorsque je suis en transe. Et ensuite, il faut que l'on me raconte ce qui s'est passé. Tu le sais bien : tu as dû toi-même t'en charger, à l'occasion.

— Qu'essaies-tu de me dire, Grimm ?

— Que tu dois l'épouser, quels que puissent être mes sentiments envers elle, car il m'est impossible d'être quoi que ce soit pour Jillian Saint-Clair. Je l'ai toujours su et je ne l'ai pas oublié. Je ne me marierai jamais. Rien n'a changé. Je n'ai pas pu faire changer ça.

— Tu *as* des sentiments pour elle, constata Quinn en se redressant sur son tas de foin. Des sentiments profonds. Voilà pourquoi tu fais tout pour qu'elle te haïsse.

Afin d'échapper au regard scrutateur de son ami, Grimm se remit à brosser son cheval avec soin.

— Je ne t'ai jamais raconté comment ma mère est morte, n'est-ce pas ? demanda-t-il d'une voix sourde.

Quinn se remit sur ses jambes et brossa son tartan de la main pour le débarrasser du foin qui s'y accrochait.

— Je pensais qu'elle avait été tuée lors du massacre de Tuluth, répondit-il.

Grimm posa la joue contre celle, toute douce, d'Occam, inspirant profondément pour s'imprégner de l'odeur de cuir et de cheval qui émanait de lui.

— Non. Jolyn McIllioch est morte plus tôt, dans la matinée, avant l'arrivée des McKane. C'est mon père qui l'a tuée dans un accès de rage. Ce jour-là, je n'ai pas fait que commettre une folie en invoquant le Berserker. J'ai aussi hérité de la folie de mon père.

— Je ne peux croire ça, Grimm, répliqua Quinn sans hésiter. Tu es l'un des hommes les plus logiques et les plus rationnels que je connaisse.

Balayant l'argument d'un geste impatient de la main, Grimm poursuivit :

— C'est mon père lui-même qui me l'a appris lorsque j'ai quitté Tuluth. Mais même si j'arrivais à me convaincre que je ne souffre pas d'une tare de l'esprit, je reste un Berserker. Tu ne réalises donc pas que selon nos lois coutumières, nous autres « païens adorateurs d'Odin » devons être mis au ban de tous les clans ? Au mieux, on nous bannit. Au pire, on nous tue quand c'est possible. La moitié de ce pays sait que les Berserkers existent et cherche à nous utiliser ; l'autre moitié refuse de croire en notre existence ou cherche à nous éliminer. Gibraltar ne devait pas avoir toute sa tête lorsqu'il m'a demandé de venir ici. Il ne peut tout de même pas envisager sérieusement de m'accorder la main de sa fille... Même si je désirais de tout mon cœur prendre Jillian pour femme, qu'ai-je à lui offrir ? Une vie comme la mienne ? À supposer, bien entendu, que je ne sois pas déjà condamné à la folie par ma naissance.

— Tu n'as rien à craindre de tel ! protesta Quinn. Je ne sais pas où tu as été pêcher cette idée délirante que, puisque ton père a tué ta mère, tu es voué à tuer ta femme. Sans compter que personne ne sait qui tu es réellement, à part moi, Gibraltar et Elizabeth.

— Et Hatchard, ajouta Grimm. Et Hawk. Et Adrienne.

— Et alors ? Aucun de ceux que tu viens de citer ne te trahira. Aux yeux du monde, tu es Grimm Roderick, le légendaire garde du corps du roi. D'ailleurs, les choses ont beaucoup changé depuis le massacre de Tuluth. Et même si certains redoutent encore les Berserkers, une majorité les vénèrent. Ce sont les plus farouches guerriers à avoir jamais foulé le sol d'Alba, et tu sais combien nous autres Écossais adorons nos légendes. Le Cercle des Anciens affirme que seul le sang le plus pur et le plus honorable est digne d'appeler à lui le Berserker.

— Les McKane nous pourchassent toujours, fit remarquer Grimm entre ses dents serrées.

— C'est devenu une raison de vivre pour les McKane de pourchasser les Berserkers. Par jalousie. Ils ont beau passer tout leur temps à s'entraîner, jamais ils n'acquerront l'invincibilité de ces légendaires guerriers. Au lieu de rester sur la défensive et de te cacher, bats-toi ! Inflige-leur une cuisante et définitive défaite, et qu'on n'en parle plus... Tu n'as plus quatorze ans, Grimm. Je t'ai vu à l'œuvre. Nul ne peut lutter contre toi. Lève une armée ! Moi-même, si tu me le demandes, je combattrai les McKane à tes côtés. Et je connais beaucoup d'hommes qui seraient prêts à faire de même. Rentre chez toi et réclame ce qui t'est dû…

— Ma part de folie héréditaire ? l'interrompit-il.

— Ta place de chef de clan, triple andouille !

— À supposer que je le veuille, répliqua Grimm avec amertume, cela risque de poser un problème. Mon père dément et assassin a eu l'inélégance de s'attarder ici-bas.

— Quoi ?

Quinn resta un long moment sans voix, à secouer la tête.

— Seigneur ! reprit-il enfin. Comment ai-je pu au cours de toutes ces années imaginer te connaître ? Tu m'as dit toi-même que ton père était mort !

Grimm se renfrogna en songeant que ses amis proches semblaient tous tenir le même discours, dernièrement. Et il n'était pas homme à accepter de gaieté de cœur de mentir à ses amis ou de les trahir.

— Pendant très longtemps, j'ai cru qu'il l'était.

Grimm repoussa d'une main impatiente ses cheveux vers l'arrière et enchaîna :

— Je ne rentrerai jamais chez moi, Quinn. Et il y a certaines choses concernant les Berserkers que tu ignores. Je ne peux être intime avec une femme sans qu'elle se rende compte que je ne suis pas normal. Alors que suis-je supposé faire ? Annoncer à l'élue de mon cœur que je suis l'une de ces bêtes humaines dont la réputation de sauvagerie n'est plus à faire depuis des siècles ? Lui expliquer que la vision d'une goutte de sang suffit à me faire sortir de mes gonds ? La prévenir que si jamais elle voit mes yeux se mettre à luire de manière inquiétante, il lui faut fuir à toutes jambes, parce que les Berserkers sont connus pour massacrer amis comme ennemis ?

— Jamais tu ne t'es retourné contre moi ! fit valoir Quinn. Et pourtant, je me suis trouvé à tes côtés de nombreuses fois.

Grimm secoua la tête d'un air buté.

— Épouse-la, Quinn ! Pour l'amour de Dieu, épouse-la, que je sois libéré !

— Tu crois vraiment que ce serait aussi simple ? rétorqua-t-il, les yeux scintillants de colère. T'illusionnes-tu au point d'imaginer que cela suffirait à libérer l'un de nous trois, Grimm ?

Sur l'étroit chemin de ronde ceinturant le mur d'enceinte, Jillian prenait l'air du soir. Le crépuscule, au moment où les dernières lueurs du jour cèdent devant les ténèbres envahissantes, était depuis toujours son moment préféré de la journée. Seuls un quartier de lune et les premières étoiles éclairaient à présent le ciel au-dessus de Caithness. S'appuyant au parapet, elle marqua une pause dans sa promenade pour mieux savourer le parfum des roses et du chèvrefeuille. Mais, mêlée à cette odeur, une autre plus sombre et plus épicée – une odeur de cuir, de savon et d'homme – lui fit redresser la tête.

Grimm...

Elle se retourna lentement et le découvrit derrière elle, tapi dans l'ombre. Le regard insondable, il l'observait. Elle ne l'avait pas entendu approcher, aucun froissement de tissu ne l'avait alertée, pas un frottement de ses semelles sur les dalles de pierre. On aurait pu croire que, taillé dans un pan de nuit, il avait chevauché la brise pour la surprendre sur son perchoir.

— Te marieras-tu ? demanda-t-il de but en blanc.

Jillian sentit son souffle se bloquer dans sa gorge. La pénombre masquait ses traits, à l'exception d'un rayon de lune illuminant l'intense clarté de ses yeux. Était-elle censée comprendre « avec moi » quand il lui posait cette question ?

— Que me demandes-tu, exactement ? s'enquit-elle dans un souffle.

Il lui répondit d'une voix atone et parfaitement égale.

— Quinn fera un parfait mari pour toi.

— Quinn ? s'étonna-t-elle.

— *Aye.* Il est blond et doré comme les blés, tout comme toi. Il est gentil, aimable, et riche. Sa famille te chérira.

— Et qu'en est-il de la tienne ?

Jillian fut consternée d'avoir pu lui poser cette question.

— Comment ça, de la mienne ? maugréa-t-il.

Ta famille me chérirait-elle ? eut-elle envie de répondre. Mais, à la place, elle questionna :

— À quoi ressemble ta famille ?

— À rien, répliqua-t-il d'une voix aussi glaciale que son regard. Je n'ai pas de famille.

— Aucune famille ? insista-t-elle, les sourcils froncés.

Il devait sûrement lui rester un semblant de parentèle quelque part…

— Tu ne sais rien de moi… lui rappela-t-il à mi-voix.

— Justement. Puisque tu ne cesses de mettre ton nez dans ma vie, je pense être en droit de te poser quelques questions.

Jillian plissa les yeux pour mieux le voir, mais il faisait trop sombre. Comment pouvait-il à ce point paraître ne faire qu'un avec la nuit ?

— Voilà bien longtemps que je n'ai pas mis mon nez dans ta vie, rétorqua-t-il. Et je ne dois m'y résoudre à présent que parce que tu parais être sur le point de te fourrer dans les ennuis. Quand vas-tu l'épouser ?

— Qui ça ? répondit-elle en jouant nerveusement avec les plis de sa robe.

La lune disparut soudain derrière un nuage, masquant totalement Grimm à sa vue.

Désincarnée et chargée de reproche, sa voix s'éleva.
— À ton avis ? Quinn, bien sûr ! Essaie de suivre, *lass*.
— Par la hampe d'Odin...
— Lance ! rectifia-t-il, amusé. Par la *lance* d'Odin.
Sans tenir compte de l'interruption, Jillian précisa :
— Je n'épouserai pas Quinn !
— Tu ne comptes tout de même pas épouser Logan !
Issue des ténèbres, la voix de Grimm parut plus menaçante encore lorsqu'il ajouta :
— Ou embrasse-t-il si bien qu'il t'a déjà convaincue ?
Jillian inspira à fond et expira lentement, les yeux clos, dans l'espoir de se calmer.
— *Lass*... reprit-il calmement. Tu dois épouser l'un d'eux. Telle est la volonté de ton père.
Jillian rouvrit les yeux. Dieu merci, le nuage s'était éloigné et elle pouvait distinguer les contours de sa silhouette dans le noir. C'était de nouveau à un homme de chair et de sang qu'elle s'adressait, pas à quelque bête mythologique surgie de la nuit.
— Tu es toi-même l'un de ceux que père a choisis pour moi, non ? fit-elle remarquer d'un ton provocant. Cela signifie que je peux te choisir, toi.
Grimm secoua négativement la tête.
— Ne plaisante pas avec ça ! grogna-t-il. Je n'ai rien d'autre à t'offrir qu'une vie en enfer.
— C'est ce que tu t'imagines, mais peut-être te trompes-tu. Peut-être que si tu arrêtais de te lamenter sur toi-même, tu verrais les choses d'un autre œil.
— Je ne me lamente pas sur moi-même, je...
— Ha ! railla-t-elle. Tu ne fais que ça, Grimm Roderick ! Ce n'est qu'occasionnellement qu'un sourire parvient à se frayer un chemin jusqu'à ton si séduisant visage... Et encore le ravales-tu aussitôt. Tu sais quel est ton problème ?
— Non. Mais j'ai comme l'impression que tu t'apprêtes à me le révéler, *poulette*.

— Astucieux, Roderick... Sans doute espères-tu en me rabaissant ainsi me faire taire ? Mais tu en seras pour tes frais ! Étant donné que je me sens la plupart du temps stupide auprès de toi, je ne crains pas de me ridiculiser davantage. Ton problème, c'est que tu as peur !

Grimm s'adossa indolemment au mur, offrant toute l'apparence d'un homme n'ayant jamais eu l'occasion de faire entrer le mot « peur » dans son vocabulaire.

— Sais-tu de quoi tu as peur ? enchaîna-t-elle bravement.

— Étant donné que je n'avais même pas conscience d'avoir peur, j'ai peur de ne pouvoir te répondre.

— Tu as peur d'éprouver un sentiment ! conclut-elle d'un ton triomphant.

— Oh, je n'ai pas peur des sentiments, *lass*...

Sa voix seule était une promesse de noires délices lorsqu'il précisa :

— Cela dépend simplement desquels, et si ceux-ci...

Saisie par un frisson, Jillian tenta de l'interrompre.

— N'essaie pas de changer de sujet...

— ... trouvent leur origine sous ma ceinture...

— ... en orientant la conversation...

— ... alors ils ne me posent aucun problème.

— ... sur tes besoins virils et pervers de débauché !

— Pervers ! Débauché ! souligna-t-il d'une voix qu'un rire contenu faisait trembler. Rien que ça ?

Jillian se mordit la lèvre pour ne pas crier de rage. Pourquoi fallait-il que, confrontée à lui, elle finisse toujours par en dire trop ? Parce qu'il avait la mauvaise habitude de parler sans l'écouter, songea-t-elle, ce qui avait le don de la rendre folle.

— C'est de sentiments qu'il est question ici, précisa-t-elle d'un air pincé. Pas de pulsions.

— Tu penses que les deux s'excluent mutuellement ?

Ai-je dit une chose pareille ? s'étonna-t-elle en son for intérieur. Par tous les saints ! Cet homme avait le don de transformer sa cervelle en lait caillé...

— Veux-tu me dire de quoi tu parles ? s'agaça-t-elle.

— De la différence entre sentiments… et *sentiments*. Crois-tu réellement qu'ils s'excluent l'un l'autre ?

Jillian prit le temps d'y réfléchir un instant.

— Bien que n'ayant pas beaucoup d'expérience en la matière, j'imagine que les uns ont plus d'importance aux yeux des femmes, et les *autres* à ceux des hommes.

— Tous les hommes ne se valent pas sur ce plan.

Grimm marqua une pause, avant d'ajouter d'une voix mielleuse :

— Quel degré d'expérience as-tu exactement en la matière, Jillian ?

— Où en étais-je, déjà ? marmonna-t-elle, refusant de répondre à sa question.

Grimm se mit à rire, d'un rire puissant, franc et massif. L'éclat de blancheur de ses dents trouant son ténébreux visage la fit frissonner. Plus que jamais, elle lui en voulait de dispenser si parcimonieusement la beauté que lui conférait sa gaieté.

— Si tu l'ignores, répliqua-t-il, comment veux-tu que je le sache ?

— Grimm Roderick… Je ne sais pas pourquoi je m'obstine à discuter avec toi. Nos conversations ne mènent à rien.

— Au moins, elles ne t'ennuient jamais. Cela n'est déjà pas si mal, non ?

Renonçant à argumenter, Jillian exhala un long soupir. Elle ne lui ferait pas le plaisir de reconnaître qu'il disait vrai. Leurs conversations la laissaient exaspérée, euphorique, grisée, sensuellement troublée… mais jamais ennuyée.

— Et toi, penses-tu que les deux s'excluent mutuellement ? osa-t-elle demander.

— De quoi parles-tu ?

— Des sentiments et des *sentiments*.

Jillian le vit jouer nerveusement avec ses cheveux.

— Je suppose, répondit-il avec un temps de retard, que je n'ai pas encore rencontré la femme capable de me les faire ressentir simultanément.

Moi je le pourrais ! Je suis sûre que je le pourrais ! faillit-elle s'écrier. À la place, elle s'enquit sèchement :

— Et tu éprouves ce genre de *sentiments*... assez fréquemment ?

— Aussi souvent que possible.

— Te voilà de nouveau en train de triturer tes cheveux ! Qu'as-tu donc avec eux ?

Confrontée à son silence buté, elle eut une réaction puérile.

— Je te déteste, Grimm Roderick !

Jillian s'en voulut dès qu'elle eut prononcé cette phrase. Elle se faisait un devoir de se conduire en tout comme une femme intelligente ; pourtant, confrontée à Grimm, elle se retrouvait dans la peau d'une enfant maussade. Elle allait devoir trouver autre chose qu'une stupide réplique si elle tenait à croiser le fer avec lui.

— Non, tu ne me détestes pas, *lass*.

Proférant un juron étouffé, il fit un pas en avant.

— C'est la troisième fois que tu me dis cela, reprit-il. Et je suis fatigué de l'entendre.

Jillian retint son souffle en le voyant s'approcher davantage encore. Ses yeux posés sur elle trahissaient une grande lassitude.

— Tu aimerais pouvoir me haïr, Jillian Saint-Clair, et Dieu sait que tu *devrais* me haïr, mais cela t'est tout simplement impossible, n'est-ce pas ? Je le vois dans tes yeux : alors qu'il ne devrait y avoir qu'un grand vide en eux quand tu me regardes, je n'y lis qu'intérêt et curiosité.

Dans un tournoiement de ténèbres, il pivota et s'éloigna en direction de l'escalier menant à la cour. Au pied des marches, il s'arrêta dans une flaque de lumière et releva la tête pour la regarder. La lune creusait l'amertume de ses traits lorsqu'il ajouta :

— Ne me dis plus jamais ça, Jillian. Plus jamais.

Elle entendit le gravier crisser sous ses bottes tandis qu'il s'éloignait.

Jillian réfléchit longuement à ses paroles une fois qu'il l'eut laissée seule avec ses pensées, sous le ciel à présent presque totalement enténébré. Par trois fois, il l'avait appelée par son prénom – non pas « gamine », « poulette » ou « *lass* », mais Jillian. Et même s'il lui avait adressé son avertissement final d'une voix monocorde, elle avait discerné sur ses traits – à moins que la lumière de la lune ne lui ait joué un tour – une expression tourmentée.

Plus elle y réfléchissait, plus elle en était convaincue. Son intelligence lui dictait que l'amour et la haine pouvaient revêtir la même apparence. Pour se faire une idée juste de la réalité des sentiments d'un homme, il fallait arracher son masque et découvrir lequel dominait en lui. Jillian eut la sensation qu'un rayon de lumière perçait les ténèbres dans lesquelles elle se débattait.

Laisse-toi guider par ton cœur... lui avait de nombreuses fois répété sa mère. *Quand l'esprit s'embrouille, le cœur parle clairement.*

— Maman... tu me manques, murmura Jillian alors qu'un dernier filament pourpre se fondait dans le noir à l'horizon.

Malgré la distance qui les séparait, elle sentait que la force d'Elizabeth Saint-Clair l'habitait, qu'elle coulait dans son sang. Jillian était simultanément Sacheron *et* Saint-Clair – une combinaison redoutable.

Elle le laissait indifférent, n'est-ce pas ? Eh bien, elle allait se charger de le vérifier...

10

— Voilà qui est fait… murmura Hatchard en passant les doigts dans sa barbe. Ils sont partis.

Debout avec Kaley sur le perron de Caithness, il regardait trois chevaux s'éloigner dans un nuage de poussière sur la route sinueuse.

— Pourquoi Durrkesh ? demanda la servante avec humeur. Si cela les démangeait tant d'aller courir le guilledou, ils pouvaient tout aussi bien le faire au village.

D'un geste, elle désigna la bourgade dont les maisons se serraient les unes contre les autres autour des murailles du château.

Hatchard lui lança un regard sarcastique.

— Au risque de choquer ta nature… accommodante, mam'zelle Twillow, tout le monde n'a pas toujours envie de « courir le guilledou ».

— Épargne-moi tes balivernes, Remmy ! jeta-t-elle vertement. Tu ne me feras pas croire qu'à presque quarante ans, tu ne l'as pas toi-même couru tout ton soûl… Laisse-moi te dire que je suis choquée de voir ces trois lurons partir ensemble en goguette, alors qu'ils sont censés être là pour conquérir le cœur de Jillian !

— Kaley… Si tu m'avais écouté, pour changer, tu saurais qu'ils vont à Durrkesh – sur la suggestion de Ramsay – pour y acquérir des biens qu'on ne trouve que là, et non pour courir la gueuse. Tu m'as dit toi-même que nous sommes à court de poivre vert et de cannelle, et tu ne risques pas d'en trouver au village.

Après avoir marqué une pause, il enchaîna :

— Je me suis aussi laissé dire que l'on peut cette année trouver du safran à la foire de Durrkesh...

— Du safran ! Par tous les saints... nous n'en avons plus depuis le printemps dernier !

— Ce que tu te charges de me rappeler sans arrêt...

— Il faut ce qu'il faut pour pallier les problèmes de mémoire d'un vieil homme, répliqua dignement Kaley. Corrige-moi si je me trompe, mais n'envoies-tu pas d'habitude tes hommes au ravitaillement ?

— Étant donné l'empressement de Quinn à acheter un élégant cadeau pour Jillian, je n'allais certainement pas le dissuader d'y aller lui-même. Quant à Grimm, ajouta-t-il d'un ton désabusé, je pense qu'il n'a suivi le mouvement que pour ne pas rester seul ici avec elle...

Kaley joignit les mains, les yeux étincelants.

— Un cadeau pour Jillian ! s'exclama-t-elle. Il nous faudra donc bientôt l'appeler Jillian de Moncreiffe ? Un joli nom pour un beau brin de femme, si tu veux mon avis. Et ainsi, elle ne quittera pas les Lowlands.

Hatchard reporta son attention sur le long ruban de la route sinuant dans la vallée. En voyant le dernier des cavaliers disparaître au détour d'un virage, il fit claquer sa langue et murmura :

— À ta place, je me garderais d'être aussi affirmative.

— Qu'est-ce que cette remarque énigmatique est censée signifier ?

— Juste que, de mon point de vue, notre maîtresse n'a jamais eu d'yeux que pour Grimm.

— Grimm Roderick ? Mais ce serait le pire choix pour elle...

Hatchard lui jeta un regard curieux.

— Qu'est-ce qui te fait dire une chose pareille ?

Une main sur le cœur, la servante s'éventa avec l'autre.

— Il y a les hommes que les femmes désirent, et puis il y a ceux avec qui elles se marient. Roderick n'est pas le genre d'homme qu'une femme respectable peut épouser.

— Pourquoi donc ? demanda Hatchard, éberlué.

— Il est dangereux, assura Kaley dans un souffle. Positivement dangereux pour elle.

— Tu penses qu'il pourrait la blesser d'une manière ou d'une autre ?

Il s'était exprimé sur le ton d'un homme prêt à tout pour empêcher une telle éventualité.

— Il en est fort capable, acquiesça-t-elle. Sans même l'avoir voulu.

— Ils sont partis où, dis-tu ? Pour combien de temps ?

Jillian vibrait littéralement d'indignation.

— À Durrkesh, milady… répondit Hatchard. Je suppose qu'ils n'y resteront que quelques jours.

D'un geste agacé, Jillian lissa les plis de sa robe et reprit d'un ton plus irrité encore :

— Et moi qui avais fait des efforts d'élégance, ce matin. J'étais même prête à chevaucher jusqu'au village dans cette tenue, Kaley. Et tu sais comme je déteste y aller en portant autre chose que le tartan de mon père.

— Tu es ravissante, c'est vrai… admit la servante.

— Mais à quoi bon ? Tous mes soupirants ont déserté !

Hatchard s'éclaircit la voix.

— Il n'y en a pas un des trois, par hasard, que vous auriez plus particulièrement voulu impressionner par vos efforts d'élégance, milady ?

Jillian se tourna vers lui et lança, accusatrice :

— Mon père t'a-t-il chargé de m'espionner, Hatchard ? Tu lui envoies probablement ton rapport chaque semaine ? Eh bien, tu en seras pour tes frais, je ne te dirai rien !

Hatchard eut la bonne grâce de paraître penaud.

— Je n'ai pas de rapport à envoyer, dit-il. Je ne faisais que m'inquiéter de votre bien-être.

— Tu peux t'inquiéter de celui de quelqu'un d'autre. Je suis assez grande pour m'occuper du mien toute seule.

— Jillian… intervint sévèrement Kaley. Ça ne te va pas du tout d'être grognonne.

— Peut-être, mais ça me plaît. Je peux bien me le permettre, non ?

Le front plissé, Jillian se plongea dans ses pensées.

— Attendez une minute… reprit-elle un instant plus tard. Durrkesh, avez-vous dit ? On y trouve une foire, à cette époque de l'année. La dernière fois que j'y suis allée avec père et mère, nous avons résidé dans une adorable petite auberge – La Botte Noire… n'est-ce pas, Kaley ?

La servante hocha la tête.

— Lorsque ton frère Edmund était encore de ce monde, vous vous rendiez souvent à Durrkesh, tous les deux.

Un voile de tristesse passa sur le visage de Jillian.

— Désolée, s'excusa Kaley en grimaçant. Je ne voulais pas te faire de peine.

— Je sais.

Jillian prit une ample inspiration pour se ressaisir.

— Prépare mes bagages, dit-elle. Je viens d'avoir une soudaine envie d'aller faire un tour à la foire, et c'est le moment ou jamais. Hatchard, fais préparer les chevaux. Je suis fatiguée d'attendre passivement que ma vie prenne tournure. Il est temps que je lui donne un petit coup de pouce.

En la regardant s'éloigner d'un pas décidé, Hatchard commenta :

— Il me semble que ça s'annonce mal, mam'zelle Twillow.

— Une femme a autant le droit qu'un homme d'aller courir le guilledou, répliqua Kaley. D'autant plus que dans son cas, il s'agit de trouver un mari. À présent, à nous de faire en sorte qu'elle choisisse le bon.

Le faîtage et les avant-toits de l'auberge La Botte Noire fléchissaient de manière alarmante. Heureusement, les chambres que Grimm avait réservées se trouvaient au deuxième étage et non sous les combles, ce qui suffirait à les mettre à l'abri du déluge qui s'était abattu sur eux alors qu'ils étaient encore à mi-parcours.

S'arrêtant devant la porte ouverte de l'auberge, Grimm empoigna dans ses mains les pans de sa chemise pour les essorer. Deux filets d'eau naquirent entre ses doigts et allèrent s'écouler sur la pierre.

Une brume épaisse et tourbillonnante était en train de tomber sur la ville. D'ici un quart d'heure, le brouillard serait si dense que nul ne retrouverait plus son chemin. Ils étaient arrivés juste à temps pour éviter le pire. Grimm avait abandonné Occam dans une cour à l'arrière de l'établissement, où un appentis branlant lui servirait d'abri. À supposer qu'une brusque inondation ne l'emporte pas avant la fin de la nuit...

Avant d'entrer dans l'auberge, Grimm se débarrassa du plat de la main des gouttelettes qui parsemaient son tartan. Une tisseuse digne de ce nom serrait son ouvrage de telle manière que celui-ci devenait quasiment imperméable, et celles qui officiaient à Dalkeith comptaient parmi les meilleures. Déroulant un pan du tissu de laine, il le drapa par-dessus son épaule et entra. Quinn et Ramsay étaient déjà installés devant l'âtre, où ils faisaient sécher leurs bottes et présentaient leurs mains aux flammes.

— Un bon sang de temps de cochon, là-dehors. Pas vrai, messires ?

L'aubergiste venait de passer la porte de communication avec la taverne voisine.

— Moi, reprit-il, j'ai là-dedans un bon feu aussi chaud que çui-là et de quoi vous réchauffer le gosier aussi. Alors n'hésitez pas... Mon nom, c'est Mac, ajouta-t-il, l'air enjoué. Venez donc vous désaltérer un brin.

Grimm lança un regard interrogateur à Quinn, qui haussa les épaules. L'expression de son visage indiquait clairement qu'il ne devait y avoir rien d'autre à faire, par un temps pareil, que de passer la soirée à boire. Les trois hommes franchirent la porte basse menant à la taverne et allèrent prendre place sur des tabourets autour d'une table située devant la cheminée.

— Vu qu'y a pas foule, je peux tout aussi bien vous tenir un brin compagnie, reprit Mac en se frottant les mains. M'étonnerait qu'y se trouve quelques fous pour braver ce déluge… sauf votre respect, bien sûr.

D'un pas inégal, l'homme boitilla jusqu'au bar, dont il revint chargé d'une bouteille de scotch et de quatre timbales qu'il déposa dans un geste théâtral sur la table.

— C'est une foutue tempête là-dehors, hein ? Et d'où que vous venez comme ça, messires ? demanda-t-il en s'asseyant lourdement. Faites pas attention à ma guibole. Le bois a dû gonfler avec ce temps.

Il se pencha pour attraper un deuxième tabouret, agrippa sa jambe de bois et la posa dessus.

— Parfois, reprit-il, elle me fait mal quand le temps est à la mouille. Et dans ce patelin, y pleut tout le temps. Un sacré bled, pas de doute là-dessus. Et pourtant je l'aime ! Z'avez déjà été ailleurs qu'en Alba, les gars ?

Grimm sourit à Quinn, fasciné par l'aubergiste dont il scrutait la face rougeaude. Ils se demandaient tous deux s'il finirait par interrompre son monologue suffisamment longtemps pour qu'ils puissent lui répondre.

Décidément, la nuit promettait d'être longue.

Quelques heures plus tard, la pluie n'ayant toujours pas cessé, Grimm prit prétexte de devoir s'occuper d'Occam pour sortir de la taverne enfumée et échapper au bavardage incessant de Mac. En se glissant dans la cour de l'auberge, il ne put s'empêcher de se demander ce que faisait Jillian au même instant. Un sourire flotta sur ses lèvres quand il l'imagina en train de taper du pied, agitant sa chevelure en tout sens, furieuse d'avoir été laissée de côté. Jillian détestait être exclue de ce que « les garçons » faisaient. Mais c'était pour son bien, et elle finirait par le comprendre lorsque Quinn lui offrirait son cadeau et lui ferait sa demande en bonne et due forme. Chaque fois que Grimm posait les yeux sur lui, il était frappé de constater à quel point ils formeraient un couple parfait, tous les deux. Un couple parfait qui donnerait naissance à de parfaits enfants dorés, aux traits aristocratiques, dénués de la moindre tare héréditaire. Peut-être, en favorisant leur union, se rachèterait-il d'une quelconque manière, même si la perspective de ce mariage suffisait à lui tordre douloureusement les tripes.

— Fous le camp de ma cuisine et reviens jamais, sale morveux au cul pelé !

Une porte, à l'autre extrémité de la cour, venait de s'ouvrir à la volée. Un enfant en haillons en fut éjecté tête la première et alla atterrir à plat ventre dans la boue.

Grimm plissa les yeux pour étudier l'homme qui éructait, et dont la forte carrure suffisait à emplir l'encadrement de la porte. Très grand, il portait une couronne de cheveux bruns et frisés, coupés court. Sous l'effet de la colère ou de son agitation – peut-être des deux à la fois – son visage était maculé de taches rouges. Serré dans son poing, un grand couteau de boucher luisait d'un éclat sinistre dans la lumière venue de la cuisine.

L'enfant se mit difficilement à genoux en glissant dans la terre détrempée.

— Mais… Bannion nous donnait toujours ses déchets. Pitié, sir… Nous avons besoin de manger.

— J'suis pas Bannion, bâtard insolent ! Y travaille plus ici. Pas étonnant, s'il entretenait une sale engeance dans ton genre ! Le commis boucher, c'est moi maintenant !

La brute poussa le gamin si fort qu'il alla s'affaler en arrière. Allongé dans la boue, il secoua la tête d'un air hébété.

— Tu crois que je vais mettre de côté les bons morceaux pour toi ? Tu peux pourrir dans le caniveau,

Robbie MacAuley en a rien à foutre ! La graine de voyou comme toi, ça détrousse les honnêtes gens qui travaillent dur pour gagner leur croûte.

L'employé sortit sous la pluie, arracha l'enfant à la boue en l'empoignant par le col et le secoua à bout de bras. Quand le gamin se mit à hululer de terreur, le boucher le fit taire d'un revers de sa large main en plein visage.

— Lâche-le ! lança Grimm d'une voix égale.

— Hé ?

Alerté, l'homme balaya la cour d'un regard circulaire. Une grimace déforma ses traits lorsque ses yeux se posèrent sur Grimm, en partie masqué par la pénombre. Le boucher se redressa de toute sa hauteur, son souffre-douleur toujours pendu à bout de bras.

— Mêlez-vous de ce qui vous regarde ! s'écria-t-il. J'ai pas demandé votre opinion. Je corrige comme il le mérite ce p'tit voleur que j'ai trouvé en train de me piquer ma viande !

— Nan ! J'ai pas volé ! se récria l'enfant. Bannion nous *donnait* les déchets de viande !

De nouveau, la main du boucher s'abattit sur le visage du gamin, faisant jaillir de son nez un flot de sang.

Dans les ténèbres qui régnaient sous l'appentis, Grimm regardait, pétrifié, le visage ensanglanté de l'enfant. Un flot de souvenirs l'envahit – l'éclat d'une lame argentée dans des volutes de fumée noire, une tignasse de cheveux blonds, l'horreur dans un regard innocent, un sarrau sur lequel grandissait une tache écarlate. Un vent venu de nulle part sembla se lever en lui. Il sentit son corps se métamorphoser de l'intérieur, jusqu'à ce que tout son être se retrouve consumé par une rage surhumaine. Alors il bondit sur le commis boucher, qu'il empoigna par le col et plaqua contre un mur.

— Fils de catin ! gronda-t-il en refermant les mains autour de son cou. Cet enfant a besoin de nourriture.

Quand je t'aurai lâché, tu retourneras dans ta cuisine lui préparer un panier de ta meilleure viande. Ensuite, tu…

— Plutôt… crever ! parvint à gémir le boucher.

En se contorsionnant, il lança au hasard son bras armé du couteau. Lorsque la lame atteignit son but, la poigne de Grimm se desserra légèrement, permettant à son adversaire de rependre son souffle dans un bruit sifflant.

— Te voilà bien avancé, bâtard ! cria-t-il d'une voix rauque. Faut pas chercher noise à Robbie MacAuley…

Sur ce, après avoir fait tourner le couteau dans la plaie, il repoussa Grimm violemment. Tandis que celui-ci titubait en arrière, le boucher marcha brièvement sur lui, avant de reculer prudemment, les yeux écarquillés, car le type qu'il venait de poignarder à mort souriait…

— Fais pas le malin ! s'exclama-t-il. Tu peux sourire, pour sûr, mais ça t'empêchera pas de crever. Car pour crever, tu crèveras !

Le sourire de Grimm, empreint d'une sinistre promesse, incita le boucher à s'aplatir contre le mur de l'auberge, ainsi qu'un lierre à la recherche d'une crevasse dans laquelle s'infiltrer. Ses yeux ne quittaient pas le manche du couteau, comme s'il cherchait à s'assurer qu'il l'avait bien plongé dans le ventre de son assaillant.

En respirant calmement, sans manifester la moindre douleur, Grimm empoigna celui-ci et le tira lentement de son abdomen, avant de rejoindre le boucher et de placer la lame ensanglantée sous ses bajoues tremblotantes.

— Tu vas donner à cet enfant la viande pour laquelle il est venu. Ensuite, tu lui demanderas pardon.

— Va rôtir en enfer ! éructa le boucher, terrorisé mais toujours bravache. Plus qu'une minute et tu seras mort !

Grimm fit glisser la lame jusqu'à son oreille, piquant la pointe dans une veine.

— À ta place, dit-il, je ne compterais pas là-dessus.

— Tu devrais être mort ! T'as un trou dans le bide !

Une troisième voix – celle de Quinn – vint interrompre ce dialogue.

— Grimm…

Enfonçant doucement la lame, Grimm fit perler le sang sur le cou du boucher.

— Grimm ? répéta Quinn.

— Qu'est-ce que vous attendez ! cria frénétiquement l'homme. Voyez pas qu'y me fait la peau ! Éloignez-le, vite !

— Ferme-la, imbécile… répondit Quinn d'une voix soigneusement modulée.

Il savait par expérience qu'un discours véhément et heurté suffisait à aggraver la transe du Berserker. Quinn tournait autour des deux hommes avec précaution. Grimm s'était figé, la lame du couteau coincée sous la gorge du boucher. À leurs pieds, le jeune garçon les observait avec de grands yeux.

— C'est un Berserker… murmura-t-il avec déférence. Par Odin ! Regardez ses yeux…

— Il est dingue ! gémit le boucher en implorant Quinn du regard. Faites quelque chose…

— C'est ce que je fais, rétorqua-t-il sans élever la voix. Boucle-la, pour l'amour de Dieu, et ne bouge pas !

Quinn se rapprocha de Grimm en faisant en sorte que son ami puisse le voir.

Sans tenir compte de l'avertissement, le boucher se lamenta de plus belle.

— Ce mioche… c'est rien qu'un crève-la-faim. C'est pas une chose à faire de tuer un honnête homme à cause d'une engeance pareille. Comment je pouvais savoir qu'il était un foutu Berserker ?

— Qu'il en soit un ou pas n'aurait dû faire aucune différence, répliqua Quinn avec mépris. Grimm ? Quel est ton but ? Le tuer, ou faire en sorte que le gamin ait à manger ?

Quinn s'exprimait d'une voix douce, tout près de l'oreille de son ami. Il lui suffisait de voir ses yeux luire d'un éclat bleuté dans le noir pour comprendre à quel point il était plongé dans la transe du Berserker.

— Tu veux seulement nourrir cet enfant, n'est-ce pas ? reprit-il. Tout ce qui t'importe, c'est de faire en sorte qu'il ait à manger, ne l'oublie pas... Grimm ! *Gavrael !* Écoute-moi. Voilà... Regarde-moi.

— Je déteste ça, Quinn ! s'exclama Grimm, plus tard cette nuit-là.

Nerveux, il peinait à déboutonner sa chemise.

— Vraiment ? s'étonna son ami. Qu'y a-t-il à détester ? La seule différence entre ce que tu as fait et ce que j'aurais pu faire, c'est que toi tu n'en gardes aucun souvenir. Même lorsque tu perds le contrôle de toi-même, tu te conduis bien. Tu as l'honneur tellement chevillé au corps qu'il t'est impossible de te conduire autrement.

— Sans toi, j'aurais tué ce type.

— Je n'en suis pas convaincu. Je t'ai déjà vu dans cet état de nombreuses fois et tout autant en sortir. Il me semble que plus tu vieillis, plus tu gagnes en contrôle sur les événements. Je ne sais pas si tu t'en es rendu compte, mais tu n'as pas entièrement perdu conscience cette fois. Tu as réagi lorsque je t'ai parlé. D'habitude, il me faut beaucoup plus de temps pour te raisonner.

— C'est vrai... reconnut Grimm, sourcils froncés. Il semble bien que je parvienne à préserver un peu de conscience, à présent. Pas grand-chose, mais beaucoup plus que par le passé.

— Laisse-moi voir cette plaie.

Quinn approcha une chandelle de sa blessure et reprit :

— N'oublie pas que sans toi, cette brute aurait battu à mort ce pauvre gosse et l'aurait laissé mourir dans la boue. Dans cette ville, les enfants errants ne sont pas mieux considérés que des rats.

— Ce n'est pas juste, Quinn... maugréa Grimm. Tous les enfants sont innocents. Ils n'ont pas encore eu le temps d'être corrompus. Il faudrait tous les emmener dans un endroit où ils pourraient grandir en paix, avec quelqu'un comme Jillian pour s'occuper d'eux et leur raconter des fables.

Sa remarque fit sourire Quinn.

— Elle fera une mère fantastique, pas vrai ? Comme Elizabeth.

Sans attendre de réponse, il se pencha pour examiner la plaie encore rouge et boursouflée mais déjà en voie de cicatrisation, qu'il effleura du bout des doigts.

— Par la lance d'Odin ! s'exclama-t-il. Comment fais-tu pour guérir si vite ?

— C'est comme pour le reste, répondit Grimm en grimaçant légèrement. Avec le temps, mon corps se remet plus rapidement.

Quinn s'assit sur son lit et secoua la tête, médusé.

— Quelle bénédiction ce doit être ! Et tu n'as pas à redouter que la moindre plaie s'infecte, n'est-ce pas ? Au fait... est-il au moins *possible* de tuer un Berserker ?

— Difficilement, expliqua Grimm d'une voix égale. J'ai moi-même essayé de me soûler à mort. Cela n'a rien donné. J'ai aussi tenté de travailler jusqu'à l'épuisement – sans plus de succès.

— Allons dormir, l'ami ! conclut Quinn en lui assenant une tape sur l'épaule. Tout paraît toujours plus beau, au matin. Enfin... tant qu'on n'a pas trop bu la veille. Il m'est arrivé, parfois, de trouver bien laide la drôlesse qui partageait mon lit au réveil...

Pour tout commentaire, Grimm secoua la tête en allant s'allonger sur son lit. Après avoir croisé les mains sous sa nuque, il s'endormit presque instantanément.

11

Tout parut effectivement plus beau le lendemain matin. En observant Jillian arriver à l'auberge La Botte Noire depuis sa fenêtre, Grimm se rappela les paroles de son ami.

Elle était époustouflante. Enveloppée dans une cape de velours couleur ambre, les joues rosies et les yeux étincelants, elle avait tout d'une apparition divine. Ses cheveux cascadaient librement sur ses épaules. La pluie avait cessé et leur éclat semblait concurrencer celui du soleil de midi. Grimm, éveillé depuis peu, avait dormi comme une masse, ce qui était toujours le cas après une de ses transes.

Penché sur l'étroite fenêtre, il frotta le verre sali de sa manche afin d'y voir plus clair. Pendant que Hatchard rassemblait les bagages, Jillian discutait avec Kaley. Lorsque Quinn apparut un instant plus tard et qu'il offrit chacun de ses bras aux deux dames pour les escorter, Grimm laissa fuser un soupir exaspéré.

Quinn, toujours aussi galant – irréprochable.

Jurant sourdement entre ses dents, Grimm sortit de sa chambre pour aller nourrir Occam.

Jillian commença à grimper l'escalier principal pour gagner sa chambre, vérifia d'un coup d'œil que personne ne l'observait, puis fit prestement demi-tour afin de se diriger vers les quelques marches donnant sur l'arrière-cour. Comme elle s'y était attendue, elle y trouva Grimm en train de nourrir Occam. Figée sur place, elle ne put s'empêcher de dévorer des yeux la vision tentatrice qu'il lui offrait. Une petite brise agitait ses cheveux décoiffés, et sa tenue témoignait d'une sensuelle insolence. Son tartan ceignait ses hanches bien plus bas que ce que la pudeur exigeait. Les pans de sa chemise, fourrés à la va-vite dans sa ceinture, laissaient voir au bas de ses reins une troublante plage de peau dorée comme du pain d'épice. Et quand il se pencha pour ramasser une brosse à étriller, les muscles de ses jambes roulèrent de manière si évocatrice que Jillian, en dépit de sa résolution de ne faire aucun bruit, ne put retenir un soupir de désir.

Naturellement, Grimm l'entendit et tourna la tête vers elle. Instantanément, Jillian feignit l'indifférence et prit l'initiative de la conversation pour éviter tout reproche.

— Pourquoi ne rentres-tu jamais Occam à l'écurie ?

Reportant son attention sur l'étalon, Grimm se mit à le brosser.

— Parce qu'il est resté autrefois coincé dans une écurie en flammes.

— Il ne semble pas en avoir souffert, constata-t-elle en traversant la cour pour le rejoindre. A-t-il été blessé ?

Plus haut au garrot que la plupart des chevaux, Occam était magnifique avec sa robe gris ardoise lustrée.

— Tu n'arrêtes jamais de poser des questions, n'est-ce pas ? demanda-t-il en s'arrêtant de passer la brosse. Et que fais-tu là, d'ailleurs ? Tu ne pouvais pas, comme une gentille fille, rester tranquillement à

Caithness ? Oh, j'oubliais... ajouta-t-il, railleur. Jillian n'aime pas être laissée de côté !

— Qui s'est porté à son secours ? s'enquit-elle, refusant de mordre à l'hameçon.

— Moi, répondit Grimm en se remettant à l'ouvrage.

Il se tut un instant avant d'enchaîner, d'une voix basse et voilée par l'émotion :

— As-tu déjà entendu un cheval hurler de terreur, Jillian ? C'est l'une des choses les plus terrifiantes qu'il m'ait été donné d'entendre. Un son qui te perce le cœur aussi sûrement que le cri d'agonie d'un enfant innocent. S'il y a une chose que je ne supporte pas... je crois que c'est l'innocence bafouée, martyrisée.

Jillian était curieuse d'apprendre où il avait pu entendre « le cri d'agonie d'un enfant innocent », mais elle redoutait qu'il ne referme sa coquille en l'interrogeant. Elle tint donc sa langue, dans l'espoir qu'il en dise davantage de lui-même – ce qu'il ne fit pas.

S'écartant de l'étalon, Grimm fit un grand geste, accompagné d'un claquement de langue. Au grand étonnement de Jillian, le cheval se mit à genoux, avant de se laisser tomber sur le côté pour s'allonger sur le flanc en hennissant doucement. S'agenouillant entre ses pattes, Grimm fit signe à Jillian d'approcher.

— Oh ! Pauvre Occam... murmura-t-elle en se laissant glisser à genoux à côté de lui.

Le ventre de l'animal n'était qu'une énorme cicatrice. Elle passa le bout des doigts sur la peau épaisse et parcheminée.

— Les brûlures étaient si graves qu'on pensait qu'il ne s'en remettrait pas, expliqua Grimm. Pour empêcher qu'on l'achève, je l'ai acheté. En plus de ses blessures, il est resté fou de frayeur durant des mois. Peux-tu imaginer ce que cela représente de se retrouver bouclé dans une stalle d'une écurie en feu ? Occam était capable de galoper plus vite qu'aucun cheval pour se mettre à l'abri du brasier, mais on l'avait obligé à rester prisonnier d'un enfer. Plus jamais je ne l'ai enfermé.

Jillian ravala ses larmes et leva les yeux sur Grimm. L'amertume de son expression l'amena à observer :

— On dirait que tu as toi-même fait l'expérience d'un de ces enfers, Grimm Roderick.

Le regard moqueur, il rétorqua, sur la défensive :

— Ce qui ne risque pas de t'arriver.

— Détrompe-toi. Une femme vit la majeure partie de son existence dans un monde – sinon un enfer – voulu par les hommes. D'abord le monde de son père, ensuite celui de son mari, enfin de l'un de ses fils si elle se retrouve veuve. Et en Écosse, il semble que ce soit la règle que les hommes meurent prématurément à la guerre. Parfois, il suffit à une femme de constater quel enfer les hommes sont capables de créer pour être plongée dans l'horreur. Nous autres femmes ne ressentons pas ces choses-là de la même manière que vous.

Voyant qu'il s'apprêtait à protester, Jillian céda au besoin de poser la main sur sa bouche.

— Non, reprit-elle. Ne dis rien. Je sais que tu imagines que par ma naissance j'ai échappé à tout drame, à toute souffrance, mais j'en ai eu ma part moi aussi. Tu ne sais pas tout à mon sujet, Grimm Roderick. Et n'oublie pas que j'étais aux premières loges, petite fille, pour assister à une bataille sanglante.

Ses yeux s'arrondirent sous l'effet de la surprise lorsque Grimm embrassa le bout de ses doigts posé sur ses lèvres.

— Touché, Jillian… murmura-t-il.

Ensuite, prenant sa main dans la sienne, il la déposa dans son giron, entre les plis de sa robe, et laissa ses doigts se refermer de manière protectrice autour des siens.

— Si j'étais homme à adresser des vœux aux étoiles filantes, ajouta-t-il, je demanderais à chacune d'elles que Jillian Saint-Clair n'ait plus jamais le plus petit aperçu de l'enfer. Il ne devrait y avoir que le paradis pour faire briller ses yeux.

Jillian demeura parfaitement immobile. Masquant son étonnement, elle se grisa de la sensation procurée par sa main forte et chaude sur sa peau. Elle aurait pu rester des jours ainsi, agenouillée dans cette cour, à supporter stoïquement la pluie et le vent pour ne pas rompre l'enchantement. Envoûtée par l'hésitation qu'elle découvrait dans son regard, Jillian inclina la tête vers le haut. Celle de Grimm fit de même vers le bas.

Ses lèvres n'étaient plus qu'à un souffle des siennes. Jillian attendit, le cœur battant à tout rompre.

— Jillian ! Jillian ! Êtes-vous là ?

La jeune femme sursauta et ferma les yeux. Elle aurait souhaité que le propriétaire de la voix mâle qui venait de retentir aille se faire voir en enfer ! Furtivement, elle sentit sur sa bouche l'effleurement de celle de Grimm, pour un baiser qui ne ressemblait en rien à celui dont elle avait rêvé. Elle aurait voulu que ses lèvres malmènent passionnément les siennes, que sa langue caresse sa langue, que leurs souffles se mêlent. Elle aurait voulu tout ce qu'il avait à lui offrir.

— C'est Ramsay, annonça-t-il entre ses dents serrées. Il va nous rejoindre. Remets-toi debout, *lass*. Tout de suite !

Jillian se remit hâtivement sur ses pieds et recula d'un pas. Elle s'efforça d'apercevoir le visage de Grimm, mais ses cheveux longs retombés en avant le lui masquaient.

— Grimm… murmura-t-elle avec urgence.

Elle voulait lui faire relever la tête. Elle avait besoin de voir ses yeux. Elle devait vérifier que c'était réellement un désir sans fard qu'elle avait découvert dans son regard posé sur elle.

— *Lass*…

Il avait prononcé ce mot d'une voix rauque, comme une plainte, mais sans redresser le menton.

— Oui ? chuchota-t-elle, pleine d'espoir.

Derrière eux, la porte s'ouvrit.

— Jillian ! s'exclama Ramsay. Vous voilà enfin. Je suis tellement content que vous vous joigniez à nous. Je pensais que vous aimeriez peut-être m'accompagner à la foire.

Il y eut un moment de flottement, puis :

— Mais… Roderick ? Que fait ton cheval couché à terre ?

Jillian laissa fuser un soupir de frustration et refusa de se retourner pour accueillir Ramsay.

— Qu'allais-tu dire, Grimm ? le pressa-t-elle à mi-voix.

Enfin, il redressa la tête. Dans ses yeux bleus, elle ne découvrit que du défi.

— Quinn est amoureux de toi, *lass*… dit-il tout bas. Je voulais te mettre au courant.

12

Jillian réussit à éluder habilement l'offre de Ramsay en prétendant devoir acheter des « articles féminins » à la foire – ce qui apparemment eut le don d'enflammer son imagination. Ainsi, elle eut la liberté tout l'après-midi de faire ses emplettes en compagnie de Hatchard et Kaley. Dans l'atelier du forgeron, elle fit l'acquisition d'une nouvelle boucle de ceinturon pour son père. De celui du tanneur, elle ressortit avec trois peaux d'agneaux blanches comme neige et douces comme de la fourrure de lapin. Chez l'orfèvre, elle marchanda âprement l'acquisition de petites étoiles en or pour en parer une nouvelle robe.

Mais, durant tout ce temps, son esprit demeura fixé sur ce qui s'était passé dans la cour, où Grimm avait laissé transparaître les premières fissures dans les murailles qui protégeaient son cœur. Le premier moment de surprise passé, sa résolution s'en était trouvée raffermie. Elle ne doutait plus de ce qu'elle avait découvert : Grimm Roderick n'était pas aussi insensible qu'il voulait le montrer. Enfoui sous une masse de débris – ceux d'un passé dont elle commençait à comprendre qu'il était plus brutal que ce qu'elle pouvait concevoir – se trouvait un homme véritable et d'une grande vulnérabilité.

Elle avait lu dans son regard sombre qu'il la désirait. Davantage encore, elle avait compris qu'il éprouvait pour elle des sentiments profonds, faisant tout ce qui était en son pouvoir pour les nier. C'était une base suffisamment solide pour lui donner de l'espoir. Il ne lui venait pas à l'esprit – pas une seule seconde – de se demander si cet homme valait la peine qu'elle fasse l'effort de briser sa carapace. Elle était persuadée que c'était le cas. Aucun être humain ne pouvait se prévaloir d'être parfait. Certains étaient si marqués par les épreuves qu'ils avaient besoin de beaucoup d'amour pour guérir. Et parfois, les plus marqués par l'existence avaient davantage à offrir parce qu'ils connaissaient la valeur de la tendresse. Elle était décidée à devenir le soleil qui darderait ses rayons inlassablement sur lui, pour l'inciter à enlever le manteau d'indifférence qu'il portait depuis des années, et pour qu'il puisse avancer librement dans l'existence.

Elle se sentait tellement excitée à cette perspective qu'elle frissonna d'impatience.

— Vous avez froid, *lass* ? s'inquiéta Hatchard.

— Froid ? répéta-t-elle sans comprendre.

— Vous venez de frissonner.

— Oh ! Par pitié, Hatchard ! s'emporta Kaley. C'était un frisson de rêverie. Tu ne sais donc pas faire la différence ?

Stupéfaite, Jillian reporta son attention sur son amie, qui souriait fièrement.

— Jillian ? s'enquit celle-ci. Il s'agissait bien de cela, non ?

— Comment l'as-tu deviné ?

— Quinn paraissait très séduisant, ce matin... répondit-elle d'un air entendu.

— Grimm également ! intervint Hatchard. N'est-ce pas, *lass* ? Je sais que vous vous êtes parlé, dans la cour.

Jillian le dévisagea avec une expression horrifiée.

— Tu m'espionnais ! s'exclama-t-elle.

— Bien sûr que non... protesta-t-il, sur la défensive. Je regardais juste par ma fenêtre à ce moment-là.

Le regard de Jillian passait du visage de la servante à celui du capitaine de la garde.

— Pourquoi me regardez-vous comme ça, tous les deux ?

— Comme quoi ? s'étonna Kaley en battant des cils d'un air innocent.

Jillian leva les yeux au ciel.

— N'est-il pas l'heure de rentrer à l'auberge ? J'ai promis d'y être à temps pour dîner.

— Avec Quinn ? demanda Kaley, pleine d'espoir.

Hatchard lui donna un coup de coude et rectifia :

— Non, avec Grimm !

Les laissant sur place, Jillian se mit en marche et lança par-dessus son épaule :

— Avec Occam !

Hatchard et Kaley échangèrent un regard amusé en la voyant remonter la rue, les bras encombrés de paquets.

— Je croyais qu'elle nous avait emmenés avec elle pour porter ses emplettes, fit-il remarquer, un sourcil roux arqué.

— Remmy… répondit-elle, plus souriante que jamais. Je crois qu'elle pourrait porter le monde sur ses épaules sans même s'en apercevoir. Elle est amoureuse, c'est certain. La seule question qui me taraude encore, c'est… duquel des trois ?

— Lequel, Jillian ? interrogea Kaley tout à trac.

Elle boutonnait patiemment une rangée de minuscules boutons dans le dos de sa maîtresse. La robe, une création de soie couleur citron, mettait sa poitrine en valeur grâce à quelques rubans astucieusement placés sur le corset.

— Qu'est-ce que tu veux dire ? répliqua nonchalamment Jillian, qui retenait le flot d'or de ses cheveux sur le devant de son épaule pour ne pas la gêner.

Assise au bord d'une banquette disposée face à un miroir, dans sa chambre, elle grillait d'impatience de rejoindre les hommes dans la salle de l'auberge.

Dans la glace, le reflet de Kaley lui adressa un reproche muet. Empoignant les cheveux de sa maîtresse pour les lui ramener dans le dos, elle y mit un peu plus d'énergie que nécessaire.

— Aïe ! protesta Jillian en grimaçant. D'accord. J'ai compris ce que tu me demandes, mais je ne veux pas te répondre maintenant. Laisse-moi voir comment les choses vont se dérouler ce soir.

Tout sourire, Kaley lâcha ses cheveux.

— Tu admets donc au moins ça ! Tu vas te conformer au vœu de ton père et choisir ton mari parmi ces trois-là ?

— Oui, Kaley. Résolument, oui !

Les yeux étincelants, Jillian se releva d'un bond.

— J'imagine que pour ce soir, tu peux ne pas natter tes cheveux, admit Kaley à regret. Mais laisse-moi au moins les coiffer et les boucler.

— Ils sont très bien comme ça et ils bouclent tout seuls, répliqua Jillian. Je n'ai pas de temps à perdre.

— Voyez-vous ça… la taquina Kaley. Tu perds une heure à choisir une robe et tu n'as pas cinq minutes pour te coiffer ?

— Je suis déjà en retard ! protesta-t-elle en se précipitant vers la porte.

— Elle est en retard ! maugréa Grimm qui faisait les cent pas au pied de l'escalier.

Ils se tenaient tous trois dans le petit vestibule séparant la salle commune de l'auberge des quartiers privés.

— Par la lance d'Odin ! s'emporta-t-il de plus belle. Qu'on lui fasse porter un plateau dans sa chambre et qu'on en termine !

— Pour nous priver du plaisir de sa présence ? rétorqua Ramsay. Sûrement pas !

— Arrête de t'agiter, Grimm ! intervint Quinn, amusé par la nervosité de son ami. Détends-toi un peu…

— Je suis parfaitement détendu ! gronda l'intéressé sans cesser d'aller et venir.

— Non, tu ne l'es pas ! Tu parais plus tendu qu'une corde de luth.

— Méfie-toi que la corde ne se brise et te frappe de plein fouet !

— Inutile de te montrer désagréable. Si tu es sur la défensive, c'est que…

— Je ne suis pas sur la défensive !

La sortie de Grimm lui valut un regard condescendant de ses deux compagnons.

— Facile… marmonna-t-il. Il suffit que quelqu'un vous prétende sur la défensive pour que vous vous y retrouviez aussitôt.

— Grimm… se lamenta Quinn. Parfois, tu raisonnes trop pour ton propre bien.

— Ah oui ? Eh bien je vais aller raisonner le nez dans un verre. Prévenez-moi quand elle sera prête – si jamais cet événement survient avant l'aube.

Après le départ de Grimm, Ramsay lança un regard intrigué à Quinn.

— Ôte-moi d'un doute, de Moncreiffe… dit-il. Il n'avait pas si mauvais caractère, à la cour. Quel est son problème ? Ce n'est pas moi, au moins ? Je sais que nous avons eu quelques différends par le passé, mais je pensais tout cela loin derrière nous.

— Si je me rappelle bien, répondit Quinn, la cicatrice qui te barre le visage est un souvenir de ces « différends ».

Voyant Logan grimacer, il poursuivit :

— Tu n'y es pour rien, rassure-toi. Il est toujours comme ça en présence de Jillian. Mais depuis qu'elle a grandi, cela semble aller de mal en pis.

— S'il pense pouvoir la faire sienne, il se trompe… commenta Ramsay avec assurance.

— Il n'essaie pas de la faire sienne, Logan. Il essaie désespérément de la détester. Et si tu penses pouvoir la faire tienne, c'est *toi* qui te trompes.

Ramsay Logan ne fit pas de commentaire, mais son regard déterminé en disait long sur ses intentions lorsqu'il pénétra à la suite de Grimm dans la salle de l'auberge.

Après avoir jeté un coup d'œil à l'escalier désespérément vide, Quinn haussa les épaules et le suivit.

Au bas de l'escalier, Jillian ne trouva personne pour l'attendre.

Une sacrée bande de soupirants... songea-t-elle. Pour commencer, ils me quittent, ensuite ils me laissent tomber.

En rajustant son décolleté, elle leva les yeux derrière elle vers le palier. Devait-elle retourner chercher Kaley ? La Botte Noire était l'auberge la plus réputée de Durrkesh ; pourtant, l'idée de s'aventurer seule dans la salle bondée l'intimidait. Jamais encore cela ne lui était arrivé.

D'un pas hésitant, elle s'approcha du passage de communication.

La pièce était emplie de groupes de clients plus ou moins turbulents. À cause de l'affluence, la moitié de ceux qui étaient là devaient rester debout pour manger, ce qui n'empêchait nullement les vagues de cris et de rires de déferler sur l'assemblée. Soudain, comme une éclaircie au milieu de la tempête, la foule se fendit, révélant aux yeux de Jillian la silhouette reconnaissable entre toutes de Grimm Roderick. Avec une grâce insolente dont lui seul était capable, il se tenait accoudé, dans la pièce voisine, à un comptoir de chêne sculpté faisant office de bar.

Alors qu'elle l'observait, Quinn le rejoignit, lui tendit un verre et lui glissa quelques mots à l'oreille qui le firent presque sourire. Elle-même s'amusa de le voir aussitôt se reprendre et effacer de son visage toute trace d'amusement. Lorsque Quinn s'éloigna et disparut parmi la foule, Jillian se fraya un chemin dans la salle et se hâta de rejoindre Grimm. Ses yeux se posèrent sur elle et elle les vit flamber d'une étrange lueur. D'un signe de tête, il la salua sans un mot. Jillian demeura silencieuse elle aussi, cherchant désespérément quelque chose d'intelligent à dire. Enfin, elle se retrouvait seule avec lui, en une circonstance et en un lieu propices aux rencontres. L'occasion idéale d'engager cette conversation intime qu'elle avait tant rêvé d'avoir avec lui.

Mais avant qu'elle ait pu trouver la moindre chose à dire, il parut perdre tout intérêt pour elle et se retourna.

Jillian se maudit intérieurement de son mutisme. Pourquoi fallait-il qu'en présence de Grimm elle perde tous ses moyens ? Son regard dériva le long de ses cheveux noirs, puis de son dos musclé, qui tendit le tissu de sa chemise quand il porta à ses lèvres sa chope de bière. Ses yeux descendirent encore, jusqu'à sa taille étroite menant à ses hanches, puis à ses jambes musculeuses. Elle retint son souffle en remarquant le duvet de poils noirs qui les couvrait, plongeant sous le bas de son tartan. Jusqu'où, se demanda-t-elle troublée, remontaient-ils ainsi ?

Prenant soudain conscience qu'elle retenait son souffle, elle dut se forcer à expirer tout l'air contenu dans ses poumons. Près de cet homme dangereusement séduisant, tout son être vibrait d'une attente délicieuse. Ses jambes la portaient à peine. Au creux de son ventre naissaient de drôles de sensations.

Et lorsque Grimm pencha légèrement vers l'arrière, se collant momentanément à elle au milieu de la foule compacte, Jillian posa la joue contre son épaule, si légèrement qu'il dut à peine sentir ce contact volé. Encouragée par son audace, elle inhala profondément pour s'imprégner de son odeur. Comme d'eux-mêmes, ses doigts allèrent se poser sur ses omoplates, qu'elle érafla légèrement du bout des ongles.

Grimm poussa alors un gémissement ténu. Les yeux écarquillés, elle renouvela l'opération, un peu plus fort cette fois, surprise de ne pas susciter chez lui une réaction de rejet. Il ne tenta rien pour lui échapper et ne fit pas brusquement volte-face pour l'envoyer sur les roses.

Jillian retint son souffle puis inspira avidement, se délectant de l'odeur de savon et d'homme qui lui montait aux narines. Sous ses ongles, elle le sentit bouger légèrement, comme un gros chat cherchant les caresses. Appréciait-il ce qu'elle lui faisait et l'encourageait-il à continuer ?

Oh ! Puissent les dieux m'accorder la réalisation d'un seul vœu cette nuit : goûter enfin au baiser de cet homme !

Amoureusement, Jillian se lova plus étroitement contre lui. Ses doigts dessinèrent les contours des muscles de ses épaules, descendirent jusqu'à sa taille mince, avant de remonter le long de son dos. Sous ses mains, elle sentait Grimm se détendre peu à peu.

C'est le paradis, songea-t-elle rêveusement. Je suis au paradis...

— Tu as l'air plutôt content de toi, Grimm !

Tirée brutalement de sa rêverie, Jillian sursauta en reconnaissant la voix de Quinn.

— Étonnant ce qu'un verre peut faire pour te mettre dans de bonnes dispositions... reprit-il gaiement. Où Jillian est-elle passée ? N'était-elle pas avec toi, à l'instant ?

Les mains de la jeune femme s'étaient immobilisées dans le dos de Grimm, si large d'épaules qu'il la masquait totalement. Elle s'apprêtait à passer la tête sur le côté pour se montrer à Quinn, mais elle entendit Grimm déclarer :

— Elle doit être allée prendre l'air.

— Toute seule ? Bon sang, l'ami ! Tu ne devrais pas la laisser se promener dehors sans escorte !

Déjà, Quinn se précipitait vers la sortie. Dès qu'il fut hors de vue, Grimm pivota sur ses talons.

— Que penses-tu être en train de faire, *poulette* ? demanda-t-il hargneusement.

— Je te massais le dos.

Grimm emprisonna ses deux mains dans les siennes, les serrant si fort que Jillian craignit qu'il ne brise quelques os.

— Inutile de te donner cette peine, *lass*. Il n'y a rien entre nous et...

— Tu t'es penché en arrière ! l'interrompit-elle. Tu n'avais pas l'air si malheureux de ton sort et tu...

— Je croyais avoir affaire à une catin ! s'emporta Grimm, passant une main tremblante dans ses cheveux.

— Oh ! s'exclama Jillian, déconfite.

Grimm baissa la tête, amenant ses lèvres au contact de l'oreille de Jillian. Assez bas pour ne se faire entendre que d'elle, mais suffisamment fort pour dominer le brouhaha ambiant, il ajouta :

— Au cas où tu l'aurais oublié, c'est Quinn qui a envie de toi et c'est Quinn, également, qui constitue le choix le plus avisé. Va le retrouver, c'est à lui que tu dois masser le dos. Laisse-moi aux filles faciles des tavernes qui comprennent quels sont les besoins d'un homme tel que moi.

Les yeux étincelants d'une lueur dangereuse, Jillian se détourna sans un mot et s'éloigna en jouant des coudes pour fendre la foule.

Grimm survivrait à cette nuit. Après tout, il avait survécu à pire que cela... Il avait été sensible à la présence de Jillian dès l'instant où elle avait franchi le seuil de la pièce. Et lorsqu'elle l'avait rejoint et avait été sur le point de lui parler, c'est délibérément qu'il lui avait tourné le dos. Cela n'avait pas servi à grand-chose. Dès que ses doigts s'étaient posés sur lui, il s'était senti parfaitement incapable de se soustraire à la caresse sensuelle qu'elle lui prodiguait. Il avait laissé les choses aller trop loin, mais il avait su se reprendre avant que la situation ne dégénère.

À présent, il prenait grand soin d'ignorer Jillian et se versait méthodiquement whisky sur whisky, qu'il avalait à un rythme soutenu. Il buvait avec une ardeur vengeresse, essuyant rageusement ses lèvres d'un revers de main, dans le vain espoir d'étourdir ses sens aiguisés de Berserker. De temps à autre, le rire un peu rauque de Jillian flottait jusqu'à lui. Et quand l'aubergiste déplaçait des bouteilles sur l'étagère derrière le bar, il lui arrivait de capter le reflet d'une chevelure blonde à la surface du verre poli.

C'était lui qui avait poussé Jillian à faire ce qu'elle était en train de faire, alors pourquoi aurait-il dû y trouver à redire ? Après tout, qu'avait-il d'autre à sacrifier qu'un désir charnel qui ne pouvait être confondu avec l'amour ?

Seigneur ! se dit-il. Qui penses-tu leurrer ainsi ?

Grimm ferma les yeux et secoua la tête dans l'espoir d'échapper à ses propres mensonges. Sa vie était un enfer. À l'image de Sisyphe, il poussait devant lui le lourd rocher de son désir irrépressible, pour se retrouver invariablement écrasé par lui avant d'avoir atteint le sommet de la montagne. Ce soir, il allait faire en sorte que Jillian concrétise son engagement auprès de Quinn, après quoi il n'aurait plus à s'en mêler.

Il lui serait impossible de convoiter la femme de son ami, n'est-ce pas ? Ce qu'il lui fallait pour mettre un terme à ses souffrances, c'était que ces deux-là se marient aussi vite que possible. Il ne supporterait plus longtemps cette bataille incessante qui se livrait en lui. Si Jillian demeurait libre de tout engagement, il était encore libre de rêver. Dès qu'elle serait mariée, il lui faudrait se faire une raison et renoncer à ses rêves. Bardé de ces bonnes résolutions, Grimm jeta un coup d'œil par-dessus son épaule pour voir comment les choses progressaient. Seul Mac, le tenancier à la jambe de bois, put surprendre derrière son comptoir la soudaine crispation de sa mâchoire.

Jillian était assise au milieu de la salle, ses cheveux d'or rejetés en arrière, jouant de toute la séduction dont elle était capable avec Quinn. Cela se limitait principalement à être aussi époustouflante qu'elle l'était au naturel, en y ajoutant de temps à autre un regard appuyé ou une moue sensuelle. Tous deux se trouvaient manifestement dans un monde qui n'appartenait qu'à eux et ne prêtaient aucune attention à lui. Elle se conformait ainsi exactement à ce qu'il l'avait invitée à faire, mais cela le rendait fou de rage...

Tandis qu'il observait la scène, tout ce qui n'était pas Jillian – car qu'était le monde sans elle ? – disparut à ses yeux. Malgré le bruit ambiant, il perçut distinctement le froissement de ses cheveux, puis le souffle d'air qu'elle souleva en portant la main à la joue de Quinn. Ensuite, il n'entendit plus que le martèlement de son pouls lorsque ses doigts longilignes glissèrent sur le visage de son ami, s'attardant le long de son menton.

Hagard, Grimm passa sa propre main sur son visage. Il regrettait de n'avoir pas, dans sa jeunesse, brisé cette mâchoire parfaite sur laquelle les doigts de Jillian opéraient leur magie.

Derrière lui se fit entendre un petit sifflement, suivi d'un ricanement.

— Messire, v'là une drôlesse que vous avez dans la peau ! Que je sois pendu si c'est pas la vérité vraie, et cette vérité-là, aucun tord-boyaux pourra vous la faire oublier.

Mac hocha la tête avec enthousiasme, manifestement inspiré par le sujet.

— M'est arrivé, à moi aussi... reconnut-il. Avec la femme d'un de mes meilleurs amis, moi aussi. Ça devait être... y a une dizaine d'années, à tout casser, et...

— Elle n'est pas sa femme !

Grimm foudroya le tenancier du regard et vit celui-ci tressaillir. Sans doute ses yeux n'étaient-ils plus ceux d'un homme. Leur couleur – un bleu de glace étrangement transparent et lumineux – avait incité les villageois de Tuluth à lui tourner le dos, autrefois. C'était la couleur des yeux d'un Berserker, prêt à tout pour obtenir ce qu'il voulait.

Mac haussa les épaules, avec l'aplomb d'un homme ayant survécu à trop de rixes pour s'inquiéter de la mauvaise humeur d'un client.

— M'est avis qu'elle est tout de même quelque chose pour lui, bougonna-t-il. Et ce qu'elle est, vous aimeriez mieux qu'elle le soit pas.

Sur ce, Mac fit disparaître la bouteille que Grimm venait de vider et en ramassa une autre à peine entamée. Sans lui demander son avis, il remplit généreusement son verre. Puis, après avoir disparu un instant dans l'arrière-salle, il en revint chargé d'un panier de poulet arrosé au brandy, qu'il déposa près de lui.

— Sauf votre respect, messire, vu votre descente, vous feriez bien de manger un peu.

Grimm leva les yeux au plafond. Malheureusement, le whisky de toute l'Écosse ne suffirait pas à amoindrir les sens affûtés d'un Berserker. Alors que Mac allait accueillir de nouveaux clients, de rage, il renversa son whisky sur la platée de poulet. Préférant aller faire un tour dehors plutôt que de s'infliger plus longtemps ce supplice, il allait se lever lorsque Ramsay vint s'asseoir à côté de lui.

— On dirait que Quinn a un tour d'avance, maugréa celui-ci.

Lorgnant sur le poulet, il ajouta :

— Cette viande a l'air dorée à souhait. Je peux ?

— Sers-toi, répondit sèchement Grimm.

Puis, poussant vers lui sa bouteille à peine entamée :

— Tiens, sers-toi à boire également.

— Non merci, l'ami. J'ai la mienne, répliqua Ramsay en levant son verre à sa santé.

Un rire mélodieux flotta jusqu'à eux tandis que Jillian et Quinn les rejoignaient. En dépit de tous ses efforts, ce fut un regard noir que Grimm lança à son ami.

— Qu'avons-nous de bon ici ? demanda Quinn en saisissant une cuisse de poulet dans le panier.

— Si vous voulez bien m'excuser... marmonna Grimm en se levant, sans même avoir adressé un regard à Jillian.

D'un pas déterminé et sans se retourner, il quitta la taverne pour aller se fondre dans la nuit de Durrkesh.

Le jour se levait quand Grimm regagna La Botte Noire. Avec lassitude, il grimpa l'escalier et se figea sur la dernière marche lorsqu'un bruit singulier lui parvint aux oreilles. Ses yeux parcoururent une à une les portes qui ouvraient sur le corridor.

De nouveau, le bruit se fit entendre – un gémissement, suivi d'un grognement plus grave et plus rauque.

Jillian ? se demanda-t-il. Avec Quinn ?

En silence, il remonta rapidement le corridor, s'arrêtant devant la porte de Quinn, aux aguets. Une troisième fois, il perçut, assourdi, le bruit étrange – un soupir enroué, aussitôt suivi d'une inspiration sifflante. Chacun de ces bruits enfonçait en lui une lame à double tranchant. Il se sentit glisser sur une pente dangereuse qu'il avait dévalée pour la première fois quinze ans plus tôt, sur les hauteurs de Tuluth. Une rage surhumaine l'habitait, menaçant de faire de lui un monstre au regard glacial, dont la force n'avait d'égale que sa volonté de verser le sang.

Le front posé sur le bois frais de la porte de Quinn, Grimm se força à respirer lentement, amplement, afin d'étouffer dans l'œuf son accès de colère. Son souffle maîtrisé formait un contraste saisissant avec les bruits incontrôlés que laissait sourdre le battant. Seigneur ! Il l'avait encouragée à épouser Quinn, pas à sauter dans son lit à la première occasion...

Un grondement animal monta des lèvres de Grimm.

En dépit de ses bonnes résolutions, sa main agrippa la poignée, qu'il fit tourner d'un coup sec – sans résultat, un verrou tiré de l'intérieur l'empêchant d'entrer. L'espace d'un instant, il demeura figé, tétanisé par cet obstacle, ce rempart supplémentaire entre lui et Jillian, ce verrou qui lui disait mieux que par un discours qu'elle avait fait son choix. Certes, il l'y avait poussée, mais elle aurait tout de même pu éviter de se précipiter ainsi…

Il ne lui restait plus qu'à tourner le dos et à retrouver son enfer personnel, avec une nouvelle pierre plus lourde encore à hisser en haut de la montagne : celle des regrets.

Ce débat intérieur fit rage quelques instants encore, avant que la bête y mette un terme en fracassant violemment la porte de Quinn.

Le souffle court, Grimm s'arrêta au seuil de la chambre. Tassé sur lui-même, il tenta de percer la pénombre qui y régnait, surpris de ne voir personne surgir du lit.

— À l'aide… murmura une voix faible.

Grimm traversa rapidement la pièce et gagna le pied du lit. Roulé en boule dans un drap trempé de sueur, Quinn s'y trouvait – seul. Des flaques de vomi émaillaient le plancher. Une cruche en s'y fracassant avait répandu son eau. La fenêtre, grande ouverte, laissait entrer l'air glacial du matin.

Soudain, le corps de Quinn se convulsa violemment. Le voyant se pencher au bord du lit, Grimm se précipita pour le soutenir avant qu'il ne s'étale par terre. Tenant son ami dans ses bras, il l'observa sans comprendre ce qui se passait.

— P… P… Poison… parvint à balbutier Quinn.

— Non ! s'écria Grimm en le serrant contre lui.

Sans perdre davantage de temps, il se mit à crier pour donner l'alerte.

13

— Qui peut avoir voulu l'empoisonner ? s'étonna Hatchard. Personne ne le déteste assez pour cela. Quinn est la quintessence du gentleman et du laird respecté de tous…

Le visage de Grimm se tordit en une grimace.

— Est-ce qu'il va s'en remettre ? s'enquit Kaley en nouant ses mains devant elle.

— Qu'est-ce qu'il y a ?

Jillian, les yeux ensommeillés, venait d'apparaître sur le seuil de la chambre.

— Grand Dieu ! s'exclama-t-elle en observant les restes de la porte brisée. Que s'est-il passé ici ?

— Comment te sens-tu, *lass* ?

Kaley, qui s'était précipitée vers sa maîtresse, se mit en quatre pour s'assurer qu'elle allait bien. Ses mains étaient partout à la fois, tâtant son front, palpant son ventre, lissant ses cheveux.

— Tu es sûre que tu vas bien ? insista-t-elle, le souffle court. Pas de nausée ? De mal de tête ? Pas de fièvre ?

Jillian tenta de repousser ses mains.

— Kaley, je vais bien, s'impatienta-t-elle. Un grand bruit m'a réveillée et je suis venue voir ce qui se passait, voilà tout.

Quinn émit un gémissement. Jillian écarquilla les yeux.

— Qu'est-ce qu'il a ? s'inquiéta-t-elle.

— Hatchard ! lança Grimm sans lui répondre. Allez chercher un médecin.

Puis, se tournant vers Jillian :

— Tu es certaine que tout va bien pour toi, *lass* ?

La voyant acquiescer d'un hochement de tête, il poussa un soupir de soulagement et ajouta à l'intention de Kaley :

— Vous devriez aller réveiller Ramsay.

La servante, le comprenant à demi-mot, s'empressa de s'exécuter.

— Que s'est-il passé ? demanda Jillian, hagarde.

Grimm, qui tamponnait le front du malade avec un linge humide, lui répondit :

— On soupçonne un empoisonnement.

Il ne jugea pas utile de préciser que c'était en fait pour lui une certitude. L'odeur qui se dégageait des vomissures ne pouvait tromper son odorat de Berserker.

— Je crois qu'il va s'en tirer, précisa-t-il. Si le poison est bien celui auquel je pense, il devrait être déjà mort si la dose absorbée avait été suffisante. D'une manière ou d'une autre, il a dû être dilué.

— Qui pourrait vouloir sa mort ? reprit-elle, faisant écho aux paroles de Hatchard. Tout le monde l'aime…

— Je sais… maugréa Grimm, maussade.

Un cri poussé par Kaley, à l'autre bout du corridor, les fit sursauter.

— Ramsay est malade aussi ! s'écria-t-elle, affolée. Que quelqu'un vienne m'aider !

Le regard de Grimm se porta sur la porte, puis sur Quinn roulé en boule sur son lit. Après avoir hésité une seconde, il demanda à Jillian :

— Tu peux y aller ? Je préfère ne pas le quitter.

Si ses déductions étaient exactes, c'est lui qui aurait dû se trouver à cet instant baignant dans ses vomissures – bel et bien mort.

Le visage de Jillian prit une teinte crayeuse. Après avoir acquiescé d'un bref hochement de tête, elle se hâta d'aller rejoindre Kaley.

Grimm proféra un juron à mi-voix, tamponna le visage de Quinn et s'assit sur le lit pour attendre le médecin.

Celui-ci arriva enfin, porteur de deux grandes sacoches. La pluie faisait luire son crâne dégarni. Après avoir interrogé à peu près tout le monde dans l'auberge, il consentit enfin à examiner ses patients. Quinn et Ramsay avaient été installés dans une chambre propre, voisine de celle de Kaley, pour faciliter les soins. Avec une agilité assez inattendue chez un homme aussi rondouillard, le médecin alla de l'un à l'autre, griffonnant des notes dans un petit carnet. Puis, ayant regardé au fond de leurs yeux, inspecté leurs langues, palpé leurs abdomens, il s'absorba quelques instants dans la consultation de ses notes.

— Qu'on leur donne régulièrement à boire de l'eau coupée de sirop d'orge et d'une décoction de figues, de miel et de réglisse, ordonna-t-il. Rien d'autre, car aucune nourriture ne sera digérée.

— Est-ce qu'ils vont s'en tirer ? s'enquit Jillian avec inquiétude.

Le médecin fronça les sourcils et baissa la tête, causant autant de plis sur son front que sur son double menton.

— Je pense qu'ils sont hors de danger, répondit-il. Ni l'un ni l'autre ne semble avoir avalé une dose suffisante pour mettre sa vie en danger, mais je suppose qu'ils vont rester faibles un bon moment. Tant qu'ils ne tentent pas de se lever, vous diluez ceci dans un peu d'eau chaude...

D'une de ses sacoches, il produisit une petite bourse en cuir et expliqua :

— C'est de la mandragore. Trempez des linges dans la décoction et posez-les sur leurs visages. Vous devez vous assurer qu'ils recouvrent entièrement leur bouche et leur nez durant quelques minutes. Ils inhaleront les vapeurs qui les maintiendront endormis. Les esprits se reconstituent plus facilement si les humeurs restent au repos. Voyez-vous, il existe quatre humeurs et trois esprits qui... Mais je suis sûr que vous n'avez aucune envie de vous soucier de tout cela.

Sèchement, il referma son calepin et conclut :

— Suivez mes instructions à la lettre et ils devraient se remettre totalement.

— Pas de saignée ? s'étonna Hatchard.

Le médecin laissa fuser un rire sarcastique.

— Convoquez un barbier pour faire une saignée si vous avez un ennemi dont vous voulez vous débarrasser. Si c'est un ami que vous souhaitez guérir, faites plutôt appel à un médecin.

Grimm manifesta son approbation et se leva pour reconduire le praticien.

— Oh, Quinn... se lamenta Jillian après leur départ.

En soupirant, elle posa une main sur son front humide.

Debout derrière elle, Kaley lança un regard triomphant à Hatchard, occupé de l'autre côté de la pièce à poser une compresse sur le front de Ramsay. Comprenant qu'elle comptait les points dans la controverse qui les opposait, il haussa les épaules d'un air exaspéré.

Lorsque Grimm vint prendre des nouvelles des deux hommes le lendemain, leur état s'était amélioré mais ne leur permettait toujours pas de prendre la route.

Kaley refusant de repartir sans les marchandises qu'ils étaient venus acquérir, Grimm accepta de mauvaise grâce d'escorter Jillian à la foire. Une fois sur place, il la pressa de passer d'un étal à l'autre sans s'attarder. Et quand une nappe de brouillard venue des sommets s'abattit sur Durrkesh dans l'après-midi, il l'informa que l'heure était venue de rentrer à l'auberge.

Le brouillard le rendait invariablement nerveux, ce qui s'avérait un handicap dans une terre de brumes telle que l'Écosse. Celui qui les enveloppa bientôt surpassait tous les autres par sa densité. Il formait autour d'eux une chape compacte et humide, si épaisse au niveau du sol qu'ils faisaient tourbillonner des volutes de brume en marchant. Lorsqu'ils eurent laissé la foire derrière eux, c'est à peine si Grimm put encore distinguer à côté de lui la silhouette et le visage de Jillian.

— J'adore ce temps ! s'exclama-t-elle en s'amusant à agiter les bras devant elle pour faire naître des remous vaporeux. Le brouillard m'a toujours paru si romantique !

— Il t'en faut peu, *lass*... grommela-t-il. Quand Bertie, dans les écuries, s'amusait à écrire ton nom avec un bâton dans le crottin de cheval, tu trouvais ça follement romantique aussi.

— Et je n'ai pas changé d'avis ! Il avait appris à écrire tout exprès pour tracer mon nom... N'est-ce pas follement romantique ?

— Manifestement, tu n'as jamais eu à combattre dans la brume, marmonna Grimm, à qui le brouillard rappelait Tuluth. Difficile de tuer un homme lorsqu'on ne peut voir le bout de son épée.

Jillian fit halte abruptement.

— Nos vies n'ont rien en commun, constata-t-elle, soudain sérieuse. Tu as tué beaucoup d'hommes, n'est-ce pas, Grimm Roderick ?

— Tu devrais le savoir, répondit-il d'une voix tendue. Tu m'as vu à l'œuvre.

Jillian se rapprocha de lui pour distinguer son visage et reprit gravement :

— Les McKane auraient tué toute ma famille, ce jour-là. Tu nous as sauvés. Si un homme doit tuer pour protéger son clan, rien ne peut lui être reproché.

Grimm regretta de ne pouvoir s'absoudre de tout péché avec autant de générosité. Jillian ignorait que l'attaque des McKane n'avait pas été dirigée contre sa famille. Ils avaient encerclé Caithness uniquement parce qu'ils avaient entendu dire qu'un Berserker y était hébergé. Nul ne le lui avait expliqué, à l'époque, et apparemment Gibraltar Saint-Clair ne l'avait jamais révélé à sa fille.

— Pourquoi être parti, cette nuit-là ? demanda-t-elle après avoir longuement hésité.

Grimm fourragea ses cheveux.

— Parce que le temps était venu, répliqua-t-il rudement. J'avais appris tout ce que ton père avait à m'apprendre. Plus rien ne me retenait à Caithness.

Après avoir soupiré, Jillian ajouta :

— Sache tout de même qu'aucun de nous ne t'a blâmé de quoi que ce soit. Même notre cher Edmund a juré jusqu'à son dernier souffle que tu étais le plus fier guerrier qu'il ait rencontré.

Ses yeux s'embuèrent lorsqu'elle précisa, presque pour elle-même :

— Nous l'avons enterré sous le grand pommier, comme il nous l'avait demandé. Quand la bruyère est en fleur, je vais sur sa tombe lui en porter un bouquet. Edmund adorait la bruyère blanche.

Grimm lui saisit le poignet.

— Que dis-tu ? Edmund ? Quand est-il mort ? J'imaginais qu'il se trouvait avec ton frère Hugh, dans les Highlands.

— Non. Il est mort peu de temps après ton départ. Il y a presque sept ans de cela.

— Mais... il n'a été que légèrement blessé lors de l'attaque des McKane ! insista Grimm. Ton père luimême affirmait qu'il se remettrait facilement.

— Sa blessure s'est infectée, expliqua-t-elle. Pour couronner le tout, le mal s'est mis dans ses poumons. Une forte fièvre l'a rapidement emporté et il n'a pas eu le temps de souffrir. Quelques-unes de ses dernières paroles ont été pour toi. Il jurait que tu avais d'une seule main décimé les McKane à toi tout seul, et il prétendait que tu étais... qu'était-ce, déjà ? un guerrier du dieu Odin, capable de changer de forme, ou quelque chose comme ça. Mais tu sais comment il était, conclut-elle avec un sourire triste. Toujours prompt à croire aux chimères.

Sans lui répondre, parfaitement immobile, Grimm la dévisagea à travers la brume.

— Qu... Qu'y a-t-il ? balbutia-t-elle, déconcertée par l'intensité de son regard.

Le voyant s'avancer, elle recula instinctivement, se rapprochant du mur de l'église dans son dos.

— Et si de telles créatures existaient, Jillian ? demanda-t-il, les yeux étincelants.

Grimm savait qu'il n'aurait pas dû s'aventurer sur un terrain aussi dangereux, mais il comptait sur l'occasion qui lui était offerte pour découvrir ce que pensait Jillian sur le sujet, sans rien révéler de sa véritable nature.

— Que veux-tu dire ? s'étonna-t-elle.

— Et si tout cela n'avait rien d'une chimère ? Si des hommes capables de faire ce dont parlait Edmund existaient réellement ? Qu'en penserais-tu ?

Jillian le scruta attentivement avant de répondre :

— Quelle étrange question ! Crois-tu, pour ta part, que de tels êtres fabuleux puissent exister, Grimm Roderick ?

— Loin de là ! Je ne crois qu'en ce que je peux voir et toucher de mes mains. La légende du Berserker n'est rien d'autre qu'un conte à dormir debout, destiné à inciter les enfants turbulents à plus de sagesse.

— Dans ce cas, pourquoi me demandes-tu comment je réagirais si de tels êtres existaient ?

— Simple hypothèse, répondit-il, agacé. Histoire d'entretenir – stupidement, je l'avoue – la conversation. Par la lance d'Odin ! Personne ne croit au Berserker.

Sur ce, il se remit en route, lui intimant d'un geste sec de le suivre.

Ils marchèrent en silence un long moment. Puis, tout à trac, Grimm questionna :

— Ramsay embrasse-t-il bien, *lass* ?

Jillian trébucha.

— Quoi ? s'exclama-t-elle.

— Ramsay, répéta-t-il, irrité par sa réaction. Il embrasse bien ?

Jillian réprima difficilement un sourire radieux.

— Eh bien... commença-t-elle d'une voix traînante. Je n'ai pas beaucoup d'expérience, mais en toute honnêteté, je dois reconnaître que c'était le meilleur baiser qu'on m'ait jamais donné.

Instantanément, Grimm se précipita sur elle. Entre ses doigts, il pinça son menton et l'obligea à rejeter la tête en arrière.

— Laisse-moi te donner un élément de comparaison, dit-il en la fixant au fond des yeux. Mais ne va pas t'imaginer que cela signifie quoi que ce soit. Tu ne dois y voir qu'une leçon que je te donne. Je détesterais te savoir mariée à Logan uniquement parce que tu t'imagines que lui seul sait embrasser, alors qu'il est si facile de te détromper.

Jillian posa la main sur les lèvres de Grimm.

— Je n'ai pas besoin d'une leçon, assura-t-elle. Je suis assez grande pour me faire une opinion toute seule. Et je détesterais t'obliger à...

— Je suis prêt à me sacrifier, la coupa-t-il. Considère ça comme une faveur. Après tout, ne sommes-nous pas des amis d'enfance ?

— Tu n'as jamais été mon ami, lui rappela-t-elle d'une voix mielleuse. Tu n'as pas arrêté de me chasser.

— Pas la première année...

Cette fois, ce fut à elle de l'interrompre.

— Tu étais censé n'avoir gardé aucun souvenir de moi datant de ton séjour chez nous... N'est-ce pas ce que tu m'as affirmé ? De plus, je n'ai réclamé aucune faveur de ta part, Grimm Roderick. Et qu'est-ce qui te fait croire que ton baiser serait meilleur ? Ramsay a réussi littéralement à me couper le souffle... Je tenais à peine debout quand il m'a lâchée.

Le mensonge était énorme, mais elle parvint à le débiter avec conviction.

— Et si ton baiser ne se révélait pas aussi délicieux que celui de Ramsay ? poursuivit-elle. Je serais alors, selon ton raisonnement, condamnée à l'épouser...

Ayant lancé son appât, Jillian attendit, fière d'elle.

Le visage assombri par la colère, il mordit en effet à l'hameçon et s'empara de ses lèvres sans tarder.

Aussitôt que leurs bouches entrèrent en contact, Grimm sentit le sol trembler sous ses pieds. Loin de le dissuader, cette sensation acheva de lui faire perdre tout contrôle.

Jillian, quant à elle, se coula contre lui et entrouvrit les lèvres. Grimm Roderick l'embrassait, c'était tout ce qui comptait. Le baiser qu'ils avaient partagé bien des années auparavant dans les écuries avait constitué pour elle une sorte d'expérience spirituelle. Au fil des années, elle en était arrivée à se demander si elle n'en avait pas embelli le souvenir avec le temps. Mais à la lumière de ce qui était en train de se passer, elle ne pouvait que constater que sa mémoire lui avait été fidèle. Son être tout entier paraissait s'éveiller d'un long sommeil. Elle avait des picotements dans la bouche, là où leurs corps s'unissaient, et les pointes de ses seins érigées frottaient de manière affolante contre le tissu de sa robe. De lui, elle voulait tout, tout de suite. Elle savait qu'il était homme à rassasier cette faim dévorante qu'elle avait de lui.

Elle entremêla ses doigts dans ses cheveux pour mieux lui rendre son baiser et perdit tout à fait le souffle lorsque celui-ci se fit plus fougueux encore. Une main de Grimm lui tenait le menton, l'autre glissa le long de son échine, s'enroula autour de sa hanche, afin de la serrer plus fort contre lui. Toute raison la déserta quand elle se livra à la plus brûlante de ses fantaisies érotiques : toucher cet homme comme aurait pu le faire une femme – *sa* femme. Elle ne se rendit compte de ce que faisait sa main qu'en la sentant forcer un passage entre leurs deux corps. Et soudain, elle empoigna ce qu'elle cherchait fébrilement – son membre viril, dur et dressé, à travers le tissu du tartan. Elle sentit Grimm tressaillir contre elle, et le gémissement qui échappa à ses lèvres lui parut le son le plus délicieux qu'elle eût jamais entendu.

Jillian eut l'impression qu'un voile se déchirait entre eux. Là, à cette minute, dans les brumes de Durrkesh, elle se sentit consumée par le désir de s'unir à cet homme, sans craindre qu'on puisse les surprendre. Seule comptait la certitude qui l'habitait à présent : Grimm la désirait, il avait envie de lui faire l'amour – son corps ne venait-il pas de le lui révéler de la plus éclatante des façons ? Exaltée par cette découverte, elle s'arc-bouta contre lui, provocante et tentatrice.

Avec un gémissement réprobateur, Grimm s'empara de sa main et la plaqua contre le mur derrière elle, au-dessus de sa tête. Quand il eut fait de même avec son autre main, il donna à son baiser un tout autre tempo. Jouant de sa langue autant que de ses dents et de ses lèvres, il en fit un délicieux supplice, qui la laissa pantelante.

— Alors, qu'en penses-tu ? demanda-t-il d'une voix rauque. Le baiser de Ramsay peut-il se comparer à *ça* ?

Jillian chancela et dut se reprendre pour empêcher ses genoux de se dérober sous elle. Incapable de lui répondre, elle se contenta de lui rendre le regard scrutateur qu'il lui lançait. L'ombre d'un sourire flotta sur ses lèvres lorsqu'il conclut d'un air ironique :

— N'oublie pas de respirer… Tu peux reprendre ton souffle, à présent.

Et sans rien ajouter, il lui prit la main pour l'entraîner dans la brume épaisse qui se referma autour d'eux. Jillian le suivit vaille que vaille, les jambes molles.

Jusqu'à leur retour à l'auberge, Grimm ne décrocha pas une parole, ce dont elle s'accommoda parfaitement. Même si sa vie en avait dépendu, elle aurait été incapable de soutenir une conversation sensée. Brièvement, elle se demanda qui des deux avait remporté cette galante escarmouche. Non sans une certaine fierté, elle se dit que c'était elle. Il n'était pas resté de marbre, et elle avait obtenu le baiser dont elle rêvait.

À leur arrivée à La Botte Noire, Hatchard les informa que Quinn et Ramsay, bien que toujours faibles, se déclaraient impatients de rentrer. Après avoir analysé soigneusement la situation, le capitaine de la garde avait conclu que c'était la conduite la plus sage à tenir. Dans ce but, il avait loué une voiture qui les reconduirait tous à Caithness aux premières lueurs du jour, le lendemain.

14

— Raconte-moi une histoire, Jillian... implora Zeke en pénétrant dans la salle. Je me suis ennuyé de toi et de maman quand vous n'étiez pas là.

Le petit garçon grimpa à côté d'elle sur le divan et vint se nicher entre ses bras.

Jillian repoussa ses cheveux de son front et y déposa un baiser.

— Qu'est-ce que ce sera aujourd'hui, mon doux Zeke ? Dragons ? fées ? monstres marins ?

— Parle-moi des Berserkers !

— Des quoi ?

— Des Ber-ser-kers, répéta-t-il patiemment. Tu sais bien : les invincibles guerriers du dieu Odin.

Cela fit rire doucement Jillian, qui s'exclama :

— Pourquoi les garçons sont-ils tous férus de batailles ? Mes frères adoraient cette légende.

— Ce n'est pas une légende... la corrigea Zeke. Maman m'a dit qu'ils hantent toujours les Highlands.

— Balivernes ! protesta-t-elle. Je vais te raconter une histoire plus convenable pour un petit garçon.

— Je ne veux pas d'une histoire convenable ! Je veux une histoire avec des chevaliers, des héros et une grande quête. Et des Berserkers.

— Oh là là ! s'amusa-t-elle en lui ébouriffant les cheveux. Mais tu grandis, dis-moi...

— Naturellement, répondit-il, vexé.

— Pas de Berserkers ! décréta fermement Jillian. À la place, je vais te raconter l'histoire du petit garçon et du buisson d'orties.

— Est-ce une autre de tes histoires avec une morale ? demanda-t-il d'un ton plaintif.

— Et alors ? s'offusqua Jillian. Qu'y a-t-il de mal avec ce genre d'histoires ?

— Rien du tout. Parle-moi donc de ces stupides orties !

Boudeur, Zeke planta son menton dans le creux de sa main et attendit. Son expression maussade fit rire Jillian.

— Je te propose une chose, reprit-elle. Je te raconte mon histoire, et ensuite tu pourras aller trouver Grimm pour lui en réclamer une autre, pleine de guerriers invincibles. Je suis certaine qu'il en connaît.

Après avoir soupiré longuement, Jillian se lança :

— Il était une fois un petit garçon qui, se promenant en forêt, tomba en arrêt devant un buisson d'orties. Fasciné par cette plante qu'il ne connaissait pas, il décida d'en cueillir une tige pour la rapporter chez lui et la montrer à sa mère. Dès qu'il l'eut touchée, une vive douleur lui fit lâcher prise. Les doigts en feu, il détala pour regagner sa masure. « Je l'ai à peine touchée ! » se plaignit-il à sa mère. « C'est pour ça qu'elle t'a piqué, répondit celle-ci. La prochaine fois que tu cueilleras une ortie, empoigne-la hardiment. Ainsi, elle sera douce comme de la soie sous ta main et ne te blessera nullement. »

Jillian se tut.

— C'est tout ? protesta Zeke, outragé. Ce n'était pas une histoire ! Tu t'es jouée de moi !

Se mordant la lèvre, Jillian se retint d'éclater de rire. Zeke avait tout d'un ourson en colère. Le voyage l'avait fatiguée et son talent pour les histoires s'en trouvait diminué, mais celle-ci délivrait néanmoins une leçon qui pouvait être utile au petit garçon. Qui plus est, son esprit demeurait largement occupé par le baiser reçu de Grimm la veille.

— Dis-moi quelle est la morale de cette histoire, Zeke.

Plongé dans ses réflexions, le front plissé, il se tint parfaitement immobile un instant. Jillian patienta, certaine qu'il allait trouver. De tous les enfants qui lui réclamaient des histoires, il était le plus habile à en comprendre le sens profond.

— J'y suis ! s'exclama Zeke. Il ne sert à rien d'hésiter. Il faut faire franchement ce que l'on fait, sans quoi, il pourrait nous en cuire.

Jillian approuva d'un hochement de tête.

— Quoi que tu fasses, Zeke, fais-le de tout ton cœur.

— Comme d'apprendre à monter à cheval ! suggéra-t-il.

— Et aimer ta maman. Et apprendre les leçons que je te donne. Si tu fais les choses à moitié, celles-ci risquent de se retourner contre toi et de te causer du tort.

L'enfant émit un grognement de mécontentement.

— Rien à voir avec les Berserkers, mais je suppose que ça peut aller… venant d'une fille.

Jillian feignit de s'indigner et serra fort Zeke contre elle, sans tenir compte de ses efforts pour lui échapper.

En le regardant quitter la salle pour aller rejoindre Grimm, elle murmura pour elle-même :

— Je suis déjà en train de te perdre, n'est-ce pas, Zeke ? Combien d'enfants verrai-je ainsi m'échapper ?

Avant d'aller dîner, Jillian alla prendre des nouvelles de Quinn et de Ramsay. Les deux hommes dormaient à poings fermés, épuisés par le voyage. Depuis qu'ils étaient rentrés à Caithness, elle n'avait pas revu Grimm. À leur arrivée, il avait aidé à installer ses deux camarades dans leur chambre, puis s'était éclipsé. Et durant le trajet, son silence têtu lui avait paru si pesant qu'elle avait fini par battre en retraite dans la voiture transportant les malades.

Tous deux gardaient une pâleur inquiétante, et leur peau perpétuellement moite témoignait de la ténacité de la fièvre. Après avoir épongé le front de Quinn, elle y déposa un baiser et remonta les couvertures sous son menton.

Alors qu'elle quittait la chambre, son esprit vagabond la replongea dans les souvenirs de l'été de ses seize ans – celui où Grimm avait quitté Caithness.

Rien dans la vie de la jeune Jillian ne l'avait préparée à une si terrifiante bataille. Son existence avait été jusque-là exempte de toute brutalité et de la sinistre empreinte de la mort. Mais en ce jour fatidique, toutes deux avaient fait leur apparition sur de lourds destriers noirs portant les couleurs des McKane.

Dès l'instant où les gardes avaient donné l'alarme, le père de Jillian l'avait enfermée dans sa chambre. Du haut de sa fenêtre, elle avait regardé, les yeux écarquillés, le massacre dans la cour intérieure du château. Elle s'était sentie tenaillée par son impuissance et frustrée de ne pouvoir se battre aux côtés de ses frères. Elle savait pourtant que même si elle avait été laissée libre de ses mouvements, elle n'aurait pas eu la force de manier l'épée. Quels dommages pouvait-elle espérer infliger – elle, simple jeune fille – à des guerriers accomplis tels que les McKane ?

Lorsqu'un adversaire plus rusé que les autres jaillit derrière Edmund et le prit par surprise, elle cogna du poing contre la fenêtre, hurlant de toutes ses forces. Mais que pouvaient ses cris assourdis par les vitres contre le tintamarre de la bataille ? D'un coup du plat de sa hache, le colosse ennemi envoya sans peine Edmund sur le sol.

Jillian s'aplatit contre la fenêtre, en pleurs, griffant la vitre de ses ongles. Un profond soupir de soulagement lui échappa quand elle vit Grimm se jeter dans la mêlée et régler son compte au McKane avant qu'il ait pu laisser s'abattre un nouveau coup, mortel cette fois. Et soudain, un changement s'opéra en elle. La vue du sang ne la terrifiait plus. Bien au contraire, elle n'aurait rêvé de rien d'autre que de voir le sang des McKane répandu jusqu'à la dernière goutte sur la terre des Saint-Clair. Lorsque Grimm se fit un devoir de réaliser son vœu en débarrassant la place de tous leurs ennemis, le spectacle lui parut d'une stupéfiante beauté. Jamais elle n'avait vu un homme se mouvoir à une telle vitesse et dispenser la mort autour de lui avec une grâce presque surnaturelle. Ce jour-là, il devint à jamais son héros.

Après la bataille, quand sa famille dut s'inquiéter de la santé d'Edmund, s'occuper des soins à apporter aux blessés et des honneurs à rendre aux morts, Jillian put passer inaperçue dans l'agitation ambiante. En se rendant le soir venu sur le chemin de ronde pour attendre Grimm, elle se sentit terriblement jeune et vulnérable. Mais, au lieu de le voir la rejoindre, elle le surprit en train de transporter ses bagages jusqu'aux écuries.

Il ne pouvait tout de même pas partir ! Pas maintenant ! Il ne pouvait pas l'abandonner alors qu'elle était si effrayée par tout ce qui venait de se passer ! Plus que jamais, elle avait besoin de lui.

Jillian courut le rejoindre aussi vite que ses jambes le lui permirent, mais Grimm ne voulut rien savoir. Après lui avoir adressé un adieu distant, il se détourna d'elle pour partir. Faisant fi de toute fierté, elle se jeta dans ses bras, laissant parler son corps.

Le baiser qui s'ensuivit lui apporta la confirmation de ses rêves les plus secrets : Grimm Roderick était et resterait l'homme qu'elle voulait épouser.

Alors que son cœur nageait dans l'euphorie, il s'arracha à elle pour se diriger vers son cheval, comme si ce baiser n'avait rien représenté pour lui. Jillian se sentit honteuse, humiliée d'être rejetée autant que terrifiée par l'intensité des sensations qu'il avait fait naître en elle.

— Tu ne peux pas partir ! s'écria-t-elle. Pas après ce qui vient de se passer !

— Je dois partir, répondit-il d'une voix inflexible. Quant à ce qui vient de se passer…

D'un revers de main, il s'essuya la bouche et conclut :

— … cela n'aurait jamais dû se produire.

— Mais cela s'est pourtant produit ! Et si tu ne revenais plus jamais, Grimm ? Et si je ne te revoyais plus ?

— C'est précisément ce que j'ai l'intention de faire ! Tu n'as même pas encore seize ans. L'avenir t'appartient. Tu te trouveras un bon mari.

— J'ai déjà trouvé un mari ! protesta-t-elle, désespérée. Tu m'as *embrassée* !

— Un baiser ne constitue pas une promesse de mariage. Et c'était une erreur. Je n'aurais jamais dû faire ça, mais tu t'es jetée sur moi… Qu'attendais-tu que je fasse d'autre ?

Les yeux de Jillian s'assombrirent sous l'effet de la souffrance.

— Tu… Tu ne voulais pas m'embrasser ? balbutia-t-elle.

— Je suis un homme, Jillian. Quand une femme se jette à mon cou, je réagis comme n'importe quel homme.

— Tu veux dire… que tu n'as rien ressenti ?

— Ressenti quoi ? railla-t-il. Du désir ? Bien sûr que si ! Après tout, tu es un beau brin de fille…

Jillian secoua la tête, mortifiée. Pouvait-elle s'être leurrée à ce point ? Ce qu'elle avait éprouvé n'avait-il existé que pour elle ?

— Non, pas ça… murmura-t-elle. Je voulais dire… n'as-tu pas ressenti que le monde était merveilleux, et que nous étions destinés à y vivre… ensemble ?

Saisie par la certitude de s'être rendue parfaitement ridicule, elle se tut.

— Oublie-moi, Jillian Saint-Clair, déclara Grimm d'un ton toujours aussi détaché. Tu vas devenir femme, te marier à un laird séduisant, et tu oublieras tout de moi.

Sur ce, d'un bond aérien, il sauta en selle et se dirigea vers la sortie.

— Ne me quitte pas, Grimm Roderick ! s'écria-t-elle, éperdue de chagrin. Ne me quitte pas ainsi ! Je t'aime !

Mais il s'en alla néanmoins, comme s'il n'avait rien entendu. Jillian savait qu'il avait perçu la moindre de ses paroles, même si elle aurait préféré que ce ne soit pas le cas. Elle s'était jetée à la tête d'un homme qui ne voulait pas d'elle, elle lui avait offert son cœur…

Jillian poussa un profond soupir et ferma les yeux. Le souvenir restait amer, mais il l'était beaucoup moins depuis ce qui s'était passé à Durrkesh. Désormais, elle savait qu'il n'était pas resté insensible à ce premier baiser, car la même chose s'était produite à leur retour de la foire. Et cette fois, elle avait lu dans ses yeux, avec l'assurance d'une femme, quel effet elle produisait sur lui.

À présent, tout ce qu'elle avait à faire, c'était l'amener à le reconnaître.

15

Après l'avoir cherché pendant près d'une heure, Jillian finit par débusquer Grimm à l'armurerie. Debout devant une longue table étroite, il examinait différentes lames. En le voyant redresser l'échine, elle comprit qu'il avait perçu sa présence.

— À dix-sept ans, je me suis rendue à Édimbourg, expliqua-t-elle sans attendre qu'il se retourne. Chez les Hammonds, où j'étais en visite, il m'a semblé t'apercevoir.

— Oui, répondit-il, sans cesser son inspection.

— C'était donc toi ! s'exclama-t-elle. Je le savais ! Tu m'as vue… et tu n'as pas semblé ravi de me voir.

— Oui, répéta-t-il d'une voix tendue.

Jillian fixa son dos imposant, ignorant comment mettre des mots sur ses sentiments. Cela aurait pu l'aider de savoir elle-même ce qu'elle désirait lui dire, mais ce n'était pas le cas. Cependant, même si elle l'avait su, cela n'aurait rien changé, car il pivota sur ses talons et quitta la pièce sans une parole ni un regard pour elle. Son attitude la mettait au défi de s'humilier en lui emboîtant le pas.

Ce qu'elle ne fit pas.

Elle le retrouva à la cuisine, un peu plus tard, en train de fourrer une poignée de sucre dans sa poche.

— Pour Occam, expliqua-t-il, sur la défensive.

Plutôt que de lui répondre, Jillian préféra reprendre la conversation où, dans son esprit, elle s'était précédemment arrêtée.

— La nuit où je me suis rendue au bal des Glannis, près d'Édimbourg. C'est toi que j'ai aperçu, tapi dans l'ombre... N'est-ce pas ? C'était l'automne de mes dix-huit ans.

Grimm soupira longuement. Résigné à la confrontation, il se tourna vers elle :

— Oui.

C'est cet automne-là que tu es devenue femme, Jillian, songea-t-il. Tu portais une robe en velours couleur rubis. Tes cheveux dénoués cascadaient sur tes épaules. Moi, j'étais anéanti.

— Ce soir-là, quand ce voyou d'Alastair a essayé de m'embrasser dans le jardin – sais-tu que j'ai découvert par la suite qu'il était *marié* ! –, nous avons été surpris par un grondement effrayant dans un buisson. Il a estimé que ce devait être un animal féroce et qu'il valait mieux rentrer.

— Et il a osé ajouter que tu avais de la chance de l'avoir près de toi pour te protéger... se moqua Grimm.

J'ai failli rompre le cou de ce salaud pour avoir osé te toucher.

— Ce n'est pas drôle ! protesta-t-elle. J'ai eu peur...

— Vraiment, Jillian ? répliqua-t-il en la fixant au fond des yeux. Peur de quoi ? De l'homme qui te serrait d'un peu trop près... ou de la bête ?

Jillian soutint son regard sans ciller et humecta ses lèvres d'un coup de langue.

— Pas de la bête, assura-t-elle. Alastair était une canaille, et s'il n'avait pas été mis en déroute par ce grondement de fauve, Dieu seul sait ce qu'il aurait pu me faire. J'étais jeune... et si innocente.

— Oui.

— Quinn m'a demandé aujourd'hui de l'épouser, annonça-t-elle en scrutant son visage.

Grimm se garda bien de lui répondre.

— Je ne l'ai pas encore embrassé, reprit-elle, alors je ne sais pas s'il embrasse mieux... mieux que toi. Crois-tu que c'est le cas ?

Il se cantonna dans un silence buté.

— Grimm ? insista-t-elle, sans merci. Quinn saura-t-il m'embrasser mieux que tu ne l'as fait ?

Un grondement sourd s'éleva.

— Oui, Jillian !

En soupirant, Grimm s'éloigna, préférant aller retrouver son cheval.

Grimm parvint au prix de ruses incessantes à éviter Jillian durant toute une journée. Ce ne fut qu'à la nuit tombée qu'elle parvint finalement à l'intercepter alors qu'il quittait la chambre des malades.

— Tu sais... confia-t-elle sans préambule. Même quand je n'étais pas sûre que tu sois là... je me sentais quand même en sécurité. Parce que je savais qu'en cas de besoin, tu *serais* là.

L'ombre d'un sourire approbateur joua sur les lèvres de Grimm, qui répondit doucement :

— Oui, Jillian.

Préférant en rester là, elle lui tourna le dos.

— Jillian ? l'entendit-elle l'appeler.

Elle se figea, dans l'attente de ce qui allait suivre.

— As-tu embrassé Quinn ?

— Non.

— Oh, dommage... Il va falloir t'y mettre, *lass*.

Un autre grondement sourd s'éleva, mais ce fut elle, cette fois, qui le poussa.

— Je t'ai vu au Royal Bazaar.

Finalement, Jillian avait réussi à retenir Grimm davantage que pour quelques moments volés. Avec Quinn et Ramsay confinés dans leurs lits, elle lui avait demandé de la rejoindre dans la grande salle pour le dîner et s'était étonnée de le voir accepter volontiers. Assise à un bout de la longue table, elle observait son visage d'une sombre beauté à travers les pendeloques d'un candélabre chargé de dizaines de bougies aux flammes dansantes. Ils avaient mangé dans un silence troublé seulement par le bruit des couverts. Les servantes les avaient finalement laissés pour s'occuper du repas des deux hommes à l'étage. Trois jours s'étaient écoulés depuis leur retour, au cours desquels elle s'était efforcée en vain de faire renaître l'intimité qu'ils avaient partagée à Durrkesh.

Le visage parfaitement impassible, il lui livra sa réplique habituelle.

— Oui.

Jillian se sentait capable, s'il lui infligeait une autre de ses réponses évasives, de lui sauter au visage toutes griffes dehors. Elle voulait découvrir ce qui se passait réellement dans la tête de Grimm Roderick – et plus encore dans son cœur. Elle voulait savoir si le baiser qu'ils avaient échangé avait ébranlé son monde sur ses bases comme il l'avait fait pour elle.

La tête penchée sur le côté, elle lança d'un ton accusateur :

— Tu étais en train de m'espionner ! Je n'étais pas tout à fait honnête lorsque je t'ai dit que cela me rassurait, mentit-elle. Cela me mettait également en colère.

Grimm porta à ses lèvres un gobelet en étain empli de vin, le vida, puis fit rouler entre ses paumes le métal froid. En le regardant faire, toujours aussi concentré, précis dans le moindre de ses gestes, Jillian se sentit enrager contre son légendaire sang-froid. Elle-même avait toujours vécu ainsi, enchaînant un choix déterminé après l'autre – sauf quand elle était au contact de Grimm. Plus que tout, elle souhaitait le voir réagir au diapason de ce qu'elle ressentait : sans la moindre emprise sur lui-même, sous le coup de l'émotion. Pour une fois, que ce soit *lui* qui finisse par perdre le contrôle... Elle ne voulait plus de baisers consentis sous le vague prétexte de lui éviter de faire un mauvais choix. Elle avait besoin de savoir qu'elle pouvait percer ses défenses et avoir sur lui le même effet qu'il avait sur elle. Les poings serrés dans son giron, empoignant le tissu de sa robe, elle prit une longue inspiration. Comment réagirait-il si elle cessait d'être aimable et réservée ?

— Pourquoi n'as-tu cessé de me surveiller ? demanda-t-elle avec plus de véhémence. Pourquoi avoir quitté Caithness pour me suivre ensuite à la trace ?

L'écho de ces paroles accusatrices alla rebondir contre les murs de pierre. En lui répondant, Grimm ne quitta pas des yeux le gobelet d'étain.

— Je devais m'assurer que tout allait bien pour toi, Jillian. As-tu embrassé Quinn, cette fois ?

— Tu ne m'as jamais adressé un seul mot ! Tu t'es contenté de m'observer à distance, et de t'enfuir dès que tu te savais découvert !

— J'ai fait le vœu de veiller sur toi, Jillian. Il était naturel que je vienne te protéger quand tu te trouvais dans les parages. Réponds-moi : as-tu embrassé Quinn ?

— Me protéger ! répéta-t-elle d'une voix incrédule. Eh bien, c'est raté ! Tu m'as *blessée* comme personne ne l'avait jamais fait !

— As-tu embrassé Quinn, *oui ou non* ? rugit-il.

— Non, je n'ai pas embrassé Quinn ! cria-t-elle aussi fort que lui. C'est tout ce qui t'importe ? Tu te fiches du mal que tu m'as fait ?

D'un bond, Grimm se dressa sur ses jambes, envoyant le gobelet en étain rebondir sur le sol. Avec une violence que plus rien ne venait brider, il balaya la table de ses deux mains. Des tranchoirs en bois prirent leur envol. La soupière de potage se fracassa à terre, éclaboussant les murs. Le contenu de la corbeille à pain fut catapulté dans l'âtre. Le candélabre alla heurter un mur, au pied duquel s'amassa bientôt un tas de chandelles fumantes. Sa fureur ne prit fin que lorsqu'il tomba à cours de projectiles. Pantelant, il marqua une pause, les mains posées à plat devant lui sur la table, les yeux fiévreux. Abasourdie, Jillian le dévisageait.

Alors, avec un hurlement de rage, Grimm éleva ses deux poings et les abattit de toute sa force au centre du massif plateau de chêne. Jillian sursauta. La table, fendue en deux par le milieu, s'affaissa sur elle-même. Les yeux de Grimm semblaient d'un bleu incandescent. Il paraissait plus grand, plus fort encore... et nettement plus dangereux. La réaction qu'elle souhaitait susciter, elle l'avait obtenue, au-delà de ses espérances !

— Je sais que j'ai failli ! lança-t-il d'une voix grondante. Je sais que je t'ai blessée ! T'imagines-tu que je ne vis pas chaque jour torturé par le remords ?

Jillian examina le naufrage qu'était devenu leur repas. Ébahi par sa réaction, elle renonça à le provoquer. Grimm était conscient de l'avoir blessée ? Il se souciait suffisamment d'elle pour que ce constat le fasse vivre dans le remords ?

— Dans ce cas, pourquoi avoir répondu à l'invitation de mon père ? insista-t-elle néanmoins. Tu aurais pu ignorer son appel.

De l'autre côté du champ de dévastation qui les séparait, elle l'entendit murmurer :

— Je devais m'assurer que tout allait bien pour toi.

— Tout va bien pour moi, Grimm. Ce qui signifie que tu peux t'en aller, conclut-elle sans en penser un mot.

Ces paroles ne suscitèrent aucune réaction de sa part.

Comment un homme pouvait-il demeurer si impassible qu'on aurait pu le croire taillé dans le marbre ?

Jillian n'arrivait même pas à voir sa poitrine se soulever en rythme avec sa respiration. On aurait dit que rien n'était susceptible de l'atteindre.

Dieu savait qu'elle-même n'y était jamais parvenue. Pas une fois elle n'avait pu reprendre contact avec le vrai Grimm Roderick – celui qui l'avait séduite au premier regard l'été où ils s'étaient rencontrés. Pourquoi s'était-elle imaginé que les choses auraient changé entre eux ? Parce qu'elle était à présent une femme, parce qu'elle avait des seins et une opulente chevelure lustrée, elle avait pensé pouvoir le séduire ? Et puisqu'il demeurait si inébranlablement indifférent à elle, qu'est-ce qui la poussait à le poursuivre de ses assiduités ?

À cette question, Jillian avait une réponse. Lorsque, toute petite fille, elle avait levé la tête vers ce grand garçon sauvage qui la dominait de toute sa hauteur, son cœur s'était ouvert à lui et ne s'était plus refermé. Une sorte de prescience enfantine l'avait convaincue que même si les adultes se méfiaient de lui, elle pouvait faire confiance à Grimm et lui confier sa vie. Ce qu'elle avait perçu, elle s'en rendait compte à présent, c'est qu'ils étaient faits l'un pour l'autre.

— Ne pourrais-tu pas au moins coopérer ?

Dans son désarroi, ces paroles lui étaient spontanément montées aux lèvres.

— Comment ? s'étonna-t-il.

— *Coopérer*... répéta-t-elle d'un ton encourageant. Cela veut dire : œuvrer en commun, se montrer obligeant.

Grimm la regarda comme si elle venait de lui proposer d'aller se pendre.

— Je ne peux pas partir d'ici. Ton père...

— Je ne te demande pas de partir, l'interrompit-elle gentiment.

D'où lui venait le courage qui la poussait en avant ? Jillian l'ignorait. Peut-être, tout simplement, en avait-elle assez de désirer en vain, assez d'être sans cesse rabrouée. Aussi s'avança-t-elle vers lui fièrement. Auprès de lui, elle se sentait séductrice, irrésistible, et plus vivante qu'en toute autre circonstance. Elle le vit se figer à son approche.

— Comment veux-tu que je... coopère, Jillian ? s'enquit-il d'une voix désincarnée.

En louvoyant entre les restes fracassés de leur repas, elle réduisit la distance qui les séparait. Lentement, comme s'il était un animal sauvage qu'il s'agissait d'apprivoiser, elle tendit le bras, paume en avant, vers sa poitrine. Avec un mélange de défiance et de fascination, il la regarda poser la main sur son cœur. À travers le lin de sa chemise, elle perçut sa chaleur, le frisson qui le secoua, et le puissant battement de son cœur.

La tête rejetée en arrière, elle le fixa au fond des yeux et s'humecta les lèvres du bout de la langue.

— Si tu tiens réellement à coopérer, murmura-t-elle, embrasse-moi.

Un furieux combat se livrait en lui, mais au fond de ses prunelles, Jillian discerna sans peine le désir irrépressible qu'il s'efforçait de lui cacher.

— Embrasse-moi ! ordonna-t-elle sans le quitter des yeux. Embrasse-moi et essaye ensuite de me faire croire que cela ne te fait ni chaud ni froid...

— Arrête ! protesta-t-il d'une voix blanche, en reculant d'un pas.

— Embrasse-moi, Grimm ! Et pas pour me faire une soi-disant « faveur »... Embrasse-moi comme tu as envie de le faire ! Tu m'as expliqué que cela t'était impossible autrefois parce que j'étais une enfant. Je n'en suis plus une, désormais. Je suis une femme. D'autres hommes ont envie de m'embrasser. Pourquoi pas toi ?

— Il ne s'agit pas de ça, Jillian !

Agacé, Grimm enfonça profondément ses doigts dans ses cheveux, puis, ôtant le lacet de cuir qui les retenait, il le jeta rageusement sur le sol.

— Alors de quoi s'agit-il ? insista-t-elle. Pourquoi faudrait-il que Quinn, et Ramsay, et tous ceux qui les ont précédés aient envie de moi, et pas toi ? Dois-je vraiment choisir l'un d'eux ? Est-ce à Quinn que je dois demander de m'embrasser ? de me mettre dans son lit ? de faire de moi une femme ?

Un grondement sourd monta de la gorge de Grimm.

— Tais-toi !

En un geste immémorial et purement féminin de défi et de séduction, elle pointa le menton en avant, rejetant ses cheveux vers l'arrière.

— Embrasse-moi... susurra-t-elle. *S'il te plaît*. Juste une fois, comme si tu le voulais vraiment.

Il bondit avec une telle grâce et à une telle vitesse qu'elle n'eut pas le temps de réagir. Les doigts de Grimm plongèrent dans ses cheveux, emprisonnant son crâne entre ses paumes et inclinant sa tête vers l'arrière. Enfin, ses lèvres se posèrent sur les siennes.

Ce fut tout de suite un baiser passionné, mais dans le contact rude de sa bouche contre la sienne, Jillian eut la sensation que s'exprimait une colère froide. Comment pouvait-il lui en vouloir de l'avoir poussé à l'embrasser, alors qu'il était manifeste qu'il avait désespérément envie de le faire ? De cela, elle était certaine. Dès l'instant où ses lèvres avaient pris possession des siennes, tous les doutes qu'elle avait pu entretenir sur la réalité de son désir pour elle s'étaient définitivement évanouis. Ce désir, elle pouvait le sentir courir sous sa peau, menant une lutte acharnée contre sa volonté – une lutte perdue d'avance, songea-t-elle non sans fierté.

Jillian s'amollit contre lui. Accrochée à ses épaules, elle entrouvrit les lèvres, offrant à la langue de Grimm un libre accès à sa bouche. Comment un simple baiser pouvait-il à ce point résonner en elle, faire vibrer chaque fibre de son être, lui donner l'impression que le sol se dérobait sous ses pieds ? Se livrant tout entière à la passion, elle lui rendit son baiser avec la même fougue, la même audace. Après avoir passé tant d'années à espérer et à douter, elle avait enfin une certitude : Grimm Roderick était animé par le même besoin irrépressible de la toucher que celui qui l'avait toujours poussée vers lui.

Et en ce qui la concernait, elle était convaincue que jamais elle ne pourrait se contenter d'un seul de ses baisers.

16

Le baiser dura longtemps et se fit dévastateur, nourri par des années de déni et de frustration qui avaient fini par saper les fermes résolutions de Grimm. Au milieu de la grande salle maculée des débris de leur dîner, serrant Jillian contre lui et se délectant de ses lèvres, il comprit qu'il n'avait pas seulement, durant tout ce temps, miné sa tranquillité d'esprit. C'était à la vie même qu'il s'était refusé de goûter. Ses sens de Berserker se retrouvaient dépassés par l'intensité des émotions qui l'assaillaient. Il exultait, intoxiqué par ce baiser, glissant ses mains dans la soie des cheveux de Jillian, jusqu'à sa chute de reins.

Enlacés, ils allèrent buter contre un mur. Sans que leurs lèvres se séparent, Grimm empoigna les hanches de Jillian, puis, bloquant son dos contre le mur, l'incita à nouer les jambes autour de lui. Des années passées à l'admirer à la dérobée tout en s'interdisant de la toucher décuplaient sa frénésie. Patience et habileté n'avaient plus droit de cité. Seule l'urgence dictait sa conduite. Tandis que les mains de Jillian se joignaient derrière la nuque de Grimm, les siennes, repoussant la robe, remontèrent le long de ses jambes, depuis ses chevilles. Et lorsque ses caresses atteignirent la peau satinée de l'intérieur de ses cuisses, il émit contre ses lèvres un grondement sourd.

Galvanisé par ce contact, il assaillit la bouche de Jillian avec plus d'énergie encore. Il en faisait le siège comme il avait pu le faire de certaines places fortes : avec la même ardeur et le même acharnement. Son monde se résumait désormais à elle, à cette femme brûlante de désir sous ses caresses, à sa bouche affamée de baisers. Elle répondait spontanément à chaque demande implicite de son corps. Les mains enfouies dans ses cheveux, elle lui rendit tant et si bien son baiser qu'il en perdit le souffle. Tremblantes et malhabiles, ses mains trouvèrent les seins de Jillian, mettant un terme à des années de curiosité inassouvie. Sous ses doigts, il trouva ses mamelons durs et dressés. Désormais, il avait envie de bien plus qu'un simple baiser ; le besoin le tenaillait de goûter à chaque éminence, à chaque recoin de son corps.

Enserrant son visage entre ses mains avec une force inattendue, Jillian mit un terme au baiser et dirigea d'autorité sa tête vers son sein. Grimm comprit son intention et s'y prêta avec enthousiasme. Du bout de la langue, il titilla la pointe, puis l'autre, les mordillant gentiment entre ses dents avant d'y refermer les lèvres.

Jillian poussa un cri d'abandon et resserra les jambes autour de lui. Incapable de supporter plus longtemps les vêtements qui les séparaient, Grimm défit en un tournemain son tartan et abaissa la robe.

Arrête ! s'insurgea aussitôt la voix de sa conscience. C'est une vierge ! Tu ne peux la prendre ainsi...

Jillian se frotta contre lui.

— Assez ! murmura-t-il.

Elle entrouvrit les paupières, un petit sourire au coin des lèvres.

— Sûrement pas ! protesta-t-elle d'un ton sans réplique.

Ces paroles lui firent l'effet d'un tison brûlant plongé en lui, portant son sang à ébullition. Il sentit la bête, tirée de sa léthargie, s'agiter au fond de son esprit.

Le Berserker ? songea-t-il. Maintenant ? Le sang n'a pourtant pas coulé… du moins, pas encore.

— Caresse-moi, Grimm… supplia Jillian. Ici !

Elle saisit sa main, la plaça sur son sein dénudé. Grognant de désir, il roula des hanches, se frottant contre ses cuisses en une lente parade érotique. Il réalisa vaguement que le Berserker était pleinement éveillé, mais son influence s'exerçait de manière différente. Ce à quoi il aspirait, ce n'était pas à un déchaînement de violence mais à un paroxysme sexuel. Il ne l'incitait pas au massacre mais à posséder le corps offert de Jillian et à se repaître de chaque caresse qu'elle voudrait bien lui offrir.

Au moment où l'envie lui vint de la déposer sur une table, il s'aperçut qu'il avait brisé celle de la grande salle. Alors, il alla s'asseoir avec elle dans un fauteuil. Il s'installa de manière que Jillian se trouve assise face à lui sur ses genoux, les jambes passées par-dessus les accoudoirs, les bras refermés autour de son cou. Elle n'eut pas besoin d'encouragements pour se presser tout contre lui, s'amusant à le titiller en frottant contre son torse les pointes dressées de ses seins. La tête rejetée en arrière, elle cambra l'arche gracieuse de son cou. Grimm resta figé un moment, à l'admirer. Sa belle, son adorable Jillian à demi nue le chevauchait, les seins pleinement épanouis, la taille fine, les hanches généreuses. Même s'il était arrivé à faire glisser la robe de ses épaules, celle-ci s'amassait à sa taille. Sous ses yeux, elle était une déesse radieuse émergeant d'une mer de soie.

Seigneur ! C'est la femme la plus magnifique que j'aie jamais vue…

Jillian, de son côté, ne se gênait pas pour lui rendre la pareille, laissant ses yeux s'attarder sur les détails les plus… saillants de son anatomie. Une expression de pure convoitise passa sur son visage. Du bout d'un doigt, elle dessina le contour de sa mâchoire et se mit à raconter :

— Quand j'avais treize ans, je t'ai épié, dans la grange, alors que tu étais allé te cacher dans la paille avec une servante. Je vous ai regardés, et je me suis promis qu'un jour je te ferais tout ce qu'elle était en train de te faire. Chaque baiser…

Lentement, elle baissa la tête et embrassa l'une des pointes brunes couronnant les pectoraux de Grimm.

— … chaque caresse…

Sa main descendit le long de son abdomen, jusqu'à la hampe dressée de son sexe.

Grimm, poussant un gémissement sourd, saisit le poignet de Jillian, empêchant ses doigts de se refermer autour de lui. La laisser faire aurait signifié perdre en une fraction de seconde le peu de sang-froid qui lui restait. Faisant appel au sens de la discipline qui avait bâti sa légende, il parvint à rompre leur trop grande intimité en s'adossant au fauteuil. Alors, il se surprit à lui faire également une confession.

— Dès le jour où tes formes féminines ont commencé à s'épanouir, tu m'as rendu fou de désir. Je ne pouvais fermer les yeux, en me couchant, sans avoir envie d'être à ton côté, sur toi, *en toi*.

Grimm déposa un baiser sur ses lèvres.

— Tu dois aussi savoir… murmura-t-il dans un souffle. La première fois que je t'ai embrassée… moi non plus, je n'ai pas ressenti *que* du désir.

Un sourire radieux illumina le visage de Jillian.

— Je le savais ! s'exclama-t-elle dans un souffle.

Sur sa peau enfiévrée par le plaisir, les mains de Grimm reprirent leur exploration. Lorsque l'une d'elles vint enfin se poser sur son entrejambe, elle lâcha un petit cri et s'arc-bouta contre ses doigts.

— Je n'en peux plus, Grimm ! le supplia-t-elle tout bas. Je veux davantage !

Il la dévisagea, les yeux plissés. Sur son visage expressif, le désir le disputait à l'appréhension. Il savait quant à lui être suffisamment bien doté par la nature pour que quelques préliminaires s'avèrent nécessaires. Mais quand il la sentit s'agiter désespérément contre sa main, il ne put y tenir plus longtemps et la guida pour qu'elle se positionne au-dessus de lui.

— Ainsi, c'est toi qui contrôles la situation, expliqua-t-il. Tu ressentiras quand même la douleur, mais tu seras en position de la faire cesser. Et si tu as vraiment trop mal, dis-le-moi.

— Ça va aller... assura-t-elle bravement. Je sais que ça fait mal la première fois, mais Kaley m'a dit que si l'homme sait y faire, il parvient à faire ressentir à celle qu'il initie des sensations qu'elle n'a jamais connues.

— Kaley t'a dit ça ? s'amusa-t-il.

Jillian acquiesça d'un bref hochement de tête.

— S'il te plaît ! supplia-t-elle. Montre-moi ce qu'elle voulait dire par là.

Grimm laissa fuser un petit sifflement. Sa Jillian n'avait décidément peur de rien... Après avoir soigneusement positionné l'extrémité de son sexe, il l'incita à s'abaisser doucement à sa rencontre, scrutant son visage pour observer ses moindres réactions.

Les yeux de Jillian s'arrondirent. À tâtons, elle referma les doigts autour de son membre.

— Il est... impressionnant, commenta-t-elle, l'air inquiet. Très impressionnant ! Tu es sûr que...

Un sourire de pure vanité masculine fleurit sur les lèvres de Grimm.

— Juste assez impressionnant pour garantir le plaisir d'une femme. N'aie pas peur...

Avec un luxe de précautions, il s'introduisit en elle et marqua une pause quand il vint buter sur la barrière de son hymen. Jillian se mit à haleter doucement.

— Maintenant ! gémit-elle. Fais-le !

Grimm ferma les paupières et prit entre ses mains les fesses de Jillian. Lorsqu'il rouvrit les yeux, une détermination sans faille les faisait briller. D'un seul coup de reins, il acheva de la pénétrer.

Jillian poussa un cri rauque.

— Ce n'était pas si terrible... commenta-t-elle au bout d'un moment. Je pensais que ça ferait beaucoup plus mal.

Ensuite, Grimm se mit à se mouvoir en elle, lentement, résolument, et Jillian écarquilla les yeux.

— Oh, mon Dieu !

De nouveaux cris lui échappèrent, qu'il cueillit sous ses baisers. En prenant son temps, il augmenta le rythme. Impatiente, Jillian commença à rouler des hanches, la lèvre inférieure pincée sous ses dents.

Grimm la regarda faire, comblé par tant de sensualité innée. Elle s'abandonnait totalement, sans inhibition, se livrant à leurs jeux érotiques. Un sourire rêveur flotta sur les lèvres de Jillian lorsque, d'un déhanchement plus puissant, il lui donna un aperçu du déchaînement à venir.

Gagné à son tour par l'impatience, Grimm se leva et échangea leurs places en installant Jillian dans le fauteuil. Agenouillé entre ses jambes refermées autour de sa taille, il l'attira à lui et plongea profondément en elle. Au plus intime de leurs êtres, une pression exquise s'exerçait qui bientôt propulserait Jillian vers des sommets de plaisir. Il la sentit se tortiller, tout son corps implorant une délivrance que lui seul pouvait lui offrir.

Le Berserker exultait, s'ébattant avec une joie sauvage qu'il ne lui avait jamais connue auparavant.

Et quand il entendit Jillian pousser un cri, quand elle se raidit, puis frissonna comme une feuille entre ses bras, Grimm Roderick fit entendre un son bas et rauque qui sonnait comme un râle triomphant. Longuement, il se libéra en elle.

Accrochée à Grimm, Jillian tentait de reprendre son souffle lorsqu'un gémissement parvint à pénétrer son esprit en déroute. À travers l'écran de ses cheveux répandus devant son visage, elle considéra le colosse dénudé entre ses jambes.

Grimm caressait sous ses pouces l'intérieur des cuisses de Jillian. En se reculant, il vit que le sang de la défloration marquait d'une tache écarlate sa peau laiteuse.

— Ji... Jillian... balbutia-t-il, affolé. Je... Oh, Seigneur !

— Ne t'avise pas de te raviser, Grimm Roderick ! s'exclama-t-elle en se redressant.

Il se mit à trembler.

— Je... Je n'y peux rien, répondit-il d'une voix tendue, comprenant qu'ils ne parlaient pas de la même chose. Ici, dans la grande salle... Je ne suis vraiment qu'un...

— Arrête !

Jillian attrapa sa tête à deux mains et l'obligea à affronter son regard assombri par la volupté.

— J'en avais envie ! reprit-elle avec conviction. Je voulais ce qui vient de se passer. J'en avais *besoin* ! Ne commence pas à le regretter. Moi, je ne le regrette pas, et je ne le regretterai jamais !

Grimm demeurait figé sur place, pétrifié par la vue du sang sur ses cuisses, guettant la sensation familière de la perte de tous ses repères. Il ne s'écoulerait pas longtemps avant que l'obscurité tombe sur lui et l'avale, le faisant basculer dans la violence.

Mais les secondes s'égrenèrent, et rien de tel ne se produisit. En dépit du torrent d'énergie que le Berserker déversait en lui, la folie ne vint pas le saisir.

Stupéfait, il constata que la bête était éveillée, mais qu'elle n'éprouvait pas le besoin de se déchaîner. Il disposait de tous les atouts que la présence du Berserker lui apportait, sans aucun des inconvénients qui habituellement en découlaient. En s'offrant à lui, Jillian avait apprivoisé l'invincible guerrier du dieu Odin.

— Jillian... murmura-t-il avec dévotion.

17

— Comment te sens-tu ? demanda Grimm.

Après avoir empilé les oreillers, il aida Quinn à s'asseoir dans son lit. Les rideaux, tirés seulement à moitié, laissaient un croissant de lune diffuser une chiche lumière dans la pièce, mais sa vision de Berserker lui permettait d'y voir comme en plein jour.

Quinn, l'air hagard, cligna des yeux pour dévisager son ami dans l'obscurité. En le voyant tendre le bras vers un linge propre posé à son chevet, il protesta :

— Pitié, pas ça !

Grimm laissa son bras suspendu en l'air et s'étonna :

— Pas quoi ? Je m'apprêtais juste à t'essuyer le front.

— Plus de mandragore ! Kaley s'obstine à m'assommer avec sa foutue potion chaque fois que j'ouvre un œil. Je me sentirais dix fois mieux si elle s'abstenait.

Sur l'autre lit de la chambre, Ramsay approuva d'un grognement sourd et renchérit, la voix pâteuse :

— Empêche-la de nous droguer, l'ami. Cette saloperie m'écrabouille la cervelle et j'ai l'impression qu'un putois est venu mourir sur ma langue. Il y a trois jours de ça. Et maintenant, il est en train de pourrir…

— Assez ! se plaignit Quinn, le visage révulsé. Pas besoin d'entrer dans les détails.

Grimm leva les mains en signe d'apaisement.

— Plus de mandragore ! promit-il. Alors ? Comment vous sentez-vous tous les deux ?

— Comme une loque, marmonna Ramsay. Tu pourrais allumer une chandelle, Roderick ? On n'y voit goutte, ici. Que s'est-il passé ? Qui nous a empoisonnés ?

Le visage de Grimm s'assombrit. Il alla dans le couloir enflammer quelques bougies puis revint au chevet des malades.

— Je soupçonne que c'est moi qui étais visé, expliqua-t-il en regagnant son siège. À mon avis, c'est le poulet qui était empoisonné.

— Le poulet ? répéta Quinn, qui se redressa en grimaçant contre ses oreillers. Ce n'est pas le tavernier qui te l'a apporté ? Pourquoi aurait-il voulu t'empoisonner ?

— Ce n'est pas lui qui voulait m'empoisonner. Je présume qu'il doit s'agir d'une vengeance du boucher. Si l'un de vous deux avait consommé cette volaille à lui seul, il y serait resté. C'est le fait de la partager qui vous a sauvés.

— Le boucher n'aurait pas fait ça, contra Quinn. Il t'a vu à l'œuvre. Chacun sait qu'on ne peut empoisonner un B…

— Un beau salaud comme moi, c'est ça ? l'interrompit Grimm vivement.

Ramsay s'agrippa la tête à deux mains et gémit :

— *Och !* Arrête de hurler… Tu veux ma mort ?

Quinn adressa à Grimm un regard navré et se pencha vers lui pour murmurer tout bas :

— Les effets de la mandragore… Je n'ai plus toute ma tête.

— Hein ? protesta Ramsay en dardant sur eux un œil soupçonneux. Qu'est-ce que vous mijotez, tous les deux ?

— Heureusement, reprit Quinn sans lui répondre, même à deux nous n'avons pas fait un sort à ce satané poulet. Quant au boucher, l'aubergiste a dû le renvoyer après… l'incident. Je le lui avais expressément demandé.

Ramsay fronça les sourcils.

— Quel incident ?

— Apparemment, il ne l'a pas fait, répondit Grimm à Quinn.

Ramsay se tourna vers Quinn et s'enquit :

— Lui as-tu demandé son nom ?

— À qui ? À l'aubergiste ?

Il leva les yeux au plafond.

— Non, triple buse ! Au boucher...

— Pourquoi ? s'étonna Quinn.

— Parce que ce salaud a failli empoisonner un Logan, et qu'il lui faudra rendre des comptes !

— Pas de vengeance, prévint Grimm. N'y pense même pas ! J'ai vu de quoi tu es capable quand tu cherches à te venger. Vous vous êtes tirés tous deux de cette tentative avortée. Cela ne justifie donc pas la mort d'un homme, quand bien même celui-ci l'aurait amplement méritée.

— Où est Jillian ? questionna Quinn, pressé de changer de sujet. Je garde quelques souvenirs brumeux d'une déesse penchée au-dessus de mon lit...

Ramsay lâcha un grognement sarcastique.

— Ce n'est pas parce que tu t'imagines avoir fait quelques progrès avant que nous soyons empoisonnés que tu as gagné la partie, de Moncreiffe !

Grimm tressaillit et demeura pensif pendant que ses camarades se disputaient à propos de Jillian. Ils n'avaient pas cessé lorsque, quelques instants plus tard, il quitta la chambre sans se faire remarquer.

Après être passé prendre des nouvelles de Quinn et Ramsay juste avant l'aube, Grimm alla jeter un coup d'œil dans la chambre de Jillian. Elle y dormait toujours, comme il l'avait laissée, roulée en boule sous une montagne de couvertures. Il eut envie de se coucher près d'elle, afin d'expérimenter le plaisir de s'éveiller en la serrant dans ses bras, mais il ne pouvait courir le risque d'être vu en train de quitter sa chambre.

Aussi décida-t-il d'aller faire un tour alors que le jour se levait lentement sur Caithness. Au passage, il croisa Ramsay. En quête de nourriture solide, celui-ci avait trouvé la force de se lever pour se rendre aux cuisines. Dans la fraîcheur du matin, Grimm siffla son cheval, puis sauta à cru sur son dos. Pressé de plonger dans l'eau glacée, il se dirigea vers le loch. Faire l'amour avec Jillian, loin de le rassasier, avait exacerbé la faim dévorante qu'elle lui inspirait. Il craignait qu'au premier sourire qu'elle lui adresserait ce jour-là, il ne puisse s'empêcher de fondre sur elle avec la vélocité d'un loup.

Après avoir contourné un bosquet, il fit stopper Occam pour savourer la quiétude matinale. La surface du loch ondulait devant lui, vaste miroir argenté dans lequel se miraient des nuages rosis par l'aurore. Sur les berges, le vent agitait les branches noires de hauts chênes.

La brise porta à ses oreilles un chant lointain. Grimm longea le loch en silence sous le couvert des arbres, se guidant à l'oreille. Enfin, au détour d'un gros buisson de ronces, il vit Zeke assis au bord de l'eau. Le garçon avait entouré ses jambes repliées de ses bras et se frottait les yeux.

Grimm immobilisa sa monture. D'une voix entrecoupée de sanglots, Zeke déroulait les couplets d'une antique berceuse. Grimm se demanda qui avait pu si tôt dans la journée lui causer un tel chagrin. Il chercha un moyen de s'approcher de lui sans le blesser dans sa dignité. Un bruit de branches brisées dans le sous-bois l'extirpa soudain de sa perplexité. En observant les environs, il ne tarda pas à découvrir l'intrus. Un fauve venait de bondir sur la berge, à quelques pas de Zeke. La bête était un chat sauvage des montagnes, d'autant plus dangereux que mité et efflanqué. Elle feula longuement, découvrant de longs crocs. Alerté par le bruit, l'enfant cessa de chanter et se retourna brusquement, les yeux agrandis par l'horreur.

Grimm avait déjà sauté à terre, dégainant dans le même mouvement son *sgian dubh*. D'un geste déterminé, il s'entailla la paume de la main, faisant instantanément jaillir le sang. Aussitôt, le guerrier d'Odin s'éveilla en lui et le Berserker prit les commandes de son être.

Avec une célérité qui n'avait rien d'humain, il bondit sur la berge, s'empara de Zeke et le jucha sur le dos de son étalon. D'une tape sur la croupe, il fit détaler Occam. Ensuite, prêt à affronter le chat sauvage, il lui arriva ce qu'il détestait le plus : perdre la maîtrise de lui-même.

— À l'aide ! s'époumona Zeke en pénétrant au galop dans la cour intérieure. Il faut aider Grimm !

Hatchard sortit en trombe du château et tomba sur le garçon juché sur le dos d'Occam, à la crinière duquel il s'agrippait désespérément.

— Où cela ? demanda-t-il.

— Au bord du loch ! Il y a un chat sauvage qui a failli me manger ! Grimm m'a sauvé en me jetant sur son cheval et je suis rentré tout seul, mais il faut aller l'aider !

Hatchard se mit en route au pas de course vers le loch, sans se rendre compte que deux autres témoins, alertés comme lui par les cris, lui avaient emboîté le pas.

Quand Hatchard le rejoignit, Grimm se tenait debout, immobile, ombre noire se découpant contre le ciel rouge. Entouré des restes sanguinolents du chat sauvage, il faisait face au loch, le visage et les bras éclaboussés de sang.

— Gavrael… appela doucement Hatchard.

Il avait préféré utiliser son véritable nom, espérant ainsi atteindre le cœur de l'homme derrière la sauvagerie du guerrier.

Grimm ne répondit pas. Sa poitrine se soulevait au rythme rapide de sa respiration, son corps ayant besoin de s'oxygéner considérablement pour compenser les effets de la rage surnaturelle du Berserker. Sur ses avant-bras noués de muscles, les veines saillaient comme des cordes bleues. Ainsi campé sur ses jambes, il avait l'air deux fois plus impressionnant qu'il ne l'était d'ordinaire. Il était arrivé à Hatchard d'assister à l'une des transes du jeune Grimm lorsqu'il résidait à Caithness, mais chez l'adulte qu'il était devenu, l'effet était plus saisissant encore.

— Gavrael Roderick Icarus McIllioch… reprit-il.

Il s'approchait de Grimm par le côté, s'efforçant d'entrer dans son champ de vision de manière aussi peu menaçante que possible. Dans le dos de Hatchard, ceux qui l'avaient suivi se figèrent dans l'ombre de la forêt. L'un deux réprima un hoquet de surprise et répéta tout bas le nom qu'il venait d'entendre.

— Gavrael ? C'est moi, Hatchard…

Grimm se tourna vers le capitaine de la garde. Ses yeux d'un bleu très pur semblaient incandescents, et Hatchard eut l'impression qu'ils passaient à travers lui.

Un petit cri étranglé, dans son dos, attira son attention. En se tournant pour en découvrir l'origine, il constata que Zeke l'avait suivi.

— Oh, mon Dieu ! fit le garçon.

Il vint vers eux et ne s'arrêta qu'aux pieds de Grimm. En découvrant les restes épars du fauve, il écarquilla les yeux et les leva lentement jusqu'au visage de l'homme qui le dominait de son impressionnante stature. Zeke en demeura un instant bouche bée avant de s'exclamer :

— Regardez ! Ses yeux brillent ! C'est un Berserker ! Ils existent… Ils existent *vraiment* !

— Cours chercher Quinn, ordonna Hatchard. Et ne ramène ici personne d'autre que lui, tu m'entends, garçon ? Pas un mot sur tout ceci à qui que ce soit !

S'arrachant difficilement à sa contemplation fascinée, le garçon acquiesça d'un signe de tête et détala.

18

— Je doute qu'il ait réellement pu réduire cet animal en pièces, Zeke… Ce n'est pas bien d'exagérer.

Jillian masquait son amusement pour ne pas le blesser.

— Je n'ai pas exagéré ! protesta-t-il avec passion. C'est la vérité ! J'étais au bord du loch et un chat sauvage enragé m'a attaqué. Grimm m'a jeté sur son cheval pour me sauver. À mains nues, il a réduit la bête en morceaux. C'est un Berserker ! Je *savais* qu'il était spécial.

Le garçon poussa un grognement admiratif.

— Il n'a pas besoin d'être un simple laird, conclut-il. C'est un roi, une légende – le roi de tous les guerriers !

Hatchard saisit fermement Zeke par le bras et l'éloigna de Jillian.

— Cours retrouver ta mère, fiston ! Tout de suite !

Le regard qu'il lui lançait mettait Zeke au défi de lui désobéir. Le voyant quitter rapidement la pièce, il reprit en haussant les épaules :

— Vous savez comment sont les garçons… Il leur faut leur dose de légendes.

— Est-ce que Grimm va bien ? s'enquit-elle dans un souffle.

Tout son corps se ressentait encore de leurs ébats, de la plus délicieuse des manières. Chaque mouvement lui rappelait ces choses qu'il lui avait faites, et qu'elle l'avait supplié de lui faire.

— Il se porte comme un charme, assura Hatchard. Le chat sauvage était bien enragé, mais il n'est pas parvenu à le mordre.

— C'est bien Grimm qui l'a tué ? s'étonna-t-elle.

Les chats sauvages – surtout atteints de la rage – étaient capables de décimer tout un troupeau de moutons en moins d'une quinzaine. D'ordinaire, ils ne s'attaquaient pas aux humains.

— Oui, répondit le capitaine de la garde, laconique. Avec Quinn, ils sont en train de l'enterrer.

C'était un pieux mensonge. L'animal était dans un tel état que l'ensevelir se révélerait impossible, ce que pour rien au monde il n'aurait confié à Jillian. Hatchard n'osait imaginer ce qui aurait pu advenir. L'animal enragé aurait-il mordu Zeke une seule fois, l'enfant aurait été condamné à une mort certaine en quelques jours, précédée d'une agonie éprouvante, l'écume aux lèvres. Dieu merci, Grimm était arrivé à temps pour le sauver. Sans sa force surnaturelle de Berserker, Caithness aurait été en train de pleurer l'un de ses enfants.

— Zeke a su monter Occam et rentrer ici par ses propres moyens ! s'émerveilla Jillian.

— C'est un fait, milady... acquiesça Hatchard, un petit sourire au coin des lèvres. Et c'est ce qui l'a sauvé.

Avec une expression songeuse, elle se dirigea vers la porte et ajouta :

— Si Grimm n'avait pas cru suffisamment en lui pour lui apprendre à monter, Zeke n'aurait pu s'échapper.

— Où allez-vous ? s'enquit-il, inquiet de la voir sortir.

Jillian se figea sur le seuil.

— Eh bien... je vais voir Grimm, naturellement.

Elle tenait à lui dire combien elle s'en voulait d'avoir douté de lui. Mais il lui tardait également de revoir son visage, et d'expérimenter en plongeant au fond de ses yeux cette intimité nouvelle qu'ils partageaient...

— Milady... reprit Hatchard d'un ton hésitant. Laissez-lui un peu de temps. Quinn et lui sont en train de parler et... il a besoin d'être un peu seul.

— Est-ce lui qui vous l'a dit ? s'enquit-elle.

— Quand je l'ai quitté, mentit Hatchard, il s'apprêtait à se baigner dans le loch. Laissez-lui le temps de se rendre présentable. D'accord ?

Jillian poussa un soupir. Une fois encore, il lui faudrait donc attendre qu'il vienne à elle.

— Tu sais, Grimm, je n'ai pas voulu m'étendre sur le sujet devant Ramsay, mais j'ai donné une petite fortune à l'aubergiste pour qu'il se débarrasse du boucher.

Les mains croisées dans le dos, Quinn faisait les cent pas sur la berge, tout en parlant. Enfin propre, Grimm se dressa dans l'eau glacée et grimaça en apercevant les restes ensanglantés de l'animal.

Quinn, ayant surpris son regard, s'insurgea aussitôt :

— Arrête ! Tu viens de sauver la vie de ce gamin ! Je ne veux pas t'entendre te lamenter sur ta condition de Berserker. C'est un don, m'entends-tu ? Un don !

Grimm grogna d'un air dégoûté, mais s'abstint de tout commentaire.

— Comme je te le disais, reprit Quinn, j'ai payé ce type grassement. Et s'il s'avère qu'il n'a pas tenu parole, je vais me faire un plaisir d'aller lui réclamer des comptes.

— Ne te donne pas cette peine, conseilla Grimm d'un ton apaisant. Le boucher n'y est pour rien.

— Quoi ? Qu'est-ce que tu racontes ?

— Ce n'est pas le poulet qui vous a empoissonnés. C'est le whisky.

Quinn cligna longuement des yeux avant de s'étonner.

— Alors, pourquoi avoir dit que c'était le poulet ?

— J'ai toute confiance en toi, mais je ne connais pas Ramsay plus que cela. Le poison utilisé était de la racine de *thmsynne*, qui perd toutes ses propriétés lorsqu'elle est cuite. Elle doit être écrasée et diluée, et l'alcool démultiplie ses effets. Le lendemain, j'ai retrouvé la bouteille, à peine entamée, dans la taverne. Celui qui a fait ça ne l'avait même pas récupérée.

— Mais... protesta Quinn. Je n'avais pas bu avec toi !

Grimm lui adressa un sourire navré avant d'expliquer :

— J'avais jeté mon dernier verre – le seul provenant de cette bouteille – sur le poulet. J'en avais assez de boire et je m'apprêtais à sortir. Ce poison est inodore tant qu'il n'est pas ingéré. Même mon odorat de Berserker n'a pu le détecter. Mais une fois qu'il s'est mêlé aux fluides corporels, il dégage une odeur très caractéristique.

— Sacredieu, l'ami ! s'exclama Quinn en le gratifiant d'un regard ébahi. À ton avis, qui a fait le coup ?

Grimm le dévisagea longuement avant de répondre.

— J'y ai beaucoup réfléchi, ces derniers jours. La seule conclusion logique qui s'impose, c'est que les McKane ont retrouvé ma trace.

— Ils ne savent pas que le poison n'a aucun effet sur un Berserker ?

— Ils n'ont jamais réussi à en capturer un vivant pour le vérifier.

— Ainsi donc, même eux ignorent comment te tuer ?

— Exact.

Quinn médita cette information quelques instants. Ses yeux s'assombrirent lorsqu'il conclut :

— Si c'est le cas, si les McKane ont véritablement réussi à te retrouver, qu'est-ce qui pourrait les empêcher de venir te débusquer ici, à Caithness ?

Il hésita un instant avant d'ajouter :

— Encore une fois...

Jillian ne vit pas Grimm de la journée. Quinn lui expliqua qu'il était parti faire une balade à cheval et ne serait pas de retour de sitôt.

La nuit vint. Plus un bruit ne se faisait entendre dans le château où chacun avait regagné ses quartiers. Incapable de fermer l'œil, Jillian alla plusieurs fois se pencher à sa fenêtre, avant de voir enfin Occam déambuler à sa guise dans la cour intérieure. Grimm était de retour !

S'enveloppant d'un plaid par-dessus sa chemise de nuit, elle se glissa rapidement hors de sa chambre. Tout était tranquille dans le château assoupi.

— Jillian...

Après s'être figée en plein mouvement, elle se retourna lentement en s'efforçant de dominer son impatience. Plus le temps passait, plus le besoin de voir Grimm, de le toucher, la tenaillait.

Kaley Twillow remontait en hâte le corridor pour la rejoindre, nouant la ceinture de son peignoir. Ses cheveux d'une belle couleur acajou retombaient librement sur ses épaules et son visage était bouffi de sommeil.

— J'ai entendu ta porte s'ouvrir, expliqua-t-elle. Veux-tu que je t'apporte quelque chose de la cuisine ? Tu aurais dû m'appeler... Dois-je te préparer un peu de lait chaud ? Une tartine de miel ?

Jillian fit signe que non et posa la main sur l'épaule de la servante.

— Ne t'en fais pas pour moi, Kaley. Et retourne te coucher. Je vais m'en occuper.

— Ce n'est pas un problème. J'envisageais moi-même d'aller me préparer un en-cas.

D'un œil inquiet, Kaley examina la tenue débraillée de sa protégée.

Jillian fit une nouvelle tentative pour la rassurer.

— Kaley... Tu n'as pas à t'en faire pour moi. Tout va bien. Je suis juste un peu énervée et...

— ... et tu dois aller retrouver Grimm.

Jillian se sentir rougir.

— Je le dois, en effet, parvint-elle à répondre. J'ai besoin de lui parler. Je dois lui dire certaines choses…

— Qui ne peuvent attendre demain ? l'interrompit de nouveau Kaley. Tu n'es même pas habillée correctement. Si tu vas le voir dans cette tenue, tu risques fort de l'intéresser, en effet !

— Tu ne peux pas comprendre… murmura Jillian dans un soupir.

— Détrompe-toi, ma chère enfant. J'ai vu ce qui restait de la table et de votre dîner, ce matin dans la grande salle.

Jillian déglutit péniblement, incapable de parler.

— Pouvons-nous aller droit au but ? poursuivit Kaley d'une voix déterminée. Je ne suis pas suffisamment vieille pour ne pas me rappeler ce que ça fait. J'ai aimé un homme tel que lui, autrefois. Je comprends parfaitement ce que tu ressens – peut-être même mieux que toi –, alors laisse-moi te donner mon sentiment. Quinn est très attirant. Ramsay Logan également. Il suffit de les regarder pour comprendre qu'une femme entre leurs bras ne pourra que connaître un plaisir enivrant.

Elle prit les mains de Jillian dans les siennes et la considéra d'un air grave, avant de poursuivre :

— Mais Grimm Roderick ! Quant à lui, c'est bien plus que de la séduction qu'il faut attendre. Cet homme est une promesse vivante de puissance érotique. Et ce genre de pouvoir est susceptible de changer une femme à jamais.

— Tu me comprends ! s'exclama Jillian. Tu sais ce que je ressens.

— Je suis moi aussi une femme de chair et de sang, répondit Kaley en lui caressant doucement la joue. Jillian… je t'ai regardée grandir et devenir adulte avec fierté, avec amour… et, dernièrement, avec une certaine crainte. J'ai peur pour toi, parce que ta forte volonté peut te conduire à te montrer dangereusement têtue. Médite bien mes paroles avant de t'engager dans une aventure sans retour. Un homme simplement séduisant peut être oublié, mais quelqu'un comme Grimm Roderick restera gravé à jamais dans ton cœur.

— Oh, Kaley, c'est trop tard... confessa Jillian. Il y est déjà.

Kaley la prit dans ses bras et dit tout bas :

— C'est bien ce que je craignais. Et s'il te quittait ? Comment le supporterais-tu ? Comment ferais-tu pour continuer à avancer ? Quinn ne te quitterait jamais. Tandis que Grimm... Un homme qui a l'étoffe d'un héros est imprévisible. Pour une femme, c'est le plus grand danger.

— Regrettes-tu, pour ta part ?

— Quoi donc ?

— D'avoir connu cet homme qui ressemblait à Grimm.

Une expression de ravissement sensuel adoucit aussitôt les traits de Kaley. Cette réaction suffit à donner à Jillian la réponse qu'elle attendait.

— Tu vois, souligna-t-elle gentiment. Tu es mieux placée que quiconque pour comprendre que je n'ai pas le choix. Si je devais choisir entre quelques nuits dans les bras de cet homme et une éternité sans lui, je choisirais ces quelques nuits magiques dont je chérirais le souvenir pour me réchauffer le cœur jusqu'à ma mort.

Les yeux emplis de compassion, Kaley déglutit avec peine.

— Je comprends, *lass*... assura-t-elle enfin.

— Bonne nuit, ma chère Kaley. Retourne te coucher et permets-moi de vivre le même rêve que tu as vécu autrefois.

— Je t'aime, *lass*, conclut Kaley, émue.

— Je t'aime moi aussi, répliqua Jillian en souriant.

Sans plus attendre, elle remonta le corridor pour se lancer à la recherche de Grimm.

Jillian s'introduisit sans faire de bruit dans la chambre de Grimm. En constatant qu'il n'y était pas, elle soupira de frustration et entreprit d'examiner les lieux. L'endroit était aussi propre et rangé que l'homme qui l'occupait était maître de lui-même. À part un oreiller légèrement déplacé, rien ne traînait. Un sourire aux lèvres, elle gagna le lit et le remit en place. Mais avant de le reposer, elle ne put résister à la tentation de le porter à son visage, inhalant l'odeur troublante et masculine qui en émanait. Son regard tomba ensuite sur le livre usé que l'oreiller dissimulait. Le sourire de Jillian se mua en une expression d'émerveillement. Les *Fables* d'Ésope... Elle reconnut le volume illustré qu'elle lui avait offert une douzaine d'années auparavant, lors du premier Noël qu'ils avaient passé ensemble. Reposant l'oreiller, elle prit le livre et commença à le feuilleter du bout des doigts. Les pages en étaient froissées, les images avaient pâli, et de petites notes et souvenirs de toutes sortes dépassaient de la reliure. Au cours de toutes ces années passées loin d'elle, Grimm avait conservé entre ces pages tout ce qu'il y avait de précieux à ses yeux, exactement comme elle le faisait avec son propre exemplaire. Ce guerrier redoutable, cet homme inflexible gardait comme une relique un exemplaire des *Fables* d'Ésope dans lequel il glissait occasionnellement des fleurs séchées ou quelques vers recopiés. Soudain, elle tomba en arrêt devant une note qui avait été manifestement froissée puis défroissée des dizaines de fois. *Je t'attendrai sur le chemin de ronde au coucher du soleil. Je dois te parler, Grimm !*

Ainsi, il n'avait rien oublié...

Invulnérable et pourtant sensible, terre à terre mais sensuel... Comment, se demanda-t-elle, aurait-elle pu ne pas être désespérément amoureuse de lui ?

— Je l'ai gardé.

Jillian pivota vivement sur ses talons. Une fois encore, elle s'était laissé surprendre par Grimm.

Debout dans l'encadrement de la porte, il la regardait, le visage sombre et indéchiffrable.

— Je vois ça, dit-elle.

Il traversa la pièce et alla s'asseoir sur une chaise devant la cheminée, lui tournant le dos. Jillian se leva en silence, le précieux livre serré contre sa poitrine. Cette intimité à laquelle elle avait toujours aspiré était si proche de se réaliser qu'elle avait peur de briser le charme en parlant.

— Tu ne me bombardes pas de questions pour savoir pourquoi je l'ai gardé ? demanda-t-il prudemment.

— Pourquoi l'as-tu gardé, Grimm ?

Mais en réalité, peu lui importait qu'il le lui dise. Il l'avait conservé jusqu'à ce jour, et c'était tout ce qui comptait.

— Viens me voir, *lass*...

Jillian posa le livre sur une table et s'approcha lentement. Arrivée presque à côté de lui, elle marqua un temps d'hésitation.

Le bras droit de Grimm se détendit et sa main emprisonna l'un de ses poignets.

— Jillian, s'il te plaît...

Il s'était exprimé d'une voix basse, à peine audible.

— Quoi ? murmura-t-elle.

Il l'amena devant lui et l'emprisonna entre ses cuisses écartées. Comme s'il n'avait pas la force de lever les yeux, il les garda fixés à hauteur de son nombril.

— Embrasse-moi, Jillian... reprit-il d'un ton suppliant. Touche-moi. Montre-moi que je suis vivant.

Jillian se mordit la lèvre. Ces paroles lui allaient droit au cœur. L'homme le plus vaillant, le plus intense qu'elle eût jamais rencontré doutait d'être pleinement en vie. Enfin, il leva la tête vers elle et l'expression qu'elle découvrit sur son visage lui serra le cœur. Il faisait sombre, mais pas suffisamment pour expliquer les ombres qui hantaient ses yeux, traces d'une mémoire douloureuse dont elle ignorait tout. Emprisonnant son visage entre ses mains, elle se pencha pour lui donner le baiser qu'il réclamait, caressant sous ses lèvres les courbes sensuelles de sa bouche.

— Tu es l'homme le plus vivant que je connaisse, assura-t-elle.

— Le suis-je vraiment, Jillian ? insista-t-il.

Comment pouvait-il en douter ? Déjà, les lèvres chaudes de Grimm repartaient à l'assaut des siennes et ses mains impatientes exploraient son corps, éveillant les moindres de ses terminaisons nerveuses.

— Pourquoi as-tu gardé ce livre ? s'enquit-elle.

Ses mains se refermèrent sur ses hanches de manière possessive lorsqu'il lui répondit :

— Pour me rappeler que même si le mal existe sur terre, on y trouve également la beauté et la lumière – toi, Jillian. Voilà ce que tu as toujours été pour moi.

Jillian sentit son cœur s'emballer. Elle l'avait rejoint pour s'assurer que la tendresse et le désir qu'il lui avait témoignés la veille n'avaient pas été qu'un feu de paille. Mais jamais elle n'aurait pu rêver qu'il puisse lui offrir des paroles… d'amour ? Car qu'étaient-elles d'autre ?

Ses espoirs, enfin, semblaient sur le point de se réaliser.

Grimm se leva, attirant Jillian contre l'évidence de son désir. Ce troublant contact la fit frissonner, autant que l'aveu qu'il lui fit ensuite.

— Je ne parviens pas à me rassasier de toi…

Jillian s'humecta les lèvres. Aussitôt, Grimm les captura sous les siennes. En l'étourdissant de baisers, il l'entraîna vers le lit. À mi-parcours, il parut changer d'avis et, saisissant ses épaules entre ses mains, la fit se retourner dos à lui. Jillian avait cru que sentir sa virilité érigée contre ses cuisses allait la rendre folle de désir, mais la sentir pressée contre ses fesses lui fit perdre toute mesure et elle s'arc-bouta en une invite langoureuse. Les mains de Grimm se lancèrent dans une exploration impatiente de son corps. Il caressa les courbes de ses hanches, fit glisser ses paumes au creux de l'arc concave de ses reins, puis il l'entoura de ses bras et laissa ses doigts se refermer sur ses seins, titillant ses mamelons dressés sous le tissu de la chemise.

Délicatement, il repoussa la masse de sa chevelure et embrassa la plage de peau ainsi exposée. Et lorsqu'elle le sentit mordiller doucement sa nuque, une décharge électrique la traversa.

Grimm émit un grognement rauque et la fit avancer devant lui, dépassant le lit pour la pousser contre le mur de pierre. Là, il entremêla ses doigts aux siens. Les paumes collées au dos des mains de Jillian, il éleva lentement ses bras le long du mur, ne s'arrêtant que lorsqu'elles furent plaquées bien au-dessus de sa tête.

— Surtout, laisse tes mains où elles sont, prévint-il. Quoi que je puisse faire, concentre-toi sur ce que tu ressens.

Jillian s'accrocha au mur comme si sa santé mentale en dépendait. Il fit glisser sa chemise le long de son corps et l'en débarrassa. Nue dans la fraîcheur nocturne, elle ne put réprimer un frisson, qui se mua en frémissement de plaisir quand les mains de Grimm vinrent se placer en coupe sous ses seins. Ses doigts descendirent ensuite sur sa peau enfiévrée jusqu'à sa taille, s'attardèrent sur ses hanches, avant que sa langue prenne le relais sur son échine. Jillian se sentit chanceler de plaisir. Lorsqu'il en eut terminé, il n'y avait pas un endroit de son dos que le velours de sa langue n'ait caressé.

Elle comprenait à présent pourquoi il lui avait ordonné de rester plaquée au mur : principalement pour l'empêcher, elle, de le toucher… Être caressée par Grimm Roderick sans pouvoir lui rendre la pareille l'obligeait à se concentrer sur ce qu'elle ressentait. Il en résultait un plaisir si grand qu'il dépassait presque ce que ses sens pouvaient supporter.

Elle l'entendit se mettre à genoux derrière elle et lui dire – avec les mains autant que de vive voix – combien elle était belle, quel effet elle avait sur lui, à quel point il la désirait et avait besoin d'elle.

Grimm laissa ses mains dériver sur l'intérieur des cuisses de Jillian, couvrant simultanément ses fesses de baisers. Elle laissa échapper un cri étranglé quand il trouva sous ses doigts le centre exact où pulsait son plaisir. Cette délicieuse et insupportable friction lui arracha un cri, suivi d'un autre lorsqu'il lui mordilla les fesses.

— Grimm ! protesta-t-elle d'une voix sourde.

Le rire rauque par lequel il lui répondit, dangereusement érotique, ne fit qu'attiser l'excitation qu'elle ressentait.

— Les mains sur le mur ! lui rappela-t-il en la voyant tenter de se retourner.

En douceur mais fermement, il lui écarta les jambes et s'assit entre elles sur le sol. Elle ouvrit la bouche pour protester, mais sa langue diaboliquement habile, qui entrait en action, la fit taire. La tête rejetée en arrière, elle réprima difficilement un cri de plaisir.

Elle baissa les yeux. La vue du visage de Grimm assombri par la passion entre ses cuisses et les incroyables sensations qu'il suscitait lui firent définitivement perdre tous ses moyens. Pantelante, elle enfouit les doigts dans ses cheveux, s'arc-boutant pour mieux s'offrir à lui. De petits cris essoufflés, qu'elle n'aurait jamais imaginé pouvoir produire un jour, échappaient à ses lèvres.

— Je... vais tomber ! balbutia-t-elle.

— Je te rattraperai, Jillian.

— Mais je... je ne pense pas que... Oh !

— C'est bien, ne pense pas, approuva Grimm.

— Mes jambes... elles... ne me...

Grimm se mit à rire et, levant les bras vers elle, l'entraîna avec lui sur le sol. Ils atterrirent sur un tapis tissé, sur lequel ils roulèrent, les membres emmêlés.

— Et dire que tu avais peur de tomber ! s'amusa-t-il.

Jillian savoura l'incroyable proximité qu'ils partageaient et la sensation unique que faisait naître le contact de leurs épidermes enfiévrés. Toujours, Grimm Roderick serait là pour la rattraper et veiller à sa sécurité – de cela, elle était absolument certaine. Ils roulèrent sur le tapis dans une lutte sensuelle pour savoir qui prendrait le dessus. Soudain, Grimm lui empoigna les hanches et la retourna si brusquement qu'elle atterrit en appui sur les mains et les genoux. L'instant d'après, il se positionna derrière elle, lui arrachant un nouveau cri étranglé :

— Maintenant !

— Maintenant... approuva-t-il.

Grimm la pénétra d'un coup de reins, l'emplissant, abolissant toute frontière entre eux. Penché au-dessus d'elle, les mains posées de manière possessive sur ses seins, elle le sentit si totalement connecté à elle qu'elle en perdit le souffle. Et lorsqu'il se retira, laissant un vide insupportable, elle laissa échapper un grognement de désappointement... qui se transforma en ronronnement de plaisir quand de nouveau il plongea en elle. Elle creusa les reins, pressant ses épaules contre le torse aux muscles durcis de Grimm.

Sans doute avait-il réussi à éveiller une part d'elle-même dont elle ignorait l'existence, car à sa grande surprise, il ne fallut que quelques secondes de ce traitement pour que son corps explose de plaisir sous ses assauts. Mais auparavant, une dernière pensée consciente fusa dans son esprit.

Je ne serai jamais rassasiée de lui...

Des heures plus tard, rompue de fatigue, Jillian se pelotonna dans le lit de Grimm. Bientôt, elle sentit ses mains reprendre leur danse sensuelle sur sa peau et protesta faiblement :

— Je n'en peux plus, Grimm... Je n'ai plus un muscle en état de fonctionner. Je serais incapable de...

— Quand j'étais plus jeune, l'interrompit-il avec un sourire malicieux, j'ai vécu quelque temps avec des gitans.

Jillian se redressa et s'adossa aux oreillers, ne comprenant pas où il voulait en venir.

— Il leur arrivait de se livrer à une étrange cérémonie destinée à favoriser les « visions ». Rien à voir avec une décoction d'herbes étranges ou avec la fumée d'une pipe. C'était un excès d'actes sexuels qui permettait d'arriver à un état second de la conscience. Un de leurs sorciers était ainsi enfermé dans une tente avec une dizaine de femmes chargées de le faire jouir jusqu'à ce qu'il demande grâce. Les Gitans croient que le plaisir sexuel libère dans le corps une substance qui permet à l'esprit d'échapper aux contingences matérielles et de s'ouvrir au surnaturel.

— Je ne suis pas loin de penser la même chose, assura Jillian, fascinée par cet exposé. J'ai l'impression d'avoir trop bu... La tête me tourne et je me sens faible et pleine d'énergie à la fois.

Elle frissonna. Grimm venait de poser la main sur son entrejambe. En quelques caresses habiles, il lui fit gravir une nouvelle fois les paliers du plaisir. Et lorsqu'il l'amena à l'orgasme uniquement avec ses doigts, celui-ci fut plus intense encore que le précédent.

— Grimm ! protesta-t-elle, essoufflée.

Le temps qu'elle récupère un peu, il n'ôta pas sa main mais la laissa en coupe contre son pubis. Ensuite, il reprit ses caresses...

— Encore, et encore, ma douce Jillian... susurra-t-il. Jusqu'à ce que tu sois incapable d'oublier quel plaisir je peux t'offrir, combien de fois je peux te l'offrir, et jusqu'à quelles hauteurs je peux t'emmener.

Grimm ne dormit pas cette nuit-là. Il faisait les cent pas dans sa chambre. Il avait beau réfléchir, il ne voyait pas comment s'en sortir. De toute son existence, jamais il ne s'était autorisé à s'attacher à qui que ce soit. Il n'avait jamais perdu de vue qu'à tout moment il pouvait avoir à tout laisser derrière lui pour fuir les persécutions des McKane.

Quinn avait raison. Ils avaient fini par retrouver sa trace à Durrkesh et rien ne les empêcherait de le pourchasser jusqu'à Caithness. Peut-être même avaient-ils suivi à distance la voiture dans laquelle ils avaient ramené les deux hommes malades au château. Et s'ils décidaient d'attaquer une nouvelle fois la demeure de Jillian, il n'osait imaginer quelle catastrophe en résulterait. Edmund avait payé de sa vie leur dernière incursion. Certes, c'était d'une fièvre qu'il était mort, mais l'aurait-il contractée s'il n'avait pas été blessé ?

Grimm ne pourrait vivre avec la culpabilité d'avoir – une fois encore – amené la mort et la désolation à Caithness. Et il pouvait encore moins prendre le risque que Jillian, d'une manière ou d'une autre, ait à en souffrir.

Il s'arrêta près du lit, sur lequel elle dormait du sommeil du juste. Les yeux rivés sur son visage, il s'adressa à elle dans le secret de son cœur.

Je t'aime, Jillian. Je t'ai toujours aimée et je t'aimerai toujours. Mais je suis un Berserker, alors que toi… tu es tout ce que la vie a de mieux à offrir. Moi, je n'ai qu'un nom maudit, un vieux père dément et une ruine croulante pour foyer. Ce n'est pas une vie pour une lady.

Grimm écarta ces sombres considérations en faisant appel à sa formidable volonté. Se repaître toujours plus du corps de Jillian, s'enfouir encore et encore en elle était tout ce à quoi il voulait penser. Ces deux jours passés avec elle avaient été les plus beaux de toute son existence. Et cela devrait lui suffire, décida-t-il.

Jillian se retourna dans son sommeil. Sa main retomba sur le lit, paume en l'air, doigts légèrement repliés. Ses cheveux dorés constellaient la blancheur de l'oreiller. Ses seins épanouis dépassaient de la couverture duveteuse. Encore un jour, se promit-il. Et une autre paradisiaque, magique et incroyable nuit. Ensuite, il lui faudrait partir.

Avant qu'il ne soit trop tard.

19

À l'aube, Quinn et Ramsay mirent les cuisines à sac. Pas un fruit, pas une tranche de viande n'échappa à leur voracité.

— Bon Dieu ! s'exclama Quinn. J'ai l'impression de ne rien avoir mangé depuis des semaines !

Ramsay arracha à belles dents une bouchée de jambon fumé et répondit :

— Tu n'es pas loin de la vérité. De la soupe et du pain, je n'appelle pas ça de la nourriture. Ce fichu poison m'a rendu si malade que je me demandais si je serais capable de remanger un jour…

Quinn s'empara d'une pomme et la croqua avec une délectation manifeste. Des plats vides s'empilaient sur toutes les surfaces disponibles. Les servantes allaient s'arracher les cheveux en découvrant qu'ils avaient englouti la nourriture préparée pour la journée.

— Nous irons chasser pour regarnir le garde-manger, commenta-t-il. Prêt à partir en chasse, Ram ?

— Tant que le gibier porte une robe… répliqua-t-il dans un soupir. Et qu'il répond au doux nom de Jillian.

— Tu délires encore ! rétorqua Quinn d'un ton acerbe. Tu ne l'as peut-être pas remarqué, mais Jillian a de toute évidence un faible pour moi. Si je n'étais pas tombé si malade à Durrkesh, je lui aurais fait ma déclaration et nous serions fiancés à l'heure qu'il est.

Ramsay but au goulot une lampée de whisky et reposa bruyamment la bouteille.

— Tu es vraiment bouché, pas vrai, de Moncreiffe ?

L'intéressé roula des yeux effarés.

— Ne me dis pas que tu t'imagines être l'heureux élu...

— Bien sûr que non. C'est ce salaud de Roderick qui a la cote. Et depuis notre arrivée.

Son visage se rembrunit.

— Quoi qu'il en soit, ajouta Ramsay d'un ton venimeux, après ce qui s'est passé il y a deux nuits de ça...

Quinn se figea.

— Quoi ? Qu'est-ce qui s'est passé ?

Ramsay s'accorda une nouvelle rasade.

— Tu n'as pas remarqué, dans la grande salle, que la table principale a disparu ?

— Maintenant que tu en parles, oui, c'est vrai. Que lui est-il arrivé ?

— Je l'ai aperçue hier derrière une remise, où on l'avait abandonnée. Brisée en deux par le milieu...

Quinn garda le silence. Il ne connaissait qu'un homme capable de mettre en pièces un plateau de chêne d'une telle épaisseur.

— Et lorsque je suis descendu hier, poursuivit Ramsay, j'ai trouvé les servantes occupées à nettoyer tout un tas de nourriture et de vaisselle brisée sur le sol. Si tu veux mon avis, il y a eu une sacrée lutte. Mais curieusement, personne n'en a dit un mot...

— Qu'est-ce que tu insinues, Logan ? demanda Quinn.

— Juste qu'il n'y avait que Jillian et Grimm à être assez en forme pour dîner dans la grande salle ce soir-là. Cela semble s'être mal passé. Pourtant, Roderick ne m'a pas paru en garder de l'amertume. Quant à Jillian, elle n'a été toute la journée que sourires et amabilité.

Que dirais-tu d'aller de ce pas en toucher un mot à notre cher camarade ? S'il n'est pas occupé à autre chose, bien sûr.

— Ça suffit ! s'emporta Quinn. Si tu es assez stupide et malfaisant pour insinuer que Jillian pourrait être à cette minute dans sa chambre, tu vas devoir m'en rendre compte sur-le-champ ! Il y a peut-être eu entre eux une dispute qui a dégénéré, mais je te garantis que Grimm a trop le sens de l'honneur pour faire une chose pareille. En plus, il doit se forcer pour lui adresser un mot aimable. Comment veux-tu, dans ces conditions, qu'il la séduise ?

— Tu ne trouves pas curieux que juste au moment où tu enregistrais quelques progrès avec elle, nous nous soyons retrouvés tous deux sur le flanc ? Je trouve ça étrangement commode, pour lui, d'avoir été le seul à ne pas être malade.

— C'est parce qu'il n'a pas goûté au plat empoissonné.

— Peut-être parce qu'il savait qu'il l'était !

— Assez, Logan ! gronda Quinn. C'est une chose d'accuser Grimm de convoiter Jillian – n'est-ce pas notre cas à tous ? –, mais c'en est une autre de le soupçonner d'avoir voulu nous tuer. Si tu crois à cette fable, tu ignores totalement qui il est.

— Peut-être est-ce toi qui ne le connais pas, répliqua Ramsay. Peut-être Grimm Roderick prétend-il être autre chose que ce qu'il est. Quant à moi, je suis bien décidé à aller le vérifier de ce pas.

Aussitôt, il quitta la pièce en marmonnant. Secouant la tête, Quinn se lança sur ses talons.

— Logan ! cria-t-il. Tu vas te calmer et...

— Des clous ! l'interrompit-il sans ralentir l'allure.

Ramsay escalada l'escalier trois marches à la fois. Quinn devait bondir derrière lui pour ne pas se laisser distancer. Alors qu'ils parvenaient dans le long corridor menant à la chambre de Grimm, il le rattrapa et lui posa la main sur l'épaule, mais Logan se libéra d'une secousse.

— Si tu es tellement persuadé de son innocence, de quoi as-tu peur, de Moncreiffe ? Allons le réveiller.

— Tu n'as pas les idées claires sur tout ça, Ram…

Quinn se tut brusquement en voyant s'ouvrir la porte de la chambre de Grimm. Et lorsque Jillian en sortit, il écarquilla les yeux. La jeune femme n'avait aucune raison valable de quitter en catimini cette pièce aux petites heures du jour. Elle était devenue la maîtresse de Grimm…

Réagissant au quart de tour, Quinn attira Logan dans un renfoncement, sans cesser d'observer Jillian. Elle avait les cheveux en bataille et un plaid était drapé autour d'elle. Bien qu'il tombât jusqu'au sol, il était manifeste qu'elle ne portait rien dessous.

— Par la lance d'Odin ! lâcha-t-il dans un souffle.

À son côté, Ramsay eut un sourire moqueur.

— Pas l'honorable Grimm Roderick, hein, Quinn ? railla-t-il.

— Le fils de catin !

Quinn laissa son regard s'attarder sur les courbes de Jillian qui se hâtait vers l'extrémité du corridor. Quand il reporta son attention sur son compagnon, les premières lueurs de l'aube passant par les hautes fenêtres firent briller un inquiétant reflet dans ses yeux.

— Alors, de Moncreiffe ? reprit Logan. Toujours son ami ? Il savait que tu la voulais pour femme. Cela ne l'a pas empêché de la prendre, sans attendre et sans avoir besoin de lui offrir le mariage.

— Il faudra qu'il s'en explique ! promit Quinn.

— Gibraltar nous fait venir ici pour que sa fille puisse choisir l'un de nous comme époux, et comment réagit Grimm ? Toi et moi aurions fait les choses en gentlemen : nous déclarer, lui donner notre nom en l'épousant, et lui faire des enfants. Roderick s'est contenté de la culbuter, et tu sais fort bien que tôt ou tard il disparaîtra dans le soleil couchant. Ce gredin n'a aucune intention de l'épouser. S'il avait une once d'honneur, il nous l'aurait laissée – à toi ou à moi – pour que nous lui offrions la vie qu'elle mérite. Je te l'ai dit : tu ne le connais pas aussi bien que tu l'imagines.

Quinn se renfrogna. Dès l'instant où Jillian eut disparu à leurs yeux, il s'éloigna à grands pas, jurant tout bas.

Toute la journée, Jillian évolua sur un petit nuage. Seule la rencontre de Quinn au déjeuner vint ternir la félicité dans laquelle elle baignait. Il se montra avec elle froid et distant, ce qui ne lui ressemblait en rien. À la dérobée, il darda sur elle des regards curieux, presque hostiles. Finalement, au bout de quelques minutes, il la laissa là, sans un mot d'explication.

Une ou deux fois, ce jour-là, elle eut également l'occasion de se trouver en présence de Ramsay, qui se comporta de manière tout aussi étrange. Jillian refusait de s'en faire pour cela. Sans doute souffraient-ils encore du contrecoup de l'empoisonnement. D'ici quelques jours, il n'y paraîtrait plus.

À ses yeux, le monde était un endroit délicieux. Elle se sentait même d'humeur magnanime envers son père pour avoir ramené chez eux son seul véritable amour. Elle allait épouser Grimm Roderick, et sa vie deviendrait parfaite.

20

— Eh bien ? demanda Ronin McIllioch.

Elliott le rejoignit, une poignée de parchemins froissés à la main, qu'il lui tendit.

— Tobie a bien travaillé, milord... expliqua-t-il. Même si nous n'avons pu prendre le risque de nous approcher trop près de Caithness, car votre fils possède des sens aussi affûtés que les vôtres, Tobie est parvenu à croquer son apparence à plusieurs reprises : alors qu'il montait à cheval, quand il a sauvé un garçon attaqué par une bête sauvage, et par deux fois en compagnie de la jeune femme.

— Laisse-moi voir ça.

Ronin s'empara des feuillets d'une main impatiente et les fit lentement défiler sous ses yeux, s'imprégnant de chaque détail.

— Quel homme magnifique, n'est-ce pas, Elliott ? Regarde-moi ces épaules... J'espère que Tobie n'a pas forcé le trait ?

Voyant l'autre lui répondre par la négative d'un signe de tête, le laird sourit largement et poursuivit :

— Quelle prestance ! Mon fils a l'allure d'un guerrier de légende. Les femmes doivent se pâmer devant lui.

— *Aye*, milord. Votre fils est déjà une légende. Vous l'auriez vu tuer à mains nues ce chat sauvage... Il s'est entaillé la paume avec son propre poignard pour faire monter la rage du Berserker en lui et sauver cet enfant.

Ronin se pencha vers celui qui se trouvait assis à son côté pour lui montrer les dessins. Deux paires d'yeux d'un bleu de glace les étudièrent avec fascination. Alors que les deux derniers lui passaient sous les yeux, Ronin laissa fuser un sifflement admiratif.

— Par la lance d'Odin ! s'exclama-t-il. Elle est la plus adorable créature qu'il m'ait été donné d'admirer !

— C'est également l'avis de votre fils, intervint Elliott en se rengorgeant. Il en est aussi épris que vous l'étiez de dame Jolyn. Elle est l'élue de son cœur, milord. Cela ne fait pas l'ombre d'un doute.

— Ont-ils... ?

Ronin laissa sa phrase en suspens, d'un air entendu. Elliott comprit l'allusion.

— À en juger par l'état dans lequel Gavrael a laissé la grande salle de Caithness après un dîner en tête à tête avec elle, il semblerait que oui.

Ronin et son frère Balder délaissèrent un instant les dessins pour échanger un regard satisfait.

— Le temps est venu, conclut le laird à l'intention d'Elliott. Arrange-toi avec Gilles pour commencer les préparatifs de son retour.

— Bien, milord !

Balder chercha le regard de son frère et demanda, le front ridé de plis soucieux :

— Tu penses vraiment que tout va se passer comme la devineresse l'a prédit ?

— Elle a annoncé des changements cataclysmiques, murmura Ronin. Elle disait que notre génération souffrirait bien plus qu'aucun McIllioch avant elle. Mais elle a également promis qu'avec le temps, le bonheur reviendrait dans notre clan. La devineresse a juré que mon fils verrait ses propres enfants grandir ici. Que lorsqu'il aurait trouvé la femme de son cœur, celle-ci le ramènerait chez lui... à Maldebann.

— Et comment feras-tu pour passer outre à la haine qu'il te voue ? insista Balder.

Ronin soupira tristement.

— Je n'en sais rien. J'attends peut-être un miracle : qu'il puisse me pardonner. À présent qu'il a trouvé sa promise, il m'écoutera peut-être d'une oreille plus clémente... Peut-être sera-t-il capable de comprendre pourquoi j'ai fait ce que j'ai fait. Et pourquoi j'ai dû le laisser nous quitter.

— Ne sois pas trop dur envers toi-même, Ronin, conseilla son frère. Les McKane t'auraient suivi jusqu'à lui si tu t'étais lancé à sa recherche. Ils n'attendaient que cela pour découvrir où il se cachait. Ils sont au courant que tu n'engendreras plus aucun fils, et ils ignorent mon existence. C'est Gavrael qu'ils sont déterminés à anéantir. S'ils ont découvert, comme nous, qu'il a rencontré la femme de sa vie, rien ne les arrêtera.

— Je sais. Pendant des années, il a bénéficié à Caithness d'une retraite sûre, aussi ai-je décidé qu'il valait mieux ne pas intervenir. Gibraltar lui a offert une bien meilleure formation que celle que j'aurais pu lui offrir à l'époque.

Ronin fixa son frère au fond des yeux et enchaîna :

— Mais je n'avais pas abandonné l'espoir qu'il puisse un jour revenir de sa propre volonté, ne serait-ce que par curiosité. Et lorsque, les années passant, mon espoir n'a cessé d'être déçu... ah, Balder... je crois que mon cœur s'est aigri. Je n'arrive pas à comprendre comment il peut me haïr à ce point.

— Dans ce cas, qu'est-ce qui te fait croire qu'il pourrait te pardonner maintenant ?

Ronin leva les mains et les laissa retomber en un geste d'impuissance.

— Ce ne sont peut-être que les chimères d'un vieux fou, reconnut-il. Mais il me faut absolument continuer à y croire. Sans quoi, je n'aurais plus aucune raison d'avancer.

Balder lui tapa affectueusement l'épaule.

— Qu'est-ce que tu racontes ? protesta-t-il. Tu as toutes les raisons d'avancer... Les McKane doivent être défaits une fois pour toutes afin que les fils de ton fils puissent vivre en sécurité. Est-il besoin d'autre motivation ?

— Et il en sera fait ainsi, promit Ronin.

Grimm passa la journée à écumer à cheval les terres des Saint-Clair, à la recherche du moindre indice susceptible de trahir la présence des McKane. Il connaissait leur manière d'opérer. Ils allaient installer leur campement en périphérie du domaine et attendre le bon moment pour attaquer.

Il ne trouva rien. Pas un seul élément pour étayer sa conviction qu'il avait été repéré et était surveillé.

Pourtant, une appréhension ne le quittait plus, qui se manifestait par un fourmillement à la base de sa nuque, signe qui chez lui ne trompait jamais. Une menace invisible pesait sur lui à Caithness, n'attendant que le bon moment pour frapper.

Grimm pénétra dans la cour intérieure du château au crépuscule, luttant contre le désir de courir retrouver Jillian. Il n'avait qu'une envie : la soulever dans ses bras, l'emporter dans sa chambre et lui faire l'amour.

La voix de sa conscience était d'un tout autre avis. Pars ! lui ordonnait-elle. Tout de suite ! Ne prends même pas le temps de préparer un sac ni de faire tes adieux. Pars immédiatement et ne reviens jamais !

Grimm se sentait écartelé. Au cours de toutes ces années passées à rêver de Jillian, il n'avait jamais imaginé qu'il pourrait se sentir aussi bien près d'elle : comme s'ils se complétaient l'un l'autre. Le Berserker en lui avait été domestiqué par sa seule présence. Elle était capable de lui redonner une existence, une fierté.

Quand il était avec elle, la bête, dont elle ignorait l'existence, se laissait amadouer.

Il dut lutter pour ne pas laisser l'espoir – cette émotion traîtresse qu'il redoutait – s'enraciner en lui. L'espoir était un luxe qu'il ne pouvait se permettre. L'espoir le conduirait à commettre toutes sortes d'erreur – ne pas quitter Caithness, par exemple, alors que ses sens lui dictaient qu'une confrontation avec les McKane y était imminente. Grimm savait faire face au danger. Il n'en allait pas de même avec l'espoir.

En pénétrant dans la grande salle, il saisit une poire dans un compotier et alla s'asseoir devant l'âtre pour la manger. L'envie de se lancer à la recherche de Jillian le tourmentait toujours. Avant toute chose, songea-t-il, il lui fallait prendre de grandes décisions. Il devait se conduire honorablement, mais il avait l'impression de ne plus savoir distinguer le bien du mal. Rien n'était tout blanc ou tout noir, et il n'y avait aucune réponse évidente aux questions qui se posaient à lui. Il savait qu'il était dangereux de demeurer à Caithness et pourtant, de toute son existence, il n'avait jamais rien désiré plus ardemment.

Perdu dans ses pensées, Grimm n'entendit pas Ramsay Logan approcher avant que la voix grave du Highlander retentisse derrière lui. Cela aurait dû suffire à lui faire comprendre qu'il avait dangereusement baissé sa garde.

— Où diable étais-tu, Roderick ?

— Je chevauchais.

— Toute la journée ?

— J'avais à réfléchir. Chevaucher m'aide à penser.

— Il aurait fallu réfléchir avant... marmonna Ramsay en aparté.

L'ouïe fine de Grimm lui permit d'entendre cette remarque distinctement. Il se retourna sur sa chaise et lança un regard noir à son interlocuteur.

— Qu'est-ce que c'est censé signifier, exactement ?

— Une dizaine de pas nous séparent ! protesta Logan, ébahi. Tu n'aurais pas dû m'entendre...

— Manifestement, j'y suis arrivé, répliqua Grimm sèchement. Alors ? À quoi, selon toi, aurais-je dû réfléchir ?

En voyant les yeux noirs de Ramsay s'assombrir encore, Grimm comprit qu'il luttait pour juguler sa colère.

— À l'honneur, peut-être ? suggéra-t-il. Celui que nous devons à notre hôte. Et à sa fille.

Un sourire dangereux se dessina sur les lèvres de Grimm.

— Je vais faire un marché avec toi, Logan... répondit-il calmement. Si tu ne touches pas à mon honneur, je n'irai pas chercher le tien dans la bauge à cochons où il croupit depuis des années.

Les poings serrés, Ramsay haussa le ton.

— Mon honneur...

— Allons droit au but, l'interrompit Grimm. Combien d'or dois-tu aux Campbell ? La moitié de ce que tu espères que Jillian va t'apporter en dot ? Davantage encore ? Mettre la main sur la fille Saint-Clair te permettrait d'effacer ton ardoise et de vivre dans l'extravagance pendant quelques années, pas vrai ?

— Tous les hommes n'ont pas la chance d'être aussi riches que toi, Roderick. Pour certains d'entre nous, qui ont la responsabilité d'un grand nombre de gens, la vie n'est pas facile. Mais tu te trompes. J'aime Jillian.

— Je n'en doute pas. De la même façon que tu aimes avoir le ventre plein de la nourriture la plus raffinée et du meilleur whisky, ou monter les plus racés des étalons... Peut-être faut-il chercher dans ces dépenses somptuaires les difficultés que tu éprouves à nourrir les tiens. Combien d'années as-tu passées à la cour, distribuant ton or aussi librement que ceux de ton clan se reproduisent ?

Ramsay se détourna et garda le silence un long moment. Grimm le regarda, chaque muscle de son corps prêt à entrer en action. Comme il avait pu le constater par le passé, le Highlander était d'un tempérament colérique. Il s'en voulait de l'avoir inutilement provoqué, mais cet homme plaçait ses intérêts personnels avant ceux de son clan, ce qui avait le don de le mettre en fureur.

Après avoir inspiré profondément, Ramsay finit par se tourner vers lui. À la surprise de Grimm, ce fut un grand sourire qu'il découvrit sur son visage.

— Tu te méprends à mon sujet, Roderick... assura-t-il. Je dois confesser que je ne me suis pas toujours conduit de manière exemplaire, mais j'ai changé.

Grimm lui répondit d'un regard sceptique.

— Tu vois ? insista-t-il, élevant les mains devant lui en un geste conciliant. Je ne me suis pas mis en colère. Je comprends que tu puisses avoir une telle opinion de moi. Quand nous nous sommes connus, je n'étais qu'un bon à rien imprévisible et égoïste. Mais je ne le suis plus. Seul le temps pourra te prouver ma sincérité. Peux-tu, au moins, m'accorder ça ?

Grimm laissa fuser un rire sarcastique.

— Bien sûr, Logan. Je peux t'accorder que tu as changé.

Changé en pire ! ajouta-t-il dans le secret de ses pensées.

Comme Ramsay s'apprêtait à quitter la pièce, Grimm ne put s'empêcher de demander :

— Où est Jillian ?

Ramsay se figea et lui lança un regard glacial par-dessus son épaule.

— Dans la bibliothèque. Elle joue aux échecs avec Quinn. Il a l'intention de lui faire sa déclaration ce soir, alors je te suggère de les laisser en paix. Jillian mérite d'avoir un mari digne de ce nom, et si elle ne veut pas de Quinn, je lui proposerai le mariage à mon tour.

Grimm acquiesça d'un bref hochement de tête. Après avoir tenté d'écarter Jillian de ses pensées – Jillian qui, à l'instant même, écoutait peut-être Quinn lui déclarer sa flamme –, il renonça et sortit se fondre dans la nuit, plus perturbé par les paroles de Logan qu'il ne l'aurait souhaité.

Grimm déambula dans les jardins pendant près d'une demi-heure avant de s'apercevoir que son cheval n'était nulle part en vue. Il l'avait laissé dans la cour intérieure moins d'une heure auparavant, et Occam s'aventurait rarement loin du château.

Inquiet, il se lança à sa recherche, sifflant de manière répétée sans provoquer le hennissement ou le martèlement de sabots attendus. En désespoir de cause, il reporta son attention sur les écuries, qui longeaient le mur d'enceinte extérieur. Son instinct, de nouveau, fit se dresser ses cheveux sur sa nuque. Mû par un sombre pressentiment, il se lança au pas de course dans cette direction.

En pénétrant en trombe dans les écuries anormalement silencieuses, Grimm se figea sur place. Une curieuse odeur flottait dans l'air – une odeur, forte et âcre, d'œufs pourris. Les yeux plissés, il scruta longuement l'obscurité avant de s'aventurer plus avant. Tout lui parut normal au premier regard : la paille répandue sur le sol, les portes closes, les lampes à huile en veilleuse accrochées aux pilastres. Mais l'odeur de soufre n'avait rien d'habituel, même si elle ne présentait aucun danger.

Grimm s'avança précautionneusement, siffla encore une fois et en fut récompensé par un hennissement assourdi venu de la stalle la plus éloignée. Il réprima l'envie de courir libérer son cheval.

C'était un piège.

Les yeux plissés, il remua du bout de sa botte la paille à ses pieds. C'était du sol que montait l'odeur de soufre. En découvrant ce qui se trouvait sur les dalles poussiéreuses, il laissa échapper un petit sifflement de stupeur. Il répéta l'opération un peu plus loin, puis un peu plus loin encore, pour le même résultat : une épaisse couche de poudre noire était répandue à terre.

Quelqu'un l'y avait placée, avant d'en dissimuler la présence sous une couche de paille. Ainsi, la poudre n'attendait qu'une étincelle pour transformer les lieux en enfer sur terre. Il aurait suffi que tombe une des lampes à huile – ou que l'une d'elles laisse échapper une flammèche – pour que le bâtiment soit soufflé par une énorme explosion.

Grimm entendit Occam hennir doucement, apeuré et nerveux, réalisant soudain qu'il portait une muselière. Quelqu'un avait muselé son cheval et l'avait enfermé dans une stalle transformée en piège mortel.

Jamais il ne permettrait que l'étalon puisse être de nouveau brûlé, ce que devait savoir le responsable de ce traquenard. Grimm demeurait absolument immobile, suffisamment près de la porte pour pouvoir s'enfuir. Mais Occam, lui, était enfermé bien loin de là, sûr de périr à la première étincelle.

Un homme au cœur de pierre aurait tourné les talons et serait allé se mettre à l'abri sans une pensée pour le cheval, cet animal assujetti au bon vouloir de l'homme. Mais, aux yeux de Grimm, Occam était une magnifique et royale créature, douée d'intelligence et tout aussi capable de ressentir la peur et la douleur que n'importe quel humain.

Non, jamais il ne pourrait abandonner son cheval.

À peine avait-il formulé cette pensée qu'il vit quelque chose tomber sur le sol par une fenêtre, embrasant la paille instantanément.

Sans hésiter, Grimm bondit à travers les flammes.

Dans la quiétude de la bibliothèque, Jillian eut un petit rire satisfait en avançant son fou pour mettre son adversaire échec et mat. Ce faisant, elle laissa son regard s'égarer par la fenêtre, comme elle l'avait fait régulièrement depuis le début de la partie, espérant capter un indice du retour de Grimm. Les souvenirs de leur nuit d'amour, du corps de son amant pressé contre le sien, ne se laissaient pas facilement oublier. Ils ne cessaient de lui enflammer les sens et de la faire rougir à tout instant telle une vierge effarouchée.

— Ce n'est pas juste ! se plaignit Quinn. Comment suis-je censé me concentrer ? Il était plus facile de jouer aux échecs avec toi quand tu étais encore enfant.

— Une femme a droit à de petits avantages... répondit-elle avec malice. Est-ce ma faute si ton attention vagabonde ?

Les yeux de Quinn s'attardèrent sur les épaules de Jillian, que sa robe laissait nues.

— Absolument ! dit-il. Regarde-toi : tu es splendide...

D'une voix réduite à un murmure, il ajouta :

— Jillian... *lass*... Il y a quelque chose dont je voudrais discuter avec toi et...

Jillian le fit taire en posant un doigt sur sa bouche.

— Chut ! lui intima-t-elle.

Quinn se déroba.

— Non ! protesta-t-il vivement. Je garde le silence depuis trop longtemps. Je sais ce que tu ressens.

Il marqua une pause pour dramatiser son propos avant de poursuivre, en soutenant le regard de Jillian sans ciller :

— Et je sais ce qui se passe avec Grimm.

— Que veux-tu dire ? répliqua-t-elle, sur la défensive.

Quinn lui sourit pour adoucir l'impact de ses paroles.

— Jillian... Il n'est pas du genre à se marier.

Elle se mordit la lèvre et détourna les yeux.

— Qu'est-ce que tu en sais ? À en juger d'après sa réputation de coureur de jupons, tu pourrais dire la même chose de Ramsay. Pourtant, ce matin, il m'a fait sa demande en bonne et due forme. Ce n'est pas parce qu'un homme n'a montré aucune inclination au mariage dans sa jeunesse qu'il ne se mariera jamais. Les gens changent.

En tout cas, songea-t-elle, Grimm avait changé, laissant s'exprimer enfin l'homme tendre et attentionné qu'elle avait toujours deviné en lui.

— Logan t'a demandé de l'épouser ? s'étrangla Quinn.

Jillian acquiesça.

— Il m'a rejointe dans les jardins pour ma promenade matinale.

— Il a demandé ta main sachant que je m'apprêtais à le faire moi-même !

Quinn jura entre ses dents, avant de s'en excuser.

— Pardonne-moi, Jillian. Cela me met hors de moi qu'il ait pu agir ainsi dans mon dos.

— Je n'ai pas accepté, Quinn. Alors peu importe.

— Comment l'a-t-il pris ?

Jillian soupira. Même si elle y avait mis les formes, le Highlander n'avait pas très bien réagi. Elle avait même l'impression qu'elle avait échappé de peu à un accès de colère homérique de sa part.

— J'imagine que Ramsay n'est pas habitué à ce qu'on lui dise non, répondit-elle. Il paraissait furieux.

Quinn la dévisagea et déclara prudemment :

— Je n'avais pas l'intention de t'en parler, mais il vaut mieux que tu saches, pour choisir en toute connaissance de cause. Les Logan sont riches de terres mais pauvres en or. Ramsay a besoin de *bien* se marier. Son clan crie famine. Pour eux, tu serais un don de Dieu.

Scandalisée, elle lui adressa un regard de reproche.

— Je ne parviens pas à croire que tu t'abaisses à dire du mal de mes soupirants... Qu'est-ce qui vous arrive ? Ramsay a passé un quart d'heure à vous dénigrer, toi et Grimm.

Piqué au vif, Quinn se figea.

— Je n'essaie pas de discréditer tes soupirants, rectifia-t-il. Je dis la vérité. Dans le passé, les Logan se sont maintenus à flot en se louant comme mercenaires, mais ces temps-ci les guerres se font rares. Si Logan parvenait à faire main basse sur l'héritière des Saint-Clair, tous les siens verraient en lui leur sauveur.

Jillian se mordilla pensivement la lèvre.

— Et toi, Quinn de Moncreiffe ? s'enquit-elle enfin. Pour quelle raison veux-tu m'épouser ?

— Parce que je t'aime profondément, *lass*...

— Peut-être devrais-je demander à Grimm ce qu'il en pense ?

Quinn ferma brièvement les paupières et soupira.

— Pourrais-je savoir au moins en quoi il n'est pas un candidat valable ? insista Jillian, décidée à crever l'abcès.

— Je ne veux pas être cruel, assura-t-il en lui adressant un regard empli de sympathie. Mais c'est un fait que jamais il ne t'épousera. Tout le monde sait que Grimm Roderick a juré de ne pas se marier.

Jillian refusa de laisser voir à quel point les paroles de Quinn l'atteignaient. Après avoir rassemblé son courage, elle s'apprêtait à lui demander pourquoi selon lui il en était ainsi, lorsque retentit le bruit d'une énorme explosion.

Les vitres des fenêtres tremblèrent dans leurs cadres. Les murs eux-mêmes furent ébranlés. Jillian et Quinn bondirent en même temps de leur siège.

— Qu'est-ce que c'était ?

Quinn courut jusqu'à la fenêtre.

— Seigneur ! cria-t-il. Les écuries sont en feu !

21

Jillian jaillit dans la cour intérieure sur les talons de Quinn, criant le nom de Grimm à tue-tête. L'explosion avait réveillé tout le monde. Debout au milieu de la cour, Hatchard hurlait des ordres, organisant la bataille contre les flammes qui ravageaient les écuries et menaçaient, à l'est, de s'étendre au reste du château.

L'automne avait été suffisamment sec pour que le feu puisse échapper à tout contrôle et dévorer bâtiments et récoltes. Les masures à colombages entassées au pied des murailles s'embraseraient comme des torches si les flammes parvenaient jusque-là. Pire encore, si le vent se mettait de la partie, toute la vallée risquait de flamber. Mais Jillian mit de côté ces inquiétudes pour ne penser qu'à l'essentiel : il lui fallait trouver Grimm.

— Où est Grimm ? cria-t-elle à la cantonade. Quelqu'un l'a vu ?

Elle s'enfonça dans la foule, jouant des coudes, bousculant tout le monde dans sa hâte à scruter les visages, désespérant de repérer celui qu'elle cherchait.

— Ne joue pas les héros, supplia-t-elle tout bas. Pour une fois, ne joue pas les héros, Grimm Roderick…

Elle ne réalisa qu'elle s'était exprimée à haute voix qu'en voyant Quinn, à côté d'elle, lui lancer un regard inquisiteur et secouer la tête d'un air apitoyé.

— *Och, lass*... murmura-t-il. Tu es vraiment amoureuse de lui, n'est-ce pas ?

Jillian hocha faiblement la tête, les yeux brillants de larmes contenues.

— Trouve-le, Quinn... Sauve-le !

Quinn signa sa capitulation d'un nouveau soupir.

— Reste ici. Je le retrouverai. Je te le promets.

Le cri à glacer le sang d'un cheval pris au piège déchira la nuit. Jillian se tourna d'un bond vers les écuries en feu.

— Il ne peut tout de même pas être là-dedans ?

La terreur qu'elle surprit sur le visage de Quinn fit écho à celle qui lui déchirait le cœur. Comme il le lui avait confié, Grimm était incapable de laisser un cheval périr dans un incendie sans rien tenter pour le sauver.

— Aucun homme ne pourrait survivre à ça... constata-t-elle, le regard rivé sur le brasier.

Les flammes s'élevaient, aussi hautes que le château, d'un orange éclatant contre le fond noir du ciel.

— Tu as raison, approuva Quinn. Aucun *homme* ne le pourrait.

Et soudain, comme dans un rêve, ils virent une forme émerger progressivement des flammes. D'abord indistincte, elle gagna rapidement en densité, jusqu'à adopter les contours caractéristiques d'un cavalier et de sa monture. Tous deux foncèrent au galop vers le loch, dans les eaux fraîches duquel ils disparurent. Jillian ne relâcha son souffle qu'en les voyant refaire surface.

Quinn, rassuré, lui adressa un signe avant d'aller se joindre à ceux qui luttaient contre l'incendie.

Sans attendre, Jillian courut vers le loch, trébuchant dans sa hâte. Grimm venait à peine de prendre pied sur la berge caillouteuse, menant Occam par la bride, qu'elle se jeta contre lui, s'enfouit au creux de ses bras et plaqua son visage contre sa poitrine humide. Il la serra longuement, jusqu'à ce qu'elle arrête de trembler, puis il s'écarta et essuya ses larmes sous ses doigts.

— Jillian... murmura-t-il tristement.

— Grimm ! J'ai cru t'avoir perdu !

Elle couvrit son visage de baisers, explorant son corps sous ses mains pour s'assurer qu'il n'était pas blessé.

— Mon Dieu… reprit-elle, ébahie. Tu n'es pas brûlé !

Ses vêtements pendaient sur lui en lambeaux calcinés et son épiderme était un peu rosi, mais aucune brûlure – pas même une ampoule – ne déparait la douceur soyeuse de sa peau. Derrière lui, Occam semblait lui aussi avoir été épargné.

— Comment est-ce possible ? s'émerveilla-t-elle.

— Sa robe a été un peu roussie, expliqua Grimm. Mais à part ça, il n'a rien.

— J'ai cru t'avoir perdu, répéta-t-elle.

Les yeux plongés au fond des siens, Jillian eut soudain le pressentiment que même s'il était sorti indemne des flammes, cela ne signifiait pas pour autant qu'il lui était revenu. Elle découvrait dans son regard une distance et une douleur annonciatrices de pénibles adieux.

— Non ! dit-elle. Non… Je ne te laisserai pas partir. Je ne te laisserai pas me quitter !

Pour toute réponse, Grimm baissa les yeux.

— Non ! cria-t-elle. Regarde-moi !

Assombri par le remords, il s'exécuta.

— Je dois m'en aller, *lass*… Je n'apporterai pas une nouvelle fois la destruction ici.

— Qu'est-ce qui te fait croire que cet incendie a quelque chose à voir avec toi ?

Mais Jillian sentait confusément que c'était le cas, elle n'aurait su dire pourquoi.

— Oh ! Tu es d'une telle arrogance ! gronda-t-elle.

Elle était prête à tout pour le retenir, même à nier la réalité.

— Jillian…

Grimm, avec un soupir exaspéré, renonça à en dire plus. Il tendit les bras vers elle, mais elle les repoussa vivement.

— Non ! Ne me touche pas ! Je ne veux pas que tu me touches si c'est pour me dire adieu…

— Je dois partir, protesta-t-il d'un ton las. Je voudrais plus que tout qu'il puisse en être autrement, mais je ne suis pas en situation de pouvoir t'épouser. Je ne peux t'offrir la vie que tu mérites. Des événements comme cet incendie surviennent autour de moi régulièrement. Il est dangereux de rester à mes côtés. Ils me pourchassent !

Jillian, qui sentait le monde s'écrouler sous ses pieds, s'enquit faiblement :

— Mais *qui* te pourchasse ?

— Je ne peux te l'expliquer, répliqua-t-il avec un geste de colère. Tu dois me croire sur parole. Je ne suis pas… un homme normal, Jillian. Un homme normal aurait-il survécu à un tel incendie ?

— Pas un homme normal ? répéta-t-elle. Dans ce cas, quel genre d'homme es-tu ?

Grimm secoua la tête et ferma les yeux un long moment. Lorsqu'il les rouvrit, ils semblaient incandescents. Jillian en eut le souffle coupé. Un souvenir fugace refit surface dans sa mémoire. Celui d'une jeune fille de quinze ans qui l'avait regardé, fascinée, se battre contre les McKane. Il lui avait semblé devenir plus grand, plus large, plus fort, à chaque goutte de sang versée. Elle avait vu ses yeux luire du même éclat que celui qui les faisait briller à présent. Elle s'était étonnée qu'un seul homme puisse abattre autant d'adversaires sans récolter une seule égratignure.

— Qui es-tu ? murmura Jillian.

— Le guerrier qui t'a…

Grimm ferma brièvement les yeux. Le guerrier qui t'a toujours aimée, avait-il failli avouer.

— … toujours adorée, Jillian Saint-Clair. Un homme qui, parce qu'il n'est pas tout à fait un homme, doit accepter de renoncer à toi.

Après avoir pris une longue inspiration tremblante, il poursuivit d'un ton déterminé :

— Tu dois épouser Quinn, *lass*... Épouse-le, ainsi je serai libéré. Surtout, n'épouse pas Ramsay : il te rendrait malheureuse. Mais tu dois me laisser partir, car je ne supporterais pas d'avoir ta mort sur la conscience, et c'est tout ce qui pourrait résulter de notre union.

Il la dévisagea, l'implorant en silence de ne pas rendre son départ plus douloureux qu'il ne l'était déjà. Elle refusa de lui faciliter la tâche. S'il était décidé à la quitter, elle allait faire en sorte que cela fasse le plus mal possible. Les yeux plissés, elle le défia du regard de se montrer brave et de se battre pour leur amour. Le cœur lourd, elle le vit baisser la tête :

— Merci pour ces quelques jours et ces quelques nuits, *lass*. Merci de m'avoir offert les plus beaux moments de mon existence. Mais tu dois accepter de me laisser partir. Garde en mémoire le meilleur de ce que nous avons vécu ensemble, et laisse-moi te dire adieu.

Jillian ne put empêcher plus longtemps ses larmes de couler. Sa décision semblait irrévocable.

— Dis-moi la vérité, supplia-t-elle. Quoi que cela puisse être, cela ne doit pas être si terrible et nous pourrions le dépasser ensemble...

— Je suis un animal, Jillian ! Tu ne sais rien de moi.

— Je sais que tu es l'homme le plus honorable que j'aie jamais rencontré. Je suis prête à vivre n'importe quelle vie, du moment que je la vis près de toi.

Quand Grimm commença à s'éloigner d'elle à reculons, Jillian vit ses yeux se vider peu à peu de toute lueur. Son regard se fit absent et froid. Elle comprit alors qu'elle l'avait définitivement perdu, et elle sentit un vide effrayant se faire en elle, menaçant de l'engloutir.

— Non ! cria-t-elle.

Grimm continua à battre en retraite. Occam le suivit en hennissant doucement.

— Tu disais que tu m'adorais ! reprit-elle. Si tu ressentais véritablement quelque sentiment pour moi, tu te battrais pour pouvoir rester !

Grimm tressaillit et répliqua :

— Je tiens trop à toi pour te faire courir le moindre risque.

— C'est faire preuve de faiblesse ! lança-t-elle d'un ton accusateur. Tu ne sais pas ce que veut dire aimer. Celui qui aime se bat ! Il ne se résout pas à la solution du moindre risque ! La vérité, Roderick, c'est que tu es un lâche !

Sa flèche fit mouche. Un muscle tressaillit sur la mâchoire de Grimm, qui rétorqua sèchement :

— Je fais ce que l'honneur me commande de faire.

— Au diable, l'honneur ! s'emporta-t-elle. L'amour n'a aucune fierté. Il permet de tout endurer…

— Assez ! Tu me demandes plus que ce que je suis capable de t'offrir.

Le regard de Jillian se fit glacial.

— Manifestement, répliqua-t-elle d'un ton amer. Je te prenais pour un héros, mais je me suis trompée.

Jillian détourna le regard et retint son souffle. L'avait-elle suffisamment provoqué ?

— Adieu, Jillian.

D'un bond, Grimm sauta sur le dos de son cheval. Homme et bête parurent se fondre en une seule créature avant de disparaître au galop dans la nuit.

Les yeux écarquillés par l'effroi, Jillian fixa longuement le vide qu'il laissait derrière lui. Grimm l'avait quittée. Sans hésiter, il l'avait une nouvelle fois abandonnée.

Un sanglot la secoua, si déchirant qu'il la plia en deux.

— Lâche… gémit-elle, au désespoir. Tu n'es qu'un lâche.

22

Ronin introduisit la clé dans la serrure, marqua un temps d'hésitation, puis redressa les épaules. Ses yeux remontèrent le long de l'impressionnante porte en chêne bardée de fer. Celle-ci s'élevait bien au-dessus de sa tête, encadrée par une arche en pierre sur le linteau duquel on lisait : *Deo non fortuna – Grâce à Dieu, pas à la chance*. Durant des années, Ronin avait refusé de revenir en ces lieux, persuadé que Dieu l'avait abandonné. La devise de son clan proclamait à la face du monde qu'être un Berserker était un don divin. Or, de ce « don » avait résulté la mort de sa bien-aimée Jolyn.

Ronin se força à ouvrir et repousser la porte. Les gonds rouillés protestèrent en grinçant. Des toiles d'araignées voilaient l'entrée. L'odeur de renfermé des mythes oubliés assaillit ses narines.

Le Hall des Dieux préservait l'histoire millénaire du clan McIllioch. La voûte de la chambre souterraine, creusée profondément dans les entrailles de la montagne, culminait à plus de cinquante pieds. Les murs incurvés se rejoignaient en une arche royale et des fresques épiques décrivant les hauts faits du clan ornaient les plafonds.

Le père de Ronin l'avait conduit en ce lieu pour son seizième anniversaire. Longuement, il lui avait enseigné la noble histoire des McIllioch et l'avait guidé dans les phases de la transformation – ce que Ronin n'avait pu faire, le temps venu, avec son propre fils.

Mais qui aurait pu imaginer que Gavrael changerait plus tôt qu'aucun de ses ancêtres ? C'était sans précédent. La bataille contre les McKane, qui avait suivi de très près le meurtre sauvage de Jolyn, avait laissé Ronin trop épuisé et trop abattu par le chagrin pour lui permettre de s'occuper de son fils. Même s'il était difficile de tuer un Berserker, il était possible de lui infliger des blessures suffisamment graves pour le handicaper longuement. Ronin avait mis des mois à se remettre sur pied. Le jour où les McKane avaient assassiné Jolyn, ils avaient laissé derrière eux la coquille vide d'un homme sans espoir et ne désirant même plus guérir.

Accablé par le chagrin, il avait failli envers son fils. Il n'avait pas été là pour l'initier à sa nouvelle vie de Berserker, pour lui enseigner les méthodes secrètes permettant de canaliser la rage destructrice. Alors, Gavrael s'était enfui. Il était parti loin de son père et de son clan, adopter une nouvelle famille et se construire une nouvelle vie.

Les années s'étaient écoulées, laissant leurs stigmates sur le corps de Ronin. Il accueillait avec gratitude chaque nouvelle douleur osseuse, chaque articulation réticente, chaque nouveau fil d'argent dans sa chevelure, parce qu'il savait que s'approchait le moment où il pourrait retrouver sa bien-aimée Jolyn.

Mais il savait également qu'il était trop tôt pour aller la rejoindre. Il lui restait beaucoup de choses à faire en ce bas monde. Son fils allait bientôt revenir chez lui, et il était déterminé cette fois à ne pas le trahir.

Au prix d'un effort de volonté, Ronin émergea des profondeurs de sa culpabilité pour reporter son attention sur le Hall des Dieux. Il prit une inspiration, carra les épaules, décrocha une torche sur le mur et se fraya un chemin parmi les draperies de toiles d'araignées. L'écho de ses pas sur le dallage résonnait comme le tonnerre dans la vaste chambre creusée dans la roche. Poussant sur le côté quelques pièces de mobilier vermoulues, il longea le mur jusqu'au premier portrait gravé dans la pierre, plus d'un millier d'années auparavant. Les plus anciennes représentations avaient été exécutées à même la paroi rocheuse et rehaussées de pigments minéraux et végétaux à présent fanés. Les plus récentes étaient des huiles sur toile.

Les femmes représentées sur ces portraits avaient toutes en commun de paraître radieusement belles et vibrantes de bonheur. Les hommes, eux aussi, partageaient un trait distinctif. Les neuf cent cinquante-huit paires d'yeux masculins reproduits dans le Hall étaient du même bleu de glace.

Ronin brandit sa torche pour éclairer le portrait de son épouse. Un sourire se dessina sur ses lèvres. Une divinité païenne lui eût-elle offert de le ramener dans le passé pour se bâtir une vie exempte de tout drame avec une autre femme, il aurait refusé.

— Je ne lui ferai pas défaut cette fois, Jolyn... promit-il tout haut. Je te le jure, je ferai en sorte que Maldebann Castle redevienne un endroit sûr où pourront éclore des promesses d'avenir. Après seulement, nous serons réunis et continuerons à veiller, de là-haut, sur les fruits de notre amour.

Au terme d'un long silence, Ronin murmura d'une voix étranglée :

— Tu me manques, femme.

À l'extérieur du Hall des Dieux, Gilles pénétra dans la grande salle qui y donnait accès et contempla avec étonnement la porte ouverte. En quelques pas, il eut rejoint la chambre souterraine où nul n'avait mis les pieds depuis des années. En apercevant le laird à l'intérieur, non plus voûté par le poids des épreuves mais fièrement dressé devant le portrait de sa femme et de son fils, il faillit pousser un cri de joie. Ronin ne se tourna pas vers lui, mais Gilles savait qu'il avait perçu sa présence.

Sans quitter des yeux le portrait de sa femme, Ronin ordonna :

— Envoie une équipe de servantes ici pour tout nettoyer, Gilles. Qu'on ouvre cet endroit et qu'on l'aère. Je veux que ce château rutile comme il ne l'a plus fait depuis que ma Jolyn n'est plus de ce monde. Je veux que tout étincelle !

Le laird ouvrit grand les bras et ajouta :

— Qu'on allume les torchères du Hall des Dieux et qu'elles brûlent comme elles le faisaient autrefois : jour et nuit. Mon fils rentre chez lui ! conclut-il fièrement.

— Bien, milord ! s'exclama Gilles.

Il s'empressa d'aller obéir à un ordre qu'il avait attendu toute sa vie.

Grimm n'arrivait pas à déterminer dans quelle direction ses pas devaient le mener. Rentrer à Dalkeith, pour voir combien de temps il pourrait empêcher la destruction de s'abattre sur ce havre béni ?

Les McKane finissaient toujours par retrouver sa trace. Il savait à présent qu'ils devaient avoir eu un espion à Durrkesh. Sans doute ce comparse avait-il assisté à sa métamorphose, dans l'arrière-cour, et avait-il tenté de l'empoisonner. Les McKane avaient appris, avec le temps, à frapper subrepticement. Piège sournois ou attaque en nombre constituaient les seuls moyens de venir à bout d'un Berserker, et ni l'un ni l'autre n'était à toute épreuve. À présent qu'il avait par deux fois échappé à la mort, il devait s'attendre à une attaque en force de ses ennemis.

D'abord, ils avaient essayé le poison. Ensuite, ils avaient mis le feu aux écuries. Grimm savait que s'il était resté à Caithness, ils auraient été capables de détruire le château et de tuer tous ses occupants. Il avait pu constater les effets de leur fanatisme meurtrier à un âge précoce, et c'était une leçon qu'il n'avait jamais oubliée.

Ils avaient fort heureusement perdu sa trace durant les années qu'il avait passées à Édimbourg. Les McKane étaient des guerriers dans l'âme, pas des courtisans. Ensuite, lorsqu'il avait quitté le palais royal pour aller vivre à Dalkeith, il n'avait fait que fort peu de nouvelles connaissances, toutes d'une loyauté à toute épreuve envers son ami Hawk. Par conséquent, il avait commencé à relâcher sa garde et à se sentir presque... normal.

La tournure prise par ses pensées le surprit. Quelle notion étrange que la normalité, le concernant...

— Reprends ce don, Odin, se surprit-il à maugréer. Je me suis trompé. Je ne veux plus être Berserker.

Mais Odin, manifestement, n'en avait cure.

Grimm devait regarder la vérité en face. À présent que les McKane avaient retrouvé sa trace, ils allaient écumer le pays à sa recherche. Il n'était pas judicieux pour lui de rester en compagnie de qui que ce soit. Le temps était sans doute venu d'adopter un nouveau nom, peut-être même un autre pays. Ses pensées se tournèrent aussitôt vers l'Angleterre, mais son âme écossaise se rebella à cette idée.

Pire encore : comment allait-il pouvoir vivre en étant privé de tout contact avec Jillian ? Après avoir vécu avec elle une liaison aussi intense, comment reprendre son existence solitaire et dépourvue de joie ? Seigneur ! Il aurait mieux valu pour lui ne jamais l'avoir connue.

Mais il ne servait à rien de s'abîmer dans les regrets.

Comprenant qu'il n'avait pas d'autre choix, Grimm prit la direction des Highlands, où il pourrait se fondre dans la nature. Il en connaissait la moindre crevasse, la moindre hutte. Il savait où trouver les sources et les abris naturels contre les rigueurs de l'hiver, qui déposerait bientôt ses capuchons blancs au sommet des montagnes.

Une fois encore, il lui faudrait résister à un froid inhumain.

Guidant Occam avec les genoux, Grimm fit deux tresses de guerre à ses tempes, en se demandant si un Berserker pouvait mourir d'un mal aussi bénin qu'une peine de cœur.

Jillian regardait tristement la pelouse noircie de Caithness. On était en novembre, et l'herbe brûlée demeurerait sous ses yeux jusqu'aux premières neiges. Elle ne pouvait sortir du château sans que s'impose à elle ce rappel de la nuit de l'incendie et du départ de Grimm.

Grimm, le lâche qui l'avait abandonnée...

Elle s'était efforcée de lui trouver des excuses, mais elle n'y était pas parvenue. L'homme le plus courageux qu'elle ait connu avait peur d'aimer. La souffrance qu'elle en concevait était infinie, mais elle refusait de s'y attarder. S'appesantir sur le vide de sa vie ne pouvait que la conduire à s'effondrer. Aussi préférait-elle entretenir sa colère contre lui, semblable à un bouclier pour protéger son cœur blessé. Qu'il aille au diable, il y sera en bonne compagnie !

— Il ne reviendra pas, *lass*... entendit-elle Ramsay déclarer d'une voix douce derrière elle.

Jillian serra les dents et se retourna pour lui faire face.

— Je pense être parvenue à cette conclusion moi-même, répondit-elle d'un ton égal.

Fièrement campé sur ses jambes, Ramsay la dévisageait avec insistance. Quand elle essaya de le contourner pour s'éclipser, il lui saisit fermement le poignet. Jillian tenta de se dégager, mais il était trop fort pour elle.

— Épousez-moi, Jillian ! Je vous traiterai comme une reine, je vous le jure. Jamais je ne vous abandonnerai.

Pas tant qu'il restera un sou de ma dot à dépenser, ajouta-t-elle pour elle-même.

— Laissez-moi ! siffla-t-elle.

Ramsay ne se laissa pas impressionner.

— À votre place, j'y réfléchirais à deux fois, reprit-il d'un ton insistant. Vos parents seront de retour d'un jour à l'autre et vous forceront à faire votre choix. Je serai un bon mari pour vous.

— Je ne me marierai jamais !

Le comportement de Ramsay changea instantanément. Elle fut choquée de voir son regard glisser jusqu'à son abdomen.

— Si un bâtard est allé se loger dans votre ventre, vous pourriez penser différemment ! affirma-t-il avec un rictus mauvais. Vos parents n'auront d'autre choix que de vous caser, et vous pourriez être heureuse d'avoir sous la main un homme décent qui accepte de vous épouser. Il existe un nom, pour les femmes de votre genre. Il ne suffit pas de jouer les saintes-nitouches pour être pure…

— Comment osez-vous ! s'étrangla-t-elle.

L'envie de le gifler fut le plus fort. Elle y céda au mépris de toute prudence.

Sur le visage de Ramsay, blême de rage, les doigts de Jillian laissèrent une marque rouge. Il lui saisit le poignet et l'attira vivement à lui.

— Vous regretterez ça un jour, *lass* ! lança-t-il avec véhémence.

Sur ce, il la repoussa si violemment que Jillian trébucha. Dans son regard, elle vit passer une lueur de sauvagerie et redouta qu'il ne la batte, ou pire encore. Tant bien que mal, elle se remit sur ses pieds et courut se réfugier dans le château, les jambes tremblantes.

— Il ne reviendra pas, tu sais…

Kaley s'était exprimée d'une voix douce, ce qui n'empêcha pas Jillian de réagir de manière épidermique.

— Oui, je le sais ! Pour l'amour de Dieu... pourriez-vous cesser, tous, de me le répéter à tout bout de champ ? J'ai l'air d'une idiote, c'est ça ?

En voyant les yeux de Kaley s'embuer, Jillian se sentit assaillie par le remords.

— Pardonne-moi... Je ne voulais pas m'emporter contre toi. Je ne suis plus moi-même, dernièrement. C'est juste que je m'inquiète pour... certaines choses.

— Certaines choses comme... un bébé ?

Jillian se raidit.

— Serait-il possible que...

Kaley n'acheva pas sa phrase. Elle n'en eut pas besoin. Jillian, l'air coupable, avait instantanément détourné le regard.

— *Och, lass*... murmura Kaley en la prenant dans ses bras.

Deux semaines plus tard, Gibraltar et Elizabeth Saint-Clair revinrent à Caithness.

Le retour de ses parents inspira à Jillian des émotions contradictoires. D'une part, elle était heureuse de les savoir revenus, mais d'autre part, elle redoutait d'être confrontée à eux. Aussi se cantonna-t-elle prudemment dans sa chambre en attendant qu'ils la fassent appeler. Ce qu'ils firent, mais pas avant le lendemain matin. A posteriori, elle comprit qu'elle avait commis une erreur en laissant à son diable de père le temps de rassembler quelques informations à son sujet.

Quand ils finirent par l'appeler, la joie de les revoir avait fait long feu et il ne restait plus dans son cœur que de l'appréhension. Ce fut d'un pas lourd qu'elle alla les rejoindre dans la bibliothèque.

— Maman ! Papa ! s'exclama-t-elle.

Elle se précipita dans leurs bras.

— Jillian...

Gibraltar mit rapidement un terme aux effusions. Comprenant qu'elle se trouvait dans de sales draps, Jillian tenta de faire diversion.

— Comment va Hugh ? Et mon cher neveu ?

Ses parents échangèrent un regard entendu. Sans un mot, Elizabeth alla s'installer dans un fauteuil devant la cheminée, laissant sa fille seule aux prises avec son père.

— As-tu choisi un mari, fille ? s'enquit celui-ci sans préambule.

Jillian inspira profondément.

— C'est de cela que je voulais discuter avec vous, père. En votre absence, j'ai eu le temps de réfléchir.

Gibraltar l'écoutait en la considérant d'un œil impassible. Jillian savait que ce n'était pas bon signe. Généralement, quand il la regardait ainsi, il était furieux contre elle. Avant de poursuivre, elle s'éclaircit nerveusement la voix.

— J'ai décidé... après mûre réflexion... que je... hum !

Jillian devait se reprendre et cesser de se conduire en coupable. Jamais Gibraltar Saint-Clair ne se laisserait infléchir par de tièdes protestations.

— Père ! reprit-elle avec plus de détermination. J'ai pris ma décision. Je préfère ne pas me marier. Ni maintenant ni jamais.

Voilà. Le plus dur était fait.

— C'est-à-dire que... enchaîna-t-elle, effrayée par sa propre audace. J'apprécie réellement les efforts que vous avez consentis, mère et vous, pour me trouver un mari. N'allez pas vous imaginer que je suis ingrate. Mais le mariage... n'est pas fait pour moi.

Pour faire bonne mesure, elle ponctua ces paroles d'un hochement de tête convaincu.

Gibraltar la dévisageait avec un mélange déstabilisant d'amusement et de condescendance.

— Jolie tentative, Jillian… commenta-t-il froidement. Mais je suis las de ces petits jeux. J'ai convoqué ici trois hommes pour que tu puisses choisir ton mari parmi eux. Il n'en reste que deux, et l'un comme l'autre sont de très beaux partis. Tu auras vingt-deux ans dans un mois et je veux qu'à cette date tes noces aient eu lieu. Cette fois, il n'y aura ni ruses ni comédies pour te tirer d'affaire. J'en ai plus qu'assez de tes combines ! Logan, ou de Moncreiffe ? Lequel choisis-tu ?

— Gibraltar ! protesta Elizabeth en se dressant d'un bond.

— Ne te mêle pas de ça ! répliqua fermement son mari. Je ne lui permettrai plus de me mener par le bout du nez ! Si nous la laissons faire, elle trouvera une raison après l'autre pour rester vieille fille.

— Peut-être, admit la mère de Jillian. Mais nous ne la forcerons pas à épouser un homme dont elle ne veut pas !

— Il va lui falloir accepter le fait qu'elle ne peut pas avoir pour mari l'élu de son cœur, Elizabeth. Il était ici, et il est parti. Il n'y a pas à revenir là-dessus.

Sans cesser de contempler sa fille qui, tête basse, jouait nerveusement avec les plis de sa robe, Gibraltar soupira et poursuivit :

— Crois-tu que je n'ai pas fait tout mon possible, Elizabeth ? Je connaissais les sentiments de Jillian à l'égard de Grimm. Mais je ne peux tout de même pas obliger celui-ci à l'épouser… Elle-même ne le voudrait pas, et rien de bon ne pourrait en résulter.

— Vous saviez que je l'aimais ! s'exclama Jillian.

Elle fit un pas, comme pour se précipiter dans ses bras, mais elle se reprit à temps et se tint devant lui, plus fière et raide que jamais. Gibraltar faillit éclater de rire. Pour ce qui était de l'entêtement, Jillian tenait décidément de sa mère.

— Naturellement, répondit-il d'un ton plus conciliant. Cela fait des années que je l'ai deviné au fond de tes yeux. C'est pour cette raison que je l'ai convoqué ici en notre absence. Kaley m'a expliqué qu'il était parti en te recommandant d'épouser Quinn. Cela me semble clair, non ?

D'un geste de la main, il signifia son agacement et conclut :

— Je ne donnerai pas la chair de ma chair à un âne trop stupide pour comprendre quel cadeau on lui fait ! Je ne confierai pas ma Jillian à un homme incapable de deviner quelle femme exceptionnelle elle est. Quel genre de père serais-je pour me lancer à sa poursuite et lui fourrer de force notre fille dans les bras ?

Elizabeth renifla doucement, luttant contre les larmes.

— Tu l'as convoqué ici parce que tu savais qu'elle était amoureuse de lui... s'émerveilla-t-elle. Oh, Gibraltar ! Même si je pense quant à moi qu'il n'est pas celui qu'il lui faut, tu avais vu clair : tu savais ce que ta fille désirait plus que tout au fond de son cœur.

Le plaisir de Gibraltar d'être l'objet de l'adoration de sa femme s'évapora rapidement lorsqu'il vit les épaules de sa fille s'affaisser.

— Je ne savais pas que vous... étiez au courant, dit-elle d'une toute petite voix.

— Comment aurais-je pu ne pas l'être ? répliqua-t-il gentiment. Et je sais ce que tu ressens à présent. Mais tu dois accepter la réalité, Jillian : il est parti.

— Comme si je ne le savais pas ! Quand allez-vous tous cesser de me le répéter ?

— Tant que tu t'obstineras à gaspiller ta vie. Je lui ai offert sa chance, et il s'est montré trop stupide pour la saisir. Tu dois reprendre le cours de ton existence.

— Il prétendait ne pas être assez bien pour moi, murmura-t-elle.

— C'est ce qu'il t'a dit ? intervint Elizabeth.

Jillian souffla pour chasser une mèche de son visage.

— En quelque sorte, répondit-elle. Il disait que je ne pouvais comprendre le risque que je courrais en l'épousant. Cette chose horrible qu'il s'imagine être sans doute, j'ignore totalement ce que c'est. Il se conduit comme si un épouvantable secret pesait sur toute son existence, et il m'a été impossible de lui ôter cette idée de la tête. J'ignore totalement ce dont il s'agit, mais je sais que je n'ai jamais rencontré d'homme meilleur et plus intègre que lui.

Avec un petit sourire contrit, elle se hâta d'ajouter :

— À l'exception de vous, père…

Perplexe, Gibraltar regarda sa fille lui tourner le dos et aller se réfugier devant la fenêtre, où elle s'abîma dans la contemplation de la pelouse noircie. Elizabeth, qui avait rejoint son mari, lui adressa un regard de reproche et lui murmura à l'oreille :

— Elle ne sait toujours pas. Dis-le-lui.

— Que c'est un Berserker ? s'étonna-t-il sur le même mode. C'est à lui de le faire.

— Il ne peut pas ! Il n'est pas là !

— Justement ! S'il ne peut lui faire confiance pour lui révéler qui il est, je vois mal comment il pourrait l'épouser. Manifestement, il n'est pas l'homme qu'il faut à ma Jillian.

— *Notre* Jillian !

Sans répondre, Gibraltar traversa la pièce et entoura les épaules de sa fille d'un bras consolateur.

— Je suis désolé, Jillian… Vraiment désolé. Je m'étais dit que peut-être il aurait changé avec le temps, mais ce n'est pas le cas. Il n'empêche que tu dois tout de même te marier. J'aimerais que ce soit avec Quinn.

À ces mots, elle se raidit.

— Je vous l'ai dit : je n'épouserai personne !

La mine sévère, Gibraltar rectifia :

— Bien sûr que si ! Je vais envoyer les bans dès demain, et d'ici trois semaines, tu épouseras *quelqu'un*.

Jillian fit volte-face, les yeux flamboyants de colère.

— Dans ce cas, vous devez savoir que je suis devenue sa maîtresse !

Elizabeth s'éventa rapidement avec la main.

Gibraltar haussa les épaules, sous le regard ébahi de son épouse.

— Un haussement d'épaules ? s'agaça Jillian. C'est tout ce que cela vous inspire ? Eh bien, si vous vous en fichez, père, j'imagine mal que mon futur mari puisse s'en accommoder aussi facilement.

— Moi, cela ne me pose aucun problème, assura Quinn sur le pas de la porte, les faisant sursauter.

Tous les regards se tournèrent vers lui.

— Un homme digne de ce nom, approuva Gibraltar.

— Oh, Quinn... protesta Jillian. Tu mérites mieux.

— Je te l'ai déjà dit, *lass* : je t'épouserai avec joie, sans regret, quel que puisse être ta situation. Si Grimm est trop fou pour saisir sa chance, je ne le suis pas. Je n'ai jamais compris pour quelle raison une femme est censée demeurer intouchée avant le mariage, alors qu'un homme peut se permettre toutes les aventures.

— Dans ce cas, c'est réglé ! conclut rapidement Gibraltar.

— Non, ça ne l'est pas ! protesta Jillian.

— Fille, il en sera ainsi, que cela te plaise ou non ! lança son père d'un ton sans réplique. Vous vous marierez dans trois semaines. La discussion est close, il n'y a pas à revenir là-dessus !

Ramsay Logan, qui venait d'apparaître derrière Quinn, ne l'entendit pas de cette oreille.

— Attendez ! s'écria-t-il. J'aimerais prétendre à sa main, moi aussi.

Gibraltar dévisagea alternativement les deux hommes avant de reporter son attention sur sa fille, qui demeurait interdite, la bouche entrouverte.

— Tu as douze heures pour te décider, Jillian... conclut-il. Je ferai partir les bans dès l'aube.

— Maman ! gémit-elle, au désespoir. Vous ne pouvez pas le laisser faire ça !

Mais Elizabeth Saint-Clair sourit à Jillian d'un air désolé et se contenta de suivre son époux hors de la bibliothèque.

— Peux-tu me dire ce que tu as en tête, cette fois ? demanda Elizabeth.

Gibraltar s'était assis sur un des appuis de fenêtres de leur chambre. La lueur des flammes dans l'âtre dorait les poils sur sa poitrine, entre les pans de son peignoir en soie. Nue sur le lit, Elizabeth prit une pose alanguie et eut la satisfaction de lire dans les yeux de son mari une convoitise sans fard.

— Par la lance d'Odin, femme ! tonna-t-il. Tu sais que je ne peux rien te refuser quand je te vois ainsi.

— Alors n'oblige pas Jillian à se marier, mon amour... répondit-elle simplement.

— Je n'en ai aucunement l'intention, répliqua Gibraltar avec un petit sourire. Les choses n'iront jamais jusque-là.

— Que veux-tu dire ?

Elizabeth retira une à une ses épingles à cheveux, laissant ceux-ci cascader en longues boucles dorées sur ses seins nus.

— Est-ce un autre de tes plans infâmes ? s'enquit-elle, amusée.

— Oui.

Gibraltar vint s'asseoir au bord du lit et caressa du bout des doigts la ligne harmonieuse du flanc de sa femme, s'attardant au creux de l'adorable indentation de sa taille, de la courbe délicieuse de sa hanche.

— Si Jillian n'avait pas reconnu être devenue sa maîtresse, expliqua-t-il, j'aurais été moins confiant. Mais Grimm est un Berserker, Elizabeth. Or, il ne peut y avoir qu'une seule femme dans la vie d'un Berserker. Jamais il ne laissera ce mariage arriver à son terme.

Une lueur de compréhension fit briller les yeux d'Elizabeth.

— Tu publies les bans uniquement pour le provoquer, déduisit-elle. Parce que c'est le meilleur moyen de le forcer à se déclarer lui-même.

— Comme toujours, nous nous comprenons parfaitement. Il va revenir ici ventre à terre.

— Quel plan astucieux ! Je n'y avais pas pensé. Jamais un Berserker n'acceptera que la femme de sa vie en épouse un autre.

— Espérons simplement que les légendes qui courent à leur sujet sont vraies. Le père de Gavrael m'a expliqué, il y a des années de cela, que lorsqu'un Berserker a fait l'amour avec sa promise, il ne supporte plus d'être dans les bras d'aucune autre femme. Gavrael viendra empêcher ce mariage, et il n'aura d'autre choix que de prendre place devant l'autel. Jillian se mariera bien dans trois semaines, et ce sera avec l'homme qu'elle aime : Grimm.

— Et que fais-tu des sentiments de Quinn ?

— Quinn ne s'imagine pas réellement qu'il va épouser notre fille. Il est, comme moi, d'avis que Grimm va revenir. J'ai discuté avec lui avant d'imposer mon ultimatum à Jillian, et il m'a donné son accord. Mais je dois admettre que l'intervention de Ramsay m'a surpris.

— Tu veux dire que tu avais comploté tout cela avant même de la voir ?

— C'était l'un des plans possibles, rectifia-t-il. Un homme doit être prêt à faire face à toutes les situations lorsque le bonheur des femmes qu'il aime est en jeu.

— Mon héros… susurra Elizabeth en battant des cils.

Incapable de résister à la tentation plus longtemps, Gibraltar la rejoignit sur le lit en grondant férocement :

— Je vais te montrer ce qu'est un héros…

Gibraltar n'aurait jamais imaginé que sa Jillian adorée pourrait bouder et se montrer cassante et désagréable trois semaines durant.

Pourtant, elle en fut capable.

Depuis le matin où elle avait glissé sous la porte de ses parents un billet sur lequel elle avait écrit *Quinn*, elle ne lui avait plus adressé la parole que par monosyllabes. À tous les autres occupants du château, elle posait inlassablement les mêmes questions : combien de bans avait-on affichés ? à quel moment ? en quel endroit ?

— Ont-ils été affichés à Durrkesh, Kaley ?

— Oui, Jillian.

— À Scurrington également ? Et à Édimbourg ?

Cette fois, ce fut Hatchard qui se chargea de répondre.

— Oui, Jillian.

Il était inutile de lui rappeler qu'elle lui avait posé la veille la même question.

— Et dans les petits villages des Highlands ? insista-t-elle. On les a affichés également ?

— Également, confirma Gibraltar, qui venait de faire son entrée. Il y a des jours de cela.

Jillian se raidit instantanément et tourna le dos à son père.

— Pourquoi t'intéresses-tu autant à ces bans, ma fille ? s'enquit-il d'un air matois.

— Simple curiosité, répondit-elle d'un ton dégagé.

Sur ce, digne et fière, elle quitta la pièce.

Les semaines passaient, et Grimm ne donnait pas signe de vie.

Même Quinn commençait à devenir nerveux.

— Que ferons-nous s'il ne vient pas ? demanda-t-il.

Il tournait comme un lion en cage dans le bureau de Gibraltar Saint-Clair. Les noces devaient avoir lieu le lendemain, et nul ne savait ce qu'était devenu Grimm Roderick.

— Il ne pourra que venir, assura le père de Jillian en leur servant un verre à tous deux.

Quinn accepta le gobelet qu'il lui tendait et le sirota d'un air pensif.

— Il doit savoir que le mariage doit avoir lieu demain, réfléchit-il tout haut. À moins qu'il ne se trouve plus en Écosse... Nous avons fait placarder ces satanés bans dans chaque village de plus de cent habitants !

Les yeux fixés sur les flammes dans l'âtre, Gibraltar et Quinn gardèrent un instant le silence.

— S'il ne vient pas, déclara enfin Quinn, moi j'irai jusqu'au bout.

— Ah ? s'étonna gentiment Gibraltar. Et pourquoi ferais-tu une chose pareille, mon garçon ?

Quinn haussa les épaules et maugréa sans le regarder :

— Je l'aime. Je l'ai toujours aimée.

Gibraltar secoua lentement la tête en faisant claquer sa langue.

— Il y a amour et *amour*, Quinn. Si tu ne te sens pas prêt à étriper Grimm simplement parce qu'il a osé la toucher, ce n'est pas le vrai amour que tu ressens. Jillian n'est pas pour toi.

Voyant qu'il se cantonnait dans un silence buté, Gibraltar éclata de rire et lui assena une tape sur la cuisse.

— C'est bien ce que je disais, poursuivit-il. Tu n'essaies même pas de me contredire !

— Grimm m'a dit quelque chose d'assez similaire, murmura Quinn sans quitter les flammes des yeux. Il m'a demandé si j'aimais vraiment Jillian, si elle me rendait fou... à l'intérieur.

Avec un sourire entendu, Gibraltar ajouta :

— Parce que c'est lui qu'elle rend fou.

— Ce que je veux, c'est qu'elle soit heureuse ! reprit Quinn avec ferveur. Jillian est une femme exceptionnelle, qui occupe une place à part dans mon cœur. Elle est généreuse, magnifiquement belle et… totalement amoureuse de Grimm !

Gibraltar leva son gobelet à sa santé en souriant.

— Je vois que nous sommes d'accord. S'il fallait en arriver là, je suspendrais la cérémonie et laisserais le choix à ma fille. Mais je ne la laisserai pas t'épouser sans lui avoir demandé son avis.

Tout en fixant Quinn intensément, il but une gorgée et conclut :

— En fait, je ne suis même pas sûr que je la laisserais t'épouser si elle était d'accord.

— Vous me blessez !

— Elle est ma petite fille chérie, Quinn. Je veux qu'elle vive un grand, un véritable amour. Le genre d'amour qui peut rendre un homme fou… à l'intérieur.

Tapie dans l'embrasure de la plus haute fenêtre de la tour ronde, Jillian observait la nuit. Des milliers d'étoiles constellaient le ciel mais elle n'en voyait aucune. Contempler le paysage nocturne lui faisait penser à ce qu'allait être son avenir sans Grimm : un grand vide obscur.

Comment pourrait-elle épouser Quinn ?

Comment pourrait-elle se dérober ?

Grimm n'était manifestement pas décidé à venir mettre un terme à ces noces. Les bans avaient été affichés dans toutes les paroisses du pays. Il ne pouvait ignorer que le lendemain, Jillian Saint-Clair devait épouser Quinn de Moncreiffe.

Quand son père lui avait imposé ce mariage, il lui aurait encore été possible de fuir. Mais ce soir, c'était inenvisageable. Ses règles avaient un retard de cinq semaines. Elle n'avait aucune nouvelle de Grimm. Elle avait cru en lui et s'était conduite comme une idiote.

Jillian posa la main sur son abdomen. Elle était peut-être enceinte, mais ce n'était pas une certitude. Son cycle avait souvent été irrégulier par le passé. En outre, sa mère lui avait révélé que d'autres éléments que la grossesse pouvaient perturber les règles d'une femme : un choc émotionnel... ou simplement le désir inconscient d'être enceinte.

Était-ce ce qui était en train de lui arriver ? Avait-elle à ce point envie de porter l'enfant de Grimm Roderick que son corps lui-même se leurrait ? Ou y avait-il réellement, à cet instant, un bébé en train de grandir en elle ? Comme elle aurait aimé le savoir ! Prenant une ample inspiration, elle s'obligea à relâcher son souffle lentement. Seul le temps apporterait la réponse.

Elle avait envisagé de se battre, de partir à la recherche de Grimm et de l'obliger à croire en leur amour, mais un dernier reste de fierté, combiné à un solide bon sens, l'en avait empêchée. Grimm livrait une bataille contre lui-même, qu'il lui revenait de gagner ou de perdre seul. Elle lui avait offert son amour, assurant qu'elle accepterait de vivre n'importe quelle vie à ses côtés. Que pouvait-elle faire de plus ? À présent, c'était à lui de lui donner son amour librement... s'il parvenait enfin à comprendre que l'amour était la seule chose en ce monde dont il ne fallait pas avoir peur.

Grimm était un homme intelligent et un homme de cœur. Il allait venir.

Jillian soupira longuement. Contre toute attente – que Dieu lui pardonne ! – elle y croyait encore.

Il va venir.

23

Mais Grimm ne vint pas.

Le jour des noces se leva, nuageux et glacial. Un fin grésil se mit à tomber dès l'aube, couvrant la pelouse mutilée d'une couche de glace noircie.

Du fond de son lit, Jillian écouta s'élever la rumeur du château se préparant à la fête. Un agréable fumet de faisan et de jambon rôtis fit gargouiller son estomac. Après s'être décidée à poser les pieds par terre, elle alla se planter devant son miroir. Des cernes bistre marquaient son visage, sous ses yeux d'ambre légèrement bridés.

Dans moins de six heures, Jillian aurait épousé Quinn de Moncreiffe.

Un brouhaha de voix de plus en plus insistant passait sous sa porte fermée. Depuis la veille, la moitié du comté avait élu domicile à Caithness. Cinq cents invitations avaient été lancées, et tous avaient répondu présent. Le vaste château n'y suffisait pas et il avait fallu trouver des chambres supplémentaires au village.

Cinq cents témoins pour assister à mon malheur, songea-t-elle lugubrement. Gageons qu'il y en aura moins à mes funérailles.

Jillian ferma les yeux, refusant de pleurer. En s'y risquant, elle avait peur de devoir essuyer des larmes de sang.

Sur le coup de onze heures, Elizabeth Saint-Clair tamponna délicatement ses yeux avec un mouchoir de dentelle.

— Tu es magnifique, ma fille... assura-t-elle dans un profond soupir. Encore plus belle que je ne l'étais le jour de mes noces.

— Vous ne pensez pas que ces poches sous mes yeux dénaturent ma beauté, mère ? répliqua Jillian d'un ton acerbe. Et ce pli amer sur mes lèvres, ne le voyez-vous pas ? Mes épaules se sont tant affaissées que j'ai l'air bossue et mon nez reste rouge tellement j'ai pleuré. Ne pensez-vous pas que nos invités vont trouver cela... quelque peu suspect ?

Rempochant son mouchoir, Elizabeth déposa une coiffe sur la tête de sa fille et rabattit devant son visage un fin voile bleu.

— Tu sais que ton père pense à tout, commenta-t-elle en haussant les épaules.

— Un voile ! s'étrangla Jillian. Mère ! Plus personne ne porte de voile, de nos jours...

— Tu en relanceras la mode, plaisanta Elizabeth. Avant la fin de l'année, toutes les femmes distinguées en porteront de nouveau.

— Comment pouvez-vous me faire ça, mère ? Étant donné ce qui vous unit, père et vous, comment pouvez-vous me condamner à un mariage sans amour ?

— Quinn est amoureux de toi. Ce mariage ne sera donc pas dépourvu d'amour.

— En ce qui me concerne, il le sera.

Elizabeth alla d'un pas lourd s'asseoir au bord du lit. Un long moment, elle demeura à fixer le plancher, avant de reporter son attention sur sa fille. Radoucie par la compassion qu'elle découvrit dans les yeux de sa mère, Jillian s'exclama :

— Vous ne vous en fichez pas !

— Bien sûr que non ! Qu'est-ce que tu vas imaginer ? Je suis ta mère...

Elizabeth dévisagea pensivement sa fille avant d'ajouter :

— Ma chérie... tu n'as pas à t'en faire comme cela. Ton père a un plan. Je ne devrais pas te le dire, mais... il ne compte pas t'imposer un mariage sans amour. Il pense que Grimm va venir s'y opposer.

Jillian eut un petit rire sans joie.

— Moi aussi, mère. Mais il reste dix minutes avant le début de la cérémonie, et il ne s'est toujours pas manifesté. Qu'est-ce que père compte faire ? Interrompre les noces au beau milieu s'il ne se montre pas ? Devant cinq cents invités ?

— Tu sais que ton père n'a jamais rechigné à se donner en spectacle. Ce diable d'homme m'a enlevée le jour de mes noces... et je pense qu'il espère secrètement pour toi un sort identique.

Jillian se surprit à sourire. L'histoire de la « cour » toute particulière que Gibraltar avait réservée à Elizabeth faisait ses délices depuis qu'elle était petite. Son père aurait pu donner des leçons à Grimm sur ce que c'est qu'être un homme. Bien que prêt à tout pour veiller sur elle, Grimm Roderick n'était pas prêt à se battre *pour* elle.

Elle prit une profonde inspiration, incapable de ne pas rêver, en dépit des évidences, à un tel dénouement pour elle-même.

— Nous sommes rassemblés aujourd'hui, famille, amis, voisins, afin d'unir cet homme et cette femme dans les liens sacrés du...

Jillian soufflait furieusement sur son voile, qui s'agitait un peu, sans pour autant lui permettre d'y voir plus clair. Le prêtre était à ses yeux bleuâtre, de même que Quinn. Pas de vie en rose pour elle le jour de ses noces... Et pourquoi en aurait-il été autrement ?

À la dérobée, elle lança un regard à Quinn, à côté d'elle. Malgré le désespoir qui lui étreignait le cœur, elle devait reconnaître qu'il avait belle allure. Vêtu de son tartan de cérémonie, il avait tiré ses cheveux longs vers l'arrière, mettant en valeur ses traits ciselés. La plupart des femmes auraient tout donné pour se trouver à la place de Jillian, pour jurer à cet homme amour et fidélité, pour gouverner avec lui sur ses terres et ses richesses, pour lui donner de beaux enfants blonds.

Pourtant, il n'était pas l'homme qu'il lui fallait.

Il viendra me chercher. Il viendra me chercher. Je sais qu'il viendra...

Jillian ne cessait de rabâcher cette prière silencieuse.

Grimm arracha à la volée une autre affiche du mur de l'église devant laquelle il passait. Après l'avoir roulée en boule, il la fourra dans une sacoche déjà pleine à craquer. Il se trouvait à Tummas, petit village des Highlands, lorsqu'il avait aperçu l'annonce clouée au mur d'un refuge menaçant ruine. Vingt pas plus loin, il n'avait pas tardé à en découvrir une deuxième, puis une troisième et une quatrième...

Jillian Saint-Clair allait épouser Quinn de Moncreiffe. Grimm lâcha une bordée de jurons entre ses dents. Combien de temps avait-elle attendu après son départ ? Deux jours ? Grimm n'avait pas dormi cette nuit-là, assailli par une rage noire qui avait failli le mettre en transe sans la moindre effusion de sang pour la provoquer.

Et depuis, cette rage n'avait cessé de s'intensifier. Il chevauchait Occam sans s'arrêter. Il était allé jusqu'aux abords de Caithness, avant de rebrousser chemin, arrachant tous les bans qui lui tombaient sous la main. Mais il n'avait pu s'empêcher de faire une nouvelle fois demi-tour en direction de Caithness, poussé par une force irrésistible dont il ne parvenait pas à comprendre l'origine.

Grimm écarta les tresses de guerre de son visage et gronda sourdement. Dans la forêt toute proche, un loup lui répondit d'un lugubre hurlement. De nouveau, il avait fait ce rêve étrange cette nuit-là : celui où Jillian regardait le Berserker prendre possession de lui. Dans ce rêve, Jillian posait sa paume fraîche sur sa poitrine. Elle plongeait son regard au fond du sien, et dans les yeux l'un de l'autre – ceux de la belle et ceux de la bête –, leur rencontre s'effectuait. Ce rêve avait permis à Grimm de comprendre qu'en lui la bête aimait Jillian autant que l'homme qu'il était, et qu'elle était incapable de lui faire le moindre mal. Il ne craignait plus désormais de la blesser, même au plus fort d'une transe.

Mais dans ce rêve, tandis que Jillian plongeait au fond de ses yeux luisants, la peur et la répulsion avaient tordu les traits de son beau visage. Elle s'était violemment écartée de lui, le bras tendu devant elle pour le tenir à l'écart, le suppliant de partir aussi loin et aussi vite que les sabots d'Occam le permettraient.

Le Berserker avait alors poussé un gémissement pathétique, pendant que le cœur de Grimm se transformait en bloc de glace. Tous deux étaient allés se terrer au plus noir des ténèbres, pour se dérober au regard horrifié de la belle...

Il était arrivé à Grimm de se demander ce qui pourrait venir à bout d'un Berserker. Désormais, il le savait : rien de plus qu'une expression de dégoût sur le visage de sa bien-aimée.

Grimm s'était éveillé de ce rêve tenaillé par le désespoir. Si les rêves avaient un sens et si elle découvrait sa véritable nature, elle ne lui pardonnerait jamais ce qu'il s'apprêtait à faire en ce jour de ses noces.

Mais avait-elle besoin de découvrir qui il était véritablement ?

S'il le fallait, il cacherait le Berserker au fond de lui pour toujours. Il ne sauverait plus personne, ne combattrait plus, et il éviterait plus que tout la vue du sang. Aux côtés de Jillian, il vivrait comme un homme normal. Ils feraient halte à Dalkeith. Hawk gardait à la disposition de Grimm une véritable fortune. Avec suffisamment d'argent pour acheter un château dans n'importe quelle contrée, ils chercheraient refuge là où les McKane ne les retrouveraient jamais et où personne ne connaîtrait son secret.

Si elle voulait toujours de lui.

Il savait qu'en se conduisant ainsi il n'obéirait pas au code de l'honneur, mais peu lui importait. Il se sentait incapable de laisser Jillian Saint-Clair épouser un autre homme tant qu'il lui resterait un souffle de vie.

Il comprenait à présent ce qu'elle avait su instinctivement, des années plus tôt, le jour où il s'était risqué à sortir du bois pour rejoindre la petite fille qu'elle était.

Jillian Saint-Clair était à lui.

Il était presque midi lorsque Grimm tomba dans une embuscade, à cinq kilomètres à peine de Caithness.

24

Jillian sortit en sursaut de sa rêverie éveillée. Le prêtre était presque arrivé à la partie cruciale de la cérémonie – les consentements. Elle tendit le cou, tourna discrètement la tête d'un côté et de l'autre à la recherche de son père, sans parvenir à le localiser. La grande salle était pleine à craquer. Les invités avaient envahi l'escalier, se pressaient à la balustrade du premier, occupant les moindres recoins.

La peur lui retourna le ventre. Se pouvait-il que sa mère ait inventé cette histoire de plan secret uniquement pour endormir ses craintes ? S'imaginait-elle qu'une fois la cérémonie commencée, elle n'aurait pas le courage de déshonorer ses parents – sans parler de Quinn – en refusant cette union ?

Le prêtre entonna d'une voix solennelle :

— S'il y a quelqu'un ici, aujourd'hui, qui s'oppose à ce que ces deux êtres s'unissent devant Dieu, qu'il s'exprime ou se taise à jamais.

Un grand silence était retombé sur l'assemblée, qui s'éternisa sans que quiconque ose le troubler. Les secondes se firent minutes, et l'on commença à s'agiter dans la salle.

Mais le silence perdura.

Jillian souffla de plus belle sur son voile et risqua un coup d'œil en direction de Quinn. Les mains jointes devant lui, le regard fixe, il paraissait statufié sur place. Elle murmura son nom, mais soit il ne l'entendit pas, soit il refusa de lui répondre. En désespoir de cause, elle reporta son attention sur le prêtre. Les yeux rivés sur l'épaisse bible reliée qu'il tenait entre ses mains, il paraissait avoir sombré dans une sorte de transe.

Que diable se passait-il ? Elle s'attendit à ce que retentisse la voix de Gibraltar Saint-Clair, venant mettre un terme à cette débâcle, mais ce fut celle de l'homme d'Église qui de nouveau s'éleva.

— J'ai dit : s'il y a ici quelqu'un qui s'oppose à cette union, qu'il s'exprime ou se taise à jamais.

Une fois encore, le silence retomba.

Les nerfs de Jillian étaient tendus à craquer. Il lui était impossible d'attendre plus longtemps. Si son père ne voulait pas venir à sa rescousse, elle se débrouillerait sans lui. Relevant son voile d'un geste impatient, elle foudroya le prêtre du regard et chuchota à mi-voix :

— Pour l'amour de Dieu, allez-vous enfin...

— Ne prenez pas ce ton avec moi, damoiselle ! l'interrompit-il sèchement. Je sais ce que j'ai à faire.

Ébranlée par sa réaction, Jillian sentit fléchir sa détermination.

Quinn lui prit la main et s'inquiéta :

— Quelque chose ne va pas, Jillian ? Tu ne te sens pas bien ? Qu'est-ce qui te chagrine ?

Je ne peux pas t'épouser !

La réplique avait fusé dans son esprit, mais avant qu'elle ait pu la prononcer de vive voix, les portes de la grande salle s'ouvrirent d'un coup, suscitant des cris d'inquiétude et d'indignation parmi la foule.

Tous les regards se tournèrent vers l'entrée.

Un grand étalon gris s'avança sur le seuil, ses naseaux recrachant des panaches de buée dans l'air glacé. En le découvrant, Jillian écarquilla les yeux. La scène n'aurait pas déparé un conte de fées romantique à souhait : un prince magnifique, débarquant au château de sa belle sur son fier destrier, auréolé de gloire, pour clamer à la face du monde son amour éternel. Une joie profonde embrasa le cœur de Jillian.

Mais bientôt, en observant de plus près son « prince », il lui fallut réviser son jugement : la scène ressemblait *presque* à un conte de fées. Grimm était habillé d'un tartan détrempé et boueux. Deux tresses de guerre ornaient ses tempes. Son visage et ses mains étaient maculés de sang. Même si une détermination sans faille faisait briller son regard, une déclaration d'amour éternel ne semblait pas faire partie de ses priorités.

— Jillian ! rugit-il.

Elle sentit ses genoux s'entrechoquer. Tout ce qui dans la salle n'était pas Grimm se fondit pour elle dans un brouillard indistinct. Ses yeux d'un bleu de glace brillaient d'un éclat singulier. Sa silhouette massive emplissait l'encadrement de la porte. Il était majestueux, étincelant, invincible. Il était finalement ce guerrier sans peur et sans reproche prêt à affronter la Terre entière pour conquérir son amour.

D'un coup de talon, il fit avancer Occam. La foule s'écarta devant lui.

— Grimm... dit-elle en le regardant approcher.

Il fit stopper sa monture et se laissa glisser à terre juste devant l'autel. Campé devant Quinn, il l'affronta du regard un moment, avant que celui-ci n'incline légèrement la tête et ne recule d'un pas. Un murmure de stupéfaction s'éleva dans la grande salle. Cinq cents paires d'yeux ne perdaient pas une miette du spectacle qui leur était offert.

Au pied du mur, Grimm ne sut que dire. Jillian ressemblait à quelque déesse habillée de soie. Lui-même, trempé comme une soupe et couvert de boue et de sang, faisait piètre figure, alors que l'impeccable Quinn, resplendissant et titré, possédait tout ce qui lui manquait.

Le sang sur ses mains constituait pour lui un cuisant rappel qu'en dépit de ses bonnes résolutions, il demeurait un Berserker dans l'âme, et que les McKane n'avaient pas renoncé à le pourchasser. Ils lui avaient tendu un piège, et il n'osait imaginer ce qui se serait passé si Jillian avait été avec lui. Quatre d'entre eux avaient réussi à s'échapper. Tous les autres étaient morts, mais ces quatre-là suffiraient à en rameuter d'autres, et la traque se poursuivrait, jusqu'à ce que périsse le dernier des McKane, ou que lui-même finisse par tomber sous leurs coups. Ainsi que quiconque aurait le malheur de se trouver en sa compagnie...

Qu'espérait-il accomplir dans ces conditions en emmenant Jillian avec lui ? Quel rêve dément l'avait-il guidé jusqu'à Caithness aujourd'hui ? Par quelle aberration s'était-il imaginé pouvoir lui cacher sa véritable nature ? Et comment survivrait-il à sa réaction horrifiée lorsqu'elle saurait qui il était véritablement ?

— Je ne suis qu'un imbécile, confia-t-il à mi-voix.

Un sourire se dessina sur les lèvres de Jillian.

— Oui, approuva-t-elle. Tu l'as prouvé en maintes occasions, Grimm Roderick. Notamment la dernière fois que tu m'as quittée. Mais je pense pouvoir te pardonner, à présent que tu es de retour.

Grimm en resta pantois. Berserker ou pas, la cause était entendue : cette femme devait être sienne.

— Acceptes-tu de me suivre, Jillian ?

Tout sourire, elle acquiesça d'un hochement de tête.

Grimm sentit une émotion profonde s'emparer de lui.

— Je suis désolé, Quinn... commença-t-il en se tournant vers lui.

Il aurait voulu en dire davantage, mais son ami ne lui en laissa pas l'opportunité. Penché vers lui, il lui murmura un conseil à l'oreille qui lui fit crisper les mâchoires. Ils se jaugèrent un instant du regard, puis Grimm finit par donner son accord d'un signe de tête.

— Dans ce cas, conclut Quinn, vous partez avec ma bénédiction.

Grimm tendit les bras vers Jillian, qui se coula avec délices contre lui. Avant de succomber à l'envie de l'embrasser follement, il la saisit par la taille, la jucha sur le dos de sa monture et s'installa derrière elle.

Jillian observa les visages qui l'entouraient. Ramsay dardait sur Grimm un regard chargé de tant de haine qu'elle en demeura interdite. Quinn, quant à lui, affichait une expression à mi-chemin entre l'inquiétude et l'acceptation résignée. Enfin, elle parvint à localiser son père, qui serrait sa femme contre lui. L'expression d'Elizabeth était sombre. Gibraltar lui adressa un sourire réconfortant, puis il hocha la tête en guise d'approbation à l'intention de sa fille.

Jillian se laissa aller en soupirant de plaisir contre la large poitrine de Grimm.

— Je suis prête à vivre n'importe quelle vie, du moment que je la vis près de toi, Grimm Roderick.

Il ne lui en fallait pas davantage que l'entendre répéter ce serment qu'elle lui avait déjà fait. Tendrement, il la serra dans ses bras et secoua les rênes pour mener Occam vers la sortie.

En les regardant quitter Caithness, Gibraltar Saint-Clair commenta avec satisfaction :

— Voilà ce que j'appelle demander une femme en mariage !

Résurrection du clan McIllioch

(une prophétie)

Selon la légende, les McIllioch connaîtront durant mille ans une période de prospérité, offrant au monde de grands guerriers qui feront beaucoup pour la gloire et la sécurité d'Alba.

Dans la fertile vallée de Tuluth, un château sera érigé autour du Hall des Dieux, et nombreux seront ceux à convoiter les richesses qui appartiendront à la race bénie de la nation écossaise.

Une devineresse a prédit qu'un clan envieux pourchasserait les McIllioch jusqu'à ce qu'il n'en reste que trois. Ces trois-là se retrouveront éparpillés comme graines au vent de la traîtrise, et tout paraîtra perdu pour le clan. La vallée de Tuluth connaîtra alors une sombre période de désespoir et d'affliction.

Mais prêtez l'oreille à l'espoir qui revient parmi vous, fils d'Odin, car les trois derniers des McIllioch seront réunis par Sa toute-puissance. Lorsque le jeune McIllioch aura trouvé sa véritable compagne, celle-ci le ramènera chez lui. Alors, l'ennemi sera définitivement vaincu et les McIllioch pourront vivre un nouvel âge d'or.

25

Ils chevauchèrent à bride abattue jusqu'au soir, puis Grimm fit halte à l'abri d'un bosquet. En quittant Caithness, il avait prélevé dans son paquetage un tartan de réserve, dans lequel il avait soigneusement enveloppé Jillian.

Il n'avait pas prononcé un mot depuis leur départ. Son visage avait paru si sombre qu'elle avait préféré garder le silence et lui laisser le temps de faire le tri dans ses pensées. Elle s'était contentée de se lover contre lui, savourant le rude contact de son corps. Il était venu la chercher, c'était tout ce qui comptait. Car cela signifiait qu'il tenait à elle et la garderait près de lui.

Il ne pleuvait plus lorsque, enfin, il fit stopper Occam, mais la température avait dramatiquement chuté. L'hiver gagnait du terrain. Elle soupçonnait qu'ils se dirigeaient droit vers les Highlands, où les vents glacés soufflaient deux fois plus fort que dans les Lowlands. Elle resserra le tartan autour d'elle.

Grimm descendit de cheval, la fit descendre à son tour et garda les mains sur ses hanches en s'exclamant :

— Par tous les dieux ! Comme tu m'as manqué…

Jillian secoua la tête, ravie, et répliqua :

— Pourquoi as-tu mis tout ce temps ?

Une expression indéchiffrable sur le visage, Grimm contempla ses mains, qui avaient bien besoin d'un bon lavage. Tout en s'activant avec une gourde d'eau et un bout de chiffon à les décrasser, il marmonna vaguement :

— Je me suis retrouvé pris dans un petit accrochage en route et...

Le reste se perdit dans un marmonnement sourd.

— Ce n'est pas ce que je voulais dire. Il t'a fallu plus d'un mois pour te décider... Était-ce si compliqué pour toi de comprendre que tu ne pouvais te passer de moi ?

Jillian se força à sourire pour camoufler sa douleur.

— Ne va pas t'imaginer une chose pareille ! protesta-t-il en se tournant vivement vers elle. Je me réveillais en te désirant. Je m'endormais en ayant envie de toi. Dans une trouée du soleil à travers les arbres, je voyais tes yeux. Jillian, j'ai attrapé une fièvre dont je ne guéris que lorsque je me trouve près de toi.

Un sourire radieux éclaira le visage de Jillian.

— Tu es presque pardonné, assura-t-elle. Mais dis-moi tout de même : t'imaginais-tu ne pas être assez bien pour moi, Grimm Roderick ? Parce que tu n'es pas titré ?

En l'absence de réponse de sa part, elle s'empressa de le rassurer.

— Tu dois savoir que je m'en fiche. Ce n'est pas un titre qui fait la valeur d'un individu, et tu es sans l'ombre d'un doute l'homme le plus valeureux que j'aie jamais rencontré.

Le silence têtu de Grimm ne découragea pas Jillian, qui tenta une autre approche.

— Quinn m'a expliqué que tu penses avoir hérité d'une sorte de folie dont ton père serait atteint ? Il prétend que cela n'a aucun sens, et je suis d'accord avec lui, car aucun homme n'est plus intelligent que toi – sauf quand tu ne me fais pas confiance.

Décontenancé, Grimm la dévisagea un instant avant de demander :

— Quinn t'a-t-il dit autre chose ?

— Il m'a dit aussi que tu m'aimais, répondit-elle simplement.

D'un geste vif, il attira Jillian contre lui et la serra dans ses bras. Les mains plongées dans ses cheveux, il l'embrassa avec urgence. Elle savoura le contact de son corps dur comme pierre contre le sien, sa langue joueuse titillant la sienne, ses mains fortes enserrant son visage. Elle se sentit fondre de désir et s'accrocha à lui, en une prière muette pour obtenir davantage. Au cours de la dernière heure, elle avait perdu la notion de ce qui les entourait pour ne plus penser, avec des détails troublants, qu'aux différentes positions dans lesquelles elle brûlait de faire l'amour avec lui.

À présent, elle s'embrasait littéralement et répondait à son baiser avec une fougue égale à la sienne. Déjà prête à l'accueillir en elle, elle pressa son bassin contre le sien. Mais, loin de l'inciter à aller plus loin, cette audace sembla le repousser.

Le baiser prit fin aussi soudainement qu'il avait commencé.

— Nous devons y aller, annonça-t-il d'une voix tendue. Nous avons encore une longue route à faire. Je ne tiens pas à te garder dans le froid plus longtemps.

Sur ce, il s'écarta d'elle si brutalement que Jillian faillit crier de frustration. Ce baiser lui avait échauffé les sens au point qu'elle ne ressentait plus les atteintes du froid, et elle n'avait aucunement l'intention d'attendre une minute de plus pour faire l'amour avec lui.

Clignant rapidement ses paupières, elle porta la main à son cœur et chancela légèrement. Grimm la dévisagea et s'inquiéta :

— Tu ne te sens pas bien, *lass* ?

— Non, répliqua-t-elle en lui lançant un regard alangui entre ses cils baissés. Honnêtement, je me sens un peu bizarre, Grimm, et je ne sais que faire pour y remédier.

Instantanément, il rejoignit Jillian, qui se tenait prête à refermer son piège sur lui.

— Où as-tu mal ? Est-ce que je peux…

— Là ! lança-t-elle en s'emparant de sa main pour la poser sur son sein. Et là aussi…

Fermement, elle guida l'autre main de Grimm jusqu'à sa hanche.

Grimm inspira plusieurs fois à fond.

— Jillian… gémit-il.

— Eh bien, eh bien ! se réjouit-elle en laissant ses mains partir en exploration le long de son corps. Tu sembles souffrir du même mal, toi aussi.

Jillian empoigna la hampe dressée de son sexe à travers son tartan. Un grondement sourd monta de la gorge de Grimm, puis ils s'exprimèrent simultanément en se coupant la parole :

— Il fait trop froid ici, *lass*. Je ne veux pas…

— Je ne suis pas…

— … te rendre malade à cause de mes besoins égoïstes…

— … en sucre, Grimm. Et que fais-tu de *mes* besoins égoïstes ?

— … et je ne peux te faire l'amour dans les règles en plein air.

— Ah oui ? se moqua-t-elle. Et tu n'as pas envie de faire l'amour avec moi autrement que « dans les règles » ?

Alors qu'ils s'affrontaient du regard, Jillian vit les yeux de Grimm s'assombrir. Sa résolution paraissait inébranlable, ce qui l'agaça. Il prenait en compte tous ses besoins, sauf celui qui importait le plus.

— Fais-le ! ordonna-t-elle d'une voix rauque. Prends-moi ! *Maintenant !*

Cette fois, c'était une tempête qui se déchaînait au fond de ses yeux. L'espace d'un instant, Jillian s'effraya des forces qu'elle venait de libérer, avant de se rassurer. Elle le voulait exactement tel qu'il était.

Sa passion déferla sur elle avec la force d'un ouragan. Ils se jetèrent l'un contre l'autre sans retenue. Grimm fit reculer Jillian jusqu'à l'adosser à un arbre, remonta impatiemment sa robe et repoussa son tartan, sans cesser d'embrasser ses paupières, son nez, ses lèvres, plongeant la langue si profondément en elle qu'elle crut se noyer.

— J'ai tant besoin de toi, Jillian Saint-Clair ! Depuis l'instant où je suis monté en selle derrière toi, je n'ai eu en tête que l'envie de m'enfouir en toi, sans un mot d'excuse ou de justification.

— Oui ! répondit-elle avec ferveur. C'est ce que je veux !

Alors, d'un rapide coup de reins, Grimm la pénétra. Désormais, c'était dans le corps de Jillian que l'ouragan se déchaînait avec une furie dévastatrice.

La tête rejetée en arrière, elle cria de plaisir sans retenue, certaine que seules les bêtes sauvages pouvaient l'entendre. Elle se mouvait avec urgence contre lui, roulant des hanches, les mains agrippées aux épaules de Grimm, les jambes enserrant fermement sa taille. Seuls des grognements et gémissements de passion franchissaient le seuil de leurs lèvres. Les paroles, entre eux, n'étaient plus nécessaires. En s'unissant de la manière la plus intime qui soit, leurs corps parlaient une langue très ancienne qui ne prêtait à aucune équivoque.

— Jillian ! s'exclama-t-il en explosant de plaisir.

Il n'en fallut pas davantage pour qu'elle le suive aussitôt dans l'extase. Ensuite, ils demeurèrent immobiles, accrochés l'un à l'autre, comme si plus rien, jamais, ne devait les séparer. Et lorsque Jillian sentit Grimm reprendre vigueur en elle, elle sut qu'elle était parvenue à le convaincre qu'un peu d'air frais n'avait jamais fait de mal à personne.

Grimm siffla Occam, qui sortit du bois où il était allé vagabonder. Quand son cheval l'eut rejoint, il vérifia l'arrimage du chargement. Il faisait presque nuit à présent. Il leur fallait se remettre en route sans tarder. Dans quelques heures, ils auraient atteint les Highlands et il pourrait leur trouver un endroit clos où dormir. Par-dessus son épaule, il lui jeta un coup d'œil inquiet. Il était impératif à ses yeux de veiller du mieux possible à son confort.

— As-tu faim ? s'enquit-il. Es-tu suffisamment au sec ? Suffisamment au chaud ?

— Non, oui et oui, répondit-elle laconiquement. Où allons-nous ?

Encore sous le coup de leurs ébats fougueux, elle s'était exprimée d'une voix rêveuse et légèrement enrouée.

— Je connais un cottage abandonné à quelques heures de cheval d'ici.

— Ce que je voulais savoir, c'est où tu m'emmènes ensuite.

Grimm prit le temps de peser sa réponse. Il avait tout d'abord prévu de se rendre à Dalkeith, puis d'en repartir aussitôt après avoir récupéré sa fortune et organisé leur fuite. Mais progressivement, l'idée s'était imposée à lui qu'il ne leur serait peut-être pas nécessaire de fuir. Il avait eu tout le temps d'y réfléchir depuis leur départ de Caithness, et une remarque de Quinn lui était revenue à l'esprit.

— Lève une armée ! Moi-même, si tu me le demandes, je combattrai les McKane à tes côtés.

Hawk, lui aussi, serait sans doute prêt à joindre ses troupes à ce combat. Et Grimm avait fait connaissance à la cour de nombre de guerriers valeureux qui, contre rétribution, ne demanderaient pas mieux que de faire de même.

Il avait fini par renoncer à l'idée d'emmener Jillian hors d'Écosse, loin de sa famille. Il savait ce qu'il en coûtait de devoir vivre sans attaches. S'il parvenait à triompher des McKane, il pourrait s'offrir des terres non loin de celles des Saint-Clair. Ainsi, il n'aurait plus qu'un seul démon à combattre. Il pourrait consacrer toute son énergie à dissimuler à Jillian sa véritable nature et à demeurer pour elle un mari acceptable.

— Promets-moi que tu lui diras la vérité ! lui avait soufflé Quinn à l'oreille.

Et Grimm avait consenti d'un hochement de tête. Mais il n'avait pas précisé quand il comptait honorer sa promesse... Ce pouvait être l'année prochaine, comme dans une éternité. Entre-temps, il avait d'autres batailles à livrer.

— Dalkeith-Upon-the-Sea, répondit-il enfin à Jillian. Mon meilleur ami, Hawk, est le laird du clan Douglas. Il y vit avec sa femme. Tu seras en sécurité là-bas.

La perspective d'une prochaine séparation alerta Jillian.

— Que veux-tu dire par là ? s'étonna-t-elle. *Nous* y serons en sécurité !

Sans un mot, il s'activa à vérifier la selle.

— Grimm... insista-t-elle.

Il marmonna une réponse délibérément inintelligible. Peu disposée à le laisser s'en tirer ainsi, elle ajouta d'un ton plus ferme :

— Dis-moi que tu ne comptes pas me laisser seule à Dalkeith !

— Seulement pour quelque temps, répliqua-t-il enfin sans relever la tête. J'ai quelque chose à faire, et je veux être sûr que tu seras en sécurité en mon absence.

Plutôt que de s'insurger immédiatement, Jillian préféra prendre le temps de la réflexion. Grimm avait prévu de la laisser en compagnie de son meilleur ami et de la femme de celui-ci. Des gens, sans aucun doute, qui sauraient des choses sur cet homme mystérieux dont elle était tombée amoureuse. À défaut d'être ce dont elle avait rêvé, la situation pouvait s'avérer profitable. Elle aurait aimé qu'il se confie à elle, qu'il lui avoue ce qui avait fait de lui un homme solitaire, mais elle allait devoir composer et se contenter de ce qu'il lui offrait. Peut-être ce qui lui était arrivé autrefois était-il trop douloureux pour qu'il puisse en discuter avec elle.

— Où se trouve Dalkeith ? s'enquit-elle.

— Dans les Highlands.

— Près de l'endroit où tu es né ?

— Plus loin encore. Il nous faudra contourner Tuluth pour y parvenir.

— Le contourner ? s'étonna-t-elle. Pourquoi ne pas simplement y passer ?

— Parce que je ne suis jamais retourné à Tuluth et que je n'ai aucune intention d'y retourner maintenant. De toute façon, le village a été détruit.

— Eh bien… s'il a été détruit, il est encore plus bizarre de devoir le contourner. Pourquoi éviter à tout prix d'y passer ?

— Jillian… protesta Grimm en arquant un sourcil. Faut-il vraiment que tu te montres à tout propos aussi *logique* ?

— Et toi ? riposta-t-elle, un sourcil arqué elle aussi. Faut-il vraiment que tu te montres à tout propos si évasif ?

— Je n'ai simplement pas envie de passer par là. D'accord ?

— Es-tu absolument certain que le village est en ruine ?

En voyant Grimm enfouir une main dans sa chevelure, Jillian comprit enfin de quoi il retournait. Il ne réagissait ainsi que lorsqu'elle lui posait une question à laquelle il n'avait pas envie de répondre. Elle se mordit l'intérieur de la joue pour ne pas rire. Si elle continuait à le titiller, il allait finir par s'arracher les cheveux par poignées… Mais elle avait besoin de réponses. Qu'est-ce qui pouvait bien l'inciter à éviter Tuluth comme la peste ? Sous le coup d'une intuition soudaine, elle porta la main à sa bouche et murmura :

— Oh, mon Dieu ! Des membres de ta famille sont toujours en vie, n'est-ce pas ?

Grimm tourna vivement la tête et darda sur elle ses yeux perçants. Elle le vit jouer avec ses tresses de guerre. Se mordant la lèvre pour ne pas sourire, elle attendit.

— Mon père est toujours de ce monde, avoua-t-il enfin.

Même si cela n'avait rien d'une surprise, le fait qu'il finisse par l'admettre la désarçonna un instant.

— Y a-t-il autre chose que tu ne me dis pas, Grimm ?

— Quinn t'a dit la vérité, ajouta-t-il amèrement. Mon père est un pauvre vieux fou.

— Il est véritablement fou, ou tu dis ça parce que tu es en désaccord avec lui sur certains points, comme la plupart des gens avec leurs parents ?

— Je n'ai pas envie d'en parler.

— Quel âge a ton père ? Te reste-t-il d'autres membres de ta famille ?

Grimm s'écarta d'Occam et se mit à faire les cent pas.

— Non ! répondit-il sèchement.

— À quoi ressemble l'endroit où tu as grandi, Tuluth ?

— Ce n'était pas à Tuluth même, grogna-t-il entre ses dents serrées. J'ai grandi dans un château glacial et austère, au flanc d'une montagne dominant le village.

Jillian se demanda quels autres mystères elle pourrait éclaircir en poursuivant son interrogatoire.

— Si tu as grandi dans ce château, réfléchit-elle tout haut, c'est que tu y étais soit le fils d'une servante, soit...

Les yeux agrandis par la surprise, elle le toisa de pied en cap et secoua la tête.

— Et dire que je te croyais tourmenté par ton absence de titre ! s'exclama-t-elle. Tu es le fils d'un chef de clan, n'est-ce pas ? Peut-être même le fils aîné ?

Le voyant détourner le regard, elle décida d'enfoncer le clou, n'écoutant que son intuition :

— Tu seras donc laird un jour ! Il y a tout un clan, à Tuluth, qui attend ton retour ?

— Jamais ! Je ne retournerai jamais à Tuluth, point final. Mon père est un vieux fou et le château est en ruine. Avec la destruction du village, la moitié de mon clan a été décimée il y a des années, et le reste a dû s'éparpiller et aller s'installer ailleurs pour échapper à la folie du laird. À part des tas de pierres croulantes envahies par les ronces, je doute qu'il reste quoi que ce soit là-bas.

L'esprit de Jillian bourdonnait comme une ruche. Quelque chose, dans ce récit, n'avait pas de sens. Il y manquait sans doute une information fondamentale pour en livrer la clé. Même si, comme il l'affirmait, le village était en ruine, l'endroit où Grimm avait grandi se trouvait sur leur route et pouvait éclaircir le mystère de son enfance.

— Pourquoi es-tu parti ? demanda-t-elle doucement.

Il lui fit face, ses yeux bleus étonnamment lumineux dans la lumière déclinante.

— Jillian, par pitié… Pas tant de questions à la fois. Laisse-moi un peu de temps. Ces choses… je n'en ai jamais parlé à personne.

Son regard l'exhortait à la patience et à la compréhension.

— Je peux te laisser du temps, admit-elle. Je serai patiente, mais je ne renoncerai pas.

— Promets-le-moi ! lança-t-il, soudain grave. Promets-moi que tu ne renonceras jamais, quoi qu'il arrive.

— Renoncer à toi ? Impossible !

Dans l'espoir d'égayer son visage, qui s'était assombri, elle enchaîna d'un ton léger :

— D'ailleurs, si je n'ai pas renoncé à toi jusqu'à présent alors que tu t'es montré si méchant avec moi depuis que je suis toute petite, c'est bien que je ne le ferai jamais !

— À *nous*, rectifia-t-il. Promets-moi que tu ne renonceras jamais à nous.

Grimm la prit dans ses bras et la fixa avec intensité.

— Je te le promets, répondit-elle dans un souffle. Et ma parole a autant de valeur que celle d'un guerrier.

Grimm se détendit imperceptiblement.

— Es-tu certaine que tu n'as pas faim ? demanda-t-il, changeant abruptement de sujet.

— Je peux attendre que nous nous arrêtions pour la nuit...

Elle avait dit cela d'une voix absente, trop occupée par ses cogitations pour prêter attention aux exigences de son corps. Elle ne se demandait plus pourquoi il était venu si tard la chercher, dépenaillé et couvert de sang et de boue. Il était venu, c'était tout ce qui comptait. D'autres questions sans réponses, plus lancinantes encore, occupaient ses pensées.

Ils se remirent en route, et Jillian se laissa aller dans l'abri très sûr et très ferme de ses bras. Quelques heures plus tard, elle avait pris sa décision. Le lendemain, elle serait prise d'un mal si soudain et douloureux qu'il les empêcherait de poursuivre leur route jusqu'à Dalkeith.

Elle ne pouvait se douter que, le matin venu, les événements se chargeraient de favoriser ses plans.

26

Jillian roula sur le côté, s'étira et chercha Grimm dans la pénombre. Des fourrures obstruaient les fenêtres du cottage. Elles offraient l'avantage de les protéger du vent froid, mais elles laissaient entrer peu de lumière. Du feu dans l'âtre, il ne restait qu'un tas de braises. À la lueur rougeoyante qu'elles diffusaient, l'homme allongé à son côté – un bras replié sous sa tête, l'autre posé sur elle – avait tout d'un fier Viking à la peau de bronze.

Lorsqu'ils étaient arrivés la veille, Grimm avait préparé un grand feu et fait fondre des baquets de neige pour qu'ils puissent prendre un bain qu'ils avaient partagé. Après avoir frissonné dans l'air glacial, ils s'étaient rapidement réchauffés au brasier de leur passion. Sur un épais matelas de fourrures, ils avaient longuement fait l'amour, et le corps de Jillian se ressentait encore de ce marathon érotique. Il lui suffisait de songer aux jeux dans lesquels il l'avait entraînée pour sentir ses joues s'empourprer et son cœur s'emballer.

Ces pensées licencieuses s'effacèrent d'un coup quand elle sentit brusquement son estomac se retourner. Le souffle coupé par cette soudaine nausée, elle se roula en boule sur le flanc et attendit que le mal s'apaise. Étant donné qu'ils avaient très peu mangé la veille et s'étaient beaucoup dépensés au cours de la nuit, elle conclut qu'elle était probablement affamée. Un mal de ventre pouvait l'aider à convaincre Grimm qu'elle était incapable de poursuivre le voyage, mais suffirait-il à l'obliger à s'arrêter dans un village qu'il s'était juré de ne plus jamais revoir ?

Une nouvelle nausée, plus forte encore que la précédente, vint lui prouver qu'elle n'aurait peut-être pas besoin de simuler. S'efforçant de ne pas le réveiller, elle tenta d'échapper à l'étreinte de Grimm pour tendre le bras vers une sacoche dans laquelle elle avait aperçu la veille une miche de pain. Mais, dans son sommeil, il resserra instinctivement sa prise autour de sa taille, l'empêchant de bouger.

Un nouvel élancement lui arracha un petit cri, qui réveilla Grimm instantanément.

— Qu'est-ce qu'il y a ? s'écria-t-il, hagard, en se redressant sur le lit.

En dépit de son état, Jillian ne put que s'émerveiller de sa beauté. Ses longs cheveux noirs retombaient librement autour de son visage, et ses lèvres sensuelles étaient plus appétissantes que jamais.

— Je t'ai fait mal dans mon sommeil ? reprit-il d'une voix rauque. Réponds-moi, *lass* !

— Pas du tout. Simplement… je ne me sens pas bien. Mon ventre me fait mal.

— Tu as peut-être besoin de manger quelque chose ?

Sans attendre de réponse, il alla fouiller leurs bagages et ramena un quartier de bœuf salé et graisseux qu'il lui agita sous le nez.

— Oh, non ! protesta-t-elle en s'écartant vivement.

Elle s'éloigna de lui autant que possible, mais les haut-le-cœur qui la secouaient eurent bientôt raison d'elle. Elle demeura prostrée sur le sol. Grimm fut à son côté en une fraction de seconde. Tendrement, il la prit dans ses bras et repoussa les cheveux de son visage du bout des doigts.

— Laisse-moi ! gémit-elle faiblement. Ne me regarde pas !

Il était rarement arrivé à Jillian d'être malade, mais lorsque cela s'était produit, elle avait toujours détesté que quiconque puisse la voir dans un tel état de faiblesse.

L'esprit en proie à la plus grande confusion, elle se demanda si elle n'était pas punie pour avoir envisagé de se montrer déloyale envers Grimm en simulant la maladie. Pourtant, c'était pour la bonne cause : il leur fallait absolument passer par Tuluth. Les réponses dont elle avait besoin s'y trouvaient sans doute. Elle qui avait toujours été la droiture incarnée, ne pouvait-elle se permettre cette légère entorse à son code de conduite ?

En faisant de son mieux pour réconforter Jillian, Grimm réfléchissait intensément. Que se passait-il ? Il était en proie à un mélange d'émotions déstabilisantes qui le paralysaient : la peur, l'impuissance, la conscience que Jillian représentait tout pour lui, et qu'il aurait donné n'importe quoi pour la débarrasser de sa souffrance.

— Ça va aller, lass... assura-t-il. Que puis-je faire ? De quoi as-tu besoin ?

Pour toute réponse, elle se tordit de nouveau entre ses bras, et il ne put rien faire d'autre que serrer son corps tremblant contre lui.

Grimm eut l'impression qu'une éternité s'écoulait avant que cessent les haut-le-cœur de Jillian. Quand elle fut calmée, il l'enveloppa dans une couverture et fit chauffer de l'eau après avoir ranimé le feu. Pendant qu'il lui lavait le visage avec un linge humide, elle se tint parfaitement immobile. En dépit de son état de faiblesse, il la trouvait d'une beauté radieuse. Sa peau ressemblait à un ivoire translucide. Ses lèvres étaient d'un rose profond. Ses joues retrouvaient un semblant de couleur.

— Est-ce que tu te sens mieux, *lass* ? s'enquit-il doucement.

Jillian prit une profonde inspiration et acquiesça d'un signe de tête.

— Il me semble que oui, répondit-elle d'une voix plaintive. Mais je ne suis pas sûre de pouvoir chevaucher très longtemps aujourd'hui. Y a-t-il un endroit où nous pourrions nous arrêter, entre ici et Dalkeith ?

— Nous ferions peut-être mieux de rester ici, suggéra-t-il.

Mais il leur fallait partir au plus tôt, Grimm ne l'ignorait pas. Il ne pouvait commettre de pire erreur que s'attarder dans ce cottage. Si les McKane les suivaient à la trace, un jour de retard pouvait fort bien leur coûter la vie. Fermant les paupières, il s'efforça de sortir de ce dilemme. Que se passerait-il si l'état de santé de Jillian s'aggravait une fois qu'ils se seraient remis en route ? Où pourrait-il l'emmener ? Où trouver refuge, le temps qu'elle se rétablisse et se sente suffisamment bien pour voyager ?

La réponse qui s'imposa à son esprit le fit grimacer.

Tuluth.

27

Alors qu'ils approchaient du village de son enfance, Grimm se mura dans un silence absolu.

Ils avaient chevauché d'un bon pas depuis le matin. Jillian avait rapidement retrouvé sa vigueur habituelle, mais elle s'efforçait de jouer les malades avec conviction. Même s'il ne lui plaisait qu'à moitié de leurrer ainsi Grimm, le jeu en valait la chandelle. Jamais il ne serait retourné à Tuluth sans cela, et elle avait l'intuition que ces retrouvailles pouvaient s'avérer encore plus bénéfiques pour lui que pour elle. Afin de laisser reposer en paix les fantômes de son passé, sans doute devait-il d'abord accepter de les affronter.

En ce qui la concernait, il lui tardait de découvrir cette mystérieuse part de l'homme qu'elle aimait. Elle mourait d'impatience d'interroger son père, « dément » ou pas, pour en tirer autant d'informations que possible. Dans les décombres du château et du village de Tuluth, peut-être trouverait-elle des indices qui l'aideraient à mieux comprendre Grimm.

Jillian baissa les yeux sur sa main, si imposante qu'elle recouvrait presque les deux siennes. De l'autre, il tenait les rênes d'Occam. Il était d'une grande beauté et d'une honnêteté sans faille – sauf lorsqu'il refusait de parler de son passé. Il était d'une force peu commune, d'un courage à toute épreuve, et c'était l'un des meilleurs guerriers de tout le royaume. Il paraissait à ce point invincible qu'il aurait ridiculisé ces créatures mythiques, les Berserkers.

Elle sourit en songeant que des hommes comme Grimm devaient être à l'origine de cette légende. Il possédait même les caractéristiques yeux bleus des fameux guerriers d'Odin ! Si de tels êtres avaient réellement existé, il aurait pu être l'un d'eux. Elle n'avait pas été surprise d'apprendre qu'il était le fils d'un laird. La noblesse était inscrite dans chacun de ses traits. En soupirant d'aise, elle se laissa aller confortablement contre lui.

Grimm, se méprenant sur la cause de son soupir, précisa :

— Nous y sommes presque, *lass*.

— Irons-nous directement au château ? s'enquit-elle d'une voix à la faiblesse étudiée.

— Non. Il existe des cavernes où nous pourrons nous installer au sommet d'une falaise appelée Wotan's Cleft. J'y jouais, étant enfant. Je les connais par cœur.

— Ne ferait-il pas plus chaud au château ? J'ai si froid, Grimm...

Pour faire bonne mesure, elle frissonna d'une manière qu'elle espérait convaincante.

— Si ma mémoire est bonne, Maldebann Castle n'est plus qu'une ruine.

Rajustant le plaid autour des épaules de Jillian, il la serra plus fort contre lui pour la réchauffer et ajouta :

— Je ne suis même pas certain qu'il reste encore un mur debout.

— Et qu'en est-il du village ? Tous les habitants ne sont quand même pas partis...

Elle refusait d'échouer si près du but en atteignant Tuluth sans pouvoir interroger ceux qui pourraient lui donner des indices sur le passé de son invincible Highlander.

— Jillian… reprit-il, à bout de patience. C'est toute la vallée qui a souffert des combats. Elle est peut-être complètement déserte à l'heure qu'il est.

— Cela ne coûte rien d'aller voir.

Grimm laissa fuser un soupir exaspéré.

— Tu n'abandonnes jamais, n'est-ce pas ?

— C'est juste que j'ai si froid… geignit-elle tout bas.

Sa conscience ne la tourmentait plus de se jouer de lui. La fin justifiait les moyens.

Grimm l'enveloppa de ses bras plus étroitement encore et murmura près de son oreille :

— Je prendrai soin de toi, Jillian. Je te le promets.

— Où sont-ils, Gilles ? demanda Ronin.

— À trois kilomètres à l'est, milord.

Le laird tira nerveusement son tartan et se tourna vers son frère.

— De quoi ai-je l'air ?

Un grand sourire aux lèvres, Balder se moqua en répétant d'une voix de fausset :

— « De quoi ai-je l'air ? »

Ronin lui décocha un coup de poing dans l'épaule.

— Je ne plaisante pas ! protesta-t-il. Tu oublies qu'aujourd'hui je vais rencontrer la femme de mon fils.

Balder rectifia :

— Je n'oublie pas qu'aujourd'hui tu vas rencontrer ton fils.

Ronin baissa les yeux et s'abîma dans la contemplation du dallage.

— Tu as raison, admit-il.

Il redressa vivement la tête et fixa son frère, inquiet :

— Et s'il me déteste toujours, Balder ? Et si, sans même descendre de son cheval, il me crachait à la figure avant de faire demi-tour ?

Le sourire qui s'était attardé sur les lèvres de Balder s'effaça.

— Alors, il ne me resterait plus qu'à battre ce gamin comme plâtre et à le ligoter à un arbre pour que nous puissions tranquillement lui parler, toi et moi.

Un profond soulagement détendit les traits de Ronin.

— Ah ! s'exclama-t-il. Voilà un plan selon mon cœur… Nous pourrions peut-être le mettre à exécution tout de suite, qu'en dis-tu ?

— Ronin… le tança sévèrement Balder.

Le laird haussa les épaules et maugréa pour se justifier :

— Cela me paraissait plus simple comme ça.

Balder scruta le visage de son frère et le vit lisser de ses doigts calleux son tartan de cérémonie. Au fil des ans, ses cheveux noirs coiffés vers l'arrière s'étaient striés de filaments argentés. Il portait fièrement son *sporran* de velours et, à sa jambe droite, son *sgian dubh* incrusté de diamants. Ses épaules demeuraient larges et en imposaient, même si sa taille s'était un peu épaissie. Et dans ses yeux bleus, on devinait la joie, l'espoir… et la peur.

— Tu as l'air d'un laird tout ce qu'il y a de plus respectable… assura Balder. N'importe quel fils serait heureux de t'avoir pour père.

Ronin inspira à fond et relâcha lentement son souffle.

— Espérons que tu as raison. Gilles ? Les bannières ont-elles été accrochées ?

L'intéressé sourit largement et acquiesça d'un signe de tête.

— Je dois dire que Tuluth a fait tout son possible pour accueillir dignement votre fils. La vallée rutile.

— Et le Hall des Dieux ? A-t-il été ouvert et aéré ? Les torchères ont-elles été allumées ?

— Oui, milord.

Ronin croisa les mains derrière son dos et se mit à faire les cent pas.

— Les villageois ont-ils été informés ? Tous ?

Ce fut Balder qui lui répondit.

— Ils ont déjà envahi les rues et sont prêts à l'accueillir. C'est un magnifique retour que tu lui as préparé là.

— Espérons qu'il sera du même avis, marmonna Ronin.

Les doigts de Grimm se crispèrent sur la taille de Jillian lorsque Occam entama l'ascension de la passe rocailleuse menant au sommet de Wotan's Cleft.

Contrairement à ce qu'il lui avait dit, il n'avait pas l'intention de l'emmener dans les cavernes humides, où il ne lui serait pas possible d'allumer un feu sans risquer de les asphyxier tous deux. Mais, depuis le bord de la falaise, il pourrait découvrir l'état du village et du château. Si l'un ou l'autre demeurait encore debout, la fumée d'un foyer trahirait une présence et il saurait à quoi s'attendre. Qui plus est, montrer à Jillian quel endroit désolé devait être Tuluth l'inciterait peut-être à précipiter leur départ pour Dalkeith. Bien que paraissant se remettre rapidement, elle était toujours faible et se plaignait de nausées intermittentes.

Le soleil avait amorcé sa descente dans le ciel, mais il restait encore plusieurs heures avant le crépuscule – largement de quoi repérer tout danger potentiel et établir un campement de fortune dans le village en ruine. Si Jillian se sentait suffisamment en forme le lendemain, ils pourraient forcer l'allure pour rejoindre Dalkeith-Upon-the-Sea. Pour éviter de conduire les McKane jusqu'au château des Douglas, Grimm avait prévu de faire halte dans un village des environs et d'envoyer un messager à Hawk. Ainsi pourraient-ils se rencontrer discrètement et discuter de la possibilité de lever une armée.

Quand les pierres levées de Wotan's Cleft apparurent, Grimm commença à se sentir oppressé et se força à respirer profondément. Il n'avait pas imaginé que ses souvenirs l'assailliraient avec tant de force. La dernière fois qu'il avait gravi ce chemin caillouteux, quinze années plus tôt, cela avait changé sa vie à jamais.

— *Entends ma prière, Odin ! J'invoque le Berserker !*

Il était encore un jeune garçon en arrivant au bord de cette falaise, mais c'était un monstre qui était redescendu dans la vallée.

Les poings serrés, Grimm se demanda comment il avait pu accepter de revenir ici. Mais lorsque Jillian se serra contre lui, à la recherche d'un peu de chaleur, ses doutes se dissipèrent. Pour trouver le moyen de la garder au sec et au chaud, il serait entré dans Tuluth même si le village avait été aux mains d'une armée de démons.

— Est-ce que ça va ? s'inquiéta-t-elle soudain.

Grimm songea que cela ressemblait bien à Jillian de se soucier de son bien-être alors que c'était elle qui était malade.

— Ça va. Ne te tracasse pas, *lass*. Nous serons bientôt au chaud.

Il paraissait si inquiet pour elle que Jillian dut se mordre la langue pour ne pas lui avouer son stratagème. D'une voix rendue plus rauque par le chagrin, elle l'entendit préciser :

— Dans un instant, tu devrais voir ce qu'il reste du village.

— J'imagine mal ce que cela me ferait de voir Caithness détruit, confia-t-elle. Je m'en veux un peu de te ramener dans un lieu auquel te rattachent des souvenirs si douloureux...

— Cela s'est passé il y a bien des années. C'est presque comme si cela s'était passé dans une autre vie.

Voyant qu'ils débouchaient au sommet de la falaise, Jillian se redressa pour examiner les alentours.

— Là-bas, reprit Grimm en désignant le bord de la falaise. Du haut de ce promontoire, on a une vue dégagée sur toute la vallée.

Un petit sourire mélancolique joua sur ses lèvres lorsqu'il ajouta :

— J'avais l'habitude de venir y admirer le paysage en me disant qu'aucun garçon au monde n'était plus chanceux que moi.

Occam s'approchait de l'abîme d'un pas tranquille. Saisie par la peur du vide, Jillian fit la grimace et retint son souffle.

— Les cavernes se trouvent derrière nous, expliqua Grimm. Derrière cet éboulis de roches. Avec mon meilleur ami, Arron, nous nous étions promis d'en dresser la carte, mais nous n'en avions pas exploré plus du quart quand…

Grimm n'acheva pas sa phrase. Saisie par le remords de l'avoir obligé à faire face à ses démons, Jillian demanda :

— Ton ami a-t-il été tué dans la bataille ?

— *Aye.*

— Ton père a-t-il été touché également ?

— Il aurait dû mourir, répondit-il d'une voix blanche. Un McKane lui a planté sa hache dans la poitrine presque jusqu'à la garde. C'est un miracle qu'il ait survécu. Je suis resté convaincu pendant de nombreuses années qu'il était mort.

— Et ta mère ? ajouta-t-elle dans un murmure.

Le silence retomba, troublé seulement par le bruit des sabots d'Occam dans la pierraille. Jillian gardait les yeux fixés sur le rebord du promontoire, là où la falaise se confondait avec l'horizon. À des centaines de pieds en contrebas, elle allait découvrir ce qui restait de Tuluth. Dans son dos, elle sentit Grimm se raidir tandis qu'Occam s'arrêtait de lui-même au bord du précipice.

Le spectacle qu'ils découvrirent alors leur coupa le souffle, à l'un comme à l'autre. Et durant plusieurs minutes, ils ne purent rien faire d'autre que tenter d'en enregistrer tous les détails.

Sous leurs yeux, nichée entre une rivière cristalline et plusieurs petits lochs étincelants, s'étendait une bourgade d'apparence prospère et vibrante d'activité. Des centaines de maisons s'alignaient le long de routes et de chemins méticuleusement entretenus. La fumée des foyers s'élevait paresseusement des cheminées. Et même si Jillian ne pouvait entendre leurs voix, elle voyait des enfants jouer et courir au milieu de leurs parents attroupés dans les rues, le long desquelles bannières et oriflammes brillamment colorées claquaient au vent.

Ravie par ce tableau enchanteur, elle laissa son regard remonter la rivière, jusqu'à sa source qui jaillissait d'une montagne barrant la vallée. Et en découvrant l'impressionnant château qui semblait surgir du flanc de celle-ci, Jillian étouffa sous sa main un petit cri de surprise. C'était peu de dire que l'édifice ne ressemblait en rien à celui que Grimm avait décrit. N'avait-il pas parlé d'un tas de ruines envahies par les ronces ?

Rien n'aurait pu être plus éloigné de la vérité. Maldebann Castle était le plus magnifique édifice qu'elle ait jamais vu. Avec ses tours élancées et sa façade majestueuse, il ressemblait à l'œuvre que quelque artiste visionnaire aurait sculptée dans la roche. Bâti dans une pierre gris pâle, il s'élançait vers le ciel jusqu'à une hauteur vertigineuse.

À côté, songea-t-elle avec un pincement au cœur, Caithness ressemblait presque à une gentilhommière. Pas étonnant que cet endroit ait été l'objet de convoitises : c'était une place forte redoutable et stratégiquement située. Sur le chemin de ronde, des dizaines de soldats en uniforme s'agitaient. À leurs pieds, des femmes aux vêtements colorés, encombrées de paniers et d'enfants, allaient et venaient par la porte principale au pont-levis baissé. Et au-dessus de celle-ci, une grande banderole avait été accrochée, trop lointaine pour que Jillian puisse lire ce qui y était inscrit.

— Grimm ? chuchota-t-elle, comme si elle avait peur de le déranger. Qu'est-il écrit, au-dessus de la porte ?

Il ne répondit pas. Elle l'entendit déglutir péniblement derrière elle, manifestement aussi ébahi par cette vision inattendue qu'elle l'était elle-même.

— Penses-tu qu'un autre clan ait pu prendre possession de cette vallée et tout reconstruire ? insista-t-elle, s'efforçant de donner un sens à ce qu'elle découvrait.

Grimm poussa un lourd soupir, qu'il ponctua d'un grognement.

— J'en doute... dit-il enfin.

— Qu'est-ce qui te permet d'être aussi affirmatif ? D'ici, on ne voit même pas la couleur de leurs tartans...

Grimm laissa s'écouler une longue minute avant de répondre, d'un ton horrifié :

— C'est impossible, parce qu'il est écrit sur cette bannière : *Bienvenue à la maison, fils...*

28

— Que suis-je censée comprendre, Grimm ? s'enquit Jillian, brisant le silence tendu qui était retombé entre eux.

Il gardait les yeux rivés sur la vallée.

— Tu me demandes ce que *toi* tu dois comprendre… répliqua-t-il, incrédule. Et moi, donc ?

Grimm descendit de cheval et aida Jillian à faire de même. Il lui était impossible de trouver la moindre logique à ce qu'il découvrait. Le village de Tuluth semblait cinq fois plus grand que dans son souvenir. Les terres, méticuleusement cultivées, occupaient également une plus grande surface. Les maisons elles-mêmes étaient plus vastes. À l'âge adulte, tout n'était-il pas supposé paraître plus petit que dans les souvenirs d'enfance ? Il se surprit à jeter un coup d'œil par-dessus son épaule à l'entrée des cavernes, pour s'assurer qu'ils se trouvaient bien au sommet de Wotan's Cleft. Le doute n'était pas permis : c'était la vallée de Tuluth qui s'étendait sous leurs yeux.

Quant au château, c'était par la couleur qu'il avait changé. Grimm se souvenait d'un bloc monolithique d'un noir d'obsidienne, lugubre et hérissé de gargouilles. Était-ce Maldebann Castle, cette construction moderne et avenante aux lignes épurées, bâtie dans une pierre de couleur claire ? Un endroit non pas abandonné mais entièrement fonctionnel, débordant de vie et décoré – par tous les saints ! – de bannières proclamant : *Bienvenue à la maison...*

Grimm se laissa tomber à genoux, ferma les paupières et les massa sous ses doigts avant de les rouvrir. Jillian le regarda faire avec amusement.

— Ça ne marche pas, n'est-ce pas ? dit-elle. J'ai essayé aussi.

Grimm fut stupéfait de découvrir sur ses lèvres un petit sourire.

— Tu trouves ça drôle, *lass* ? s'offusqua-t-il.

— Je ne me moque pas de toi, assura-t-elle avec compassion. Je ris de notre réaction à tous deux, mais aussi de soulagement. Parfois, la mémoire est trompeuse. Peut-être le village n'était-il pas entièrement détruit lorsque tu es parti. Peut-être était-ce juste une impression. L'as-tu quitté de nuit ? Faisait-il trop noir pour y voir clair ?

Grimm lui tendit la main. Jillian la prit et vint s'agenouiller au bord de la falaise à son côté. Il faisait effectivement nuit quand il avait quitté Tuluth, et la fumée des incendies s'élevait de partout. Pour le gamin de quatorze ans qu'il était alors, cette scène affreuse s'était gravée dans sa mémoire, achevant de le convaincre qu'il n'avait plus de foyer. Il était parti en laissant derrière lui un village et un château qu'il imaginait en ruine, persuadé d'être lui-même devenu une bête dangereuse. C'était avec la rage au cœur et en n'attendant que très peu de chose de l'existence qu'il s'était enfui.

Quinze ans plus tard, les mains de la femme qu'il aimait serrées entre les siennes, c'était une tout autre réalité qu'il retrouvait. Si elle n'avait pas été là, il aurait sans doute fait demi-tour sans demander son reste et sans chercher à comprendre quelle magie était à l'œuvre dans la résurrection de cette vallée. Portant à ses lèvres les doigts de Jillian, il la fixa au fond des yeux et murmura :

— Ma mémoire ne m'a jamais trompé, en ce qui te concerne. J'ai toujours su que tu es ce que la vie a de mieux à m'offrir.

Jillian écarquilla les yeux, réduite au silence. Elle s'efforça de parler mais ne parvint qu'à émettre un son étranglé. Grimm, croyant à un nouveau malaise, se redressa, alarmé.

— Je suis en dessous de tout... grogna-t-il. Alors que tu es malade, je te retiens ici, dans le froid.

— Ce n'est pas... Non, non... balbutia-t-elle. Vraiment, je me sens beaucoup mieux, maintenant.

Voyant qu'il la dévisageait d'un œil soupçonneux, elle se hâta d'ajouter :

— Mais il me tarde néanmoins de me retrouver au chaud. Et ce château m'a l'air tout à fait confortable.

Grimm laissa son regard errer sur Maldebann Castle. Il devait reconnaître que la bâtisse paraissait aussi accueillante que bien fortifiée. Sans doute l'endroit le plus sûr où il pouvait conduire Jillian dans les environs. Et pourquoi ne l'aurait-il pas fait, puisque des dizaines de bannières lui souhaitaient la bienvenue ? Si les McKane étaient sur leurs traces, c'était le refuge idéal. Quelle ironie de revenir en ce lieu en ayant toujours à redouter les agissements des mêmes tueurs sanguinaires... Était-ce le signe qu'ici devait se conclure un cycle ? Peut-être, après tout, ne lui serait-il pas nécessaire d'aller jusqu'à Dalkeith.

Mais avant toute chose, il lui fallait affronter son père... Grimm laissa fuser un soupir exaspéré en examinant les options qui s'offraient à lui. Descendre dans la vallée pour y affronter ses peurs les plus profondes lui semblait au-dessus de ses forces. D'un autre côté, comment pourrait-il faire accepter à Jillian le fait de rebrousser chemin si près du but ? Et si elle tombait de nouveau malade ? Et si les McKane les rattrapaient ?

Du coin de l'œil, il vit Jillian tressaillir et se frotter l'estomac. Il dut faire appel à toute sa volonté pour prendre la décision qui s'imposait. Il n'avait pas le choix.

Ils remontèrent en selle et entamèrent la descente vers la vallée.

Grimm et Jillian contournèrent le pied de la falaise et s'engagèrent sur la route sinueuse menant à l'embouchure de la vallée. Cinq pics montagneux formaient un rempart naturel autour de celle-ci, s'élevant tels les doigts d'une main dont la petite cité aurait occupé la paume, bien à l'abri. Jillian en conclut que lorsque les McKane avaient attaqué Tuluth, des années auparavant, ils devaient avoir été soit tout à fait inconscients, soit en écrasante supériorité numérique.

Comme s'il avait pu lire dans ses pensées, Grimm précisa :

— Mon clan n'a pas toujours été aussi important, Jillian. Au cours de ces quinze dernières années, Tuluth semble avoir multiplié sa population. Manifestement, quelqu'un s'est donné la peine de tout reconstruire.

— Es-tu certain que ton père est aussi fou que tu le crois ?

Grimm fit la grimace.

— Certain ! répondit-il d'un ton catégorique.

— Eh bien, pour un dément, il semble avoir fait des merveilles.

— Je ne crois pas qu'il ait quoi que ce soit à voir là-dedans. Il faut chercher l'explication ailleurs.

— Tu oublies les bannières *Bienvenue à la maison, fils...* Je croyais que tu n'avais pas de frère.

— C'est le cas.

Grimm n'avait pas révélé à Jillian tout à fait la vérité. S'il ne pouvait y avoir un doute sur l'identité de celui qui était attendu, c'était parce que certaines bannières disaient : *Bienvenue à la maison, Gavrael...*

Jillian s'agita.

— Mais... murmura-t-elle, les yeux levés sur la première bannière qu'il lui était possible de lire. Ce n'est pas de toi qu'il s'agit... Qui est ce Gavrael ? Et comment as-tu fait pour arriver à lire de si loin en confondant « fils » et « Gavrael » ? Ces deux mots ne se ressemblent pas !

— As-tu vraiment besoin d'être toujours aussi *logique* ? se plaignit-il dans un soupir.

Un cortège s'était formé à la sortie de la petite cité, qui se dirigeait vers eux d'un bon pas au son des cornemuses et des tambours. Et à sa tête se trouvait l'auteur de ses jours – encore que l'homme qui se tenait à son côté lui ressemblât étrangement aussi. Grimm les dévisagea l'un après l'autre, à la recherche d'un indice susceptible de lui indiquer lequel des deux était son père.

Mais soudain, il prit conscience d'un fait qui fit passer au second plan toutes ses autres préoccupations, une évidence qui jusqu'alors, tout ébahi qu'il était de retrouver Tuluth en pleine prospérité, lui avait totalement échappé. Ces gens qui venaient vers eux savaient tous qu'il était un Berserker. Sans même s'en rendre compte, ils pouvaient trahir son secret.

Alors, en un instant, il perdrait Jillian à jamais.

29

Grimm fit stopper si brutalement Occam que l'étalon, effrayé, se cabra. Il dut le calmer de son mieux avant de mettre pied à terre.

— Qu'est-ce que tu fais ? s'étonna Jillian.

Les yeux rivés sur ses pieds, Grimm expliqua d'une voix sourde :

— J'ai besoin que tu restes ici un moment, *lass*. Tu pourras me rejoindre quand je te ferai signe, mais pas avant. Promets-moi d'attendre que je t'appelle.

Après y avoir réfléchi un instant, Jillian tendit la main vers Grimm et lui caressa les cheveux. Redressant la tête, il déposa un baiser sur sa paume et murmura :

— Je n'ai pas vu ces gens depuis quinze ans, Jillian.

— Je resterai ici, assura-t-elle. Je te le promets.

D'un regard, il la remercia. Il se sentait écartelé entre des émotions contradictoires, mais il était certain de devoir approcher seul ceux de son clan. Lorsqu'il aurait la certitude que les villageois respecteraient son secret, il prendrait le risque de conduire Jillian parmi eux.

Grimm se mit à courir à petites foulées vers la foule qui venait à leur rencontre. Il éprouvait la sensation que son cœur était venu se loger dans sa gorge.

En tête des villageois marchaient deux hommes de taille et de corpulence égales. Tous deux arboraient une abondante chevelure noire striée de filaments argentés. Tous deux possédaient un visage expressif, taillé à la serpe, ainsi qu'une fossette au milieu du menton. Et tous deux affichaient la même expression de joie intense.

Plus que jamais, Grimm se sentait déboussolé. Ce qui se passait aujourd'hui lui donnait l'impression que toute sa vie avait été bâtie sur un mensonge. Tuluth avait été détruit, mais aujourd'hui c'était une petite cité prospère qu'il retrouvait. Son père était censé être un vieux fou, mais il avait fallu un esprit équilibré et une volonté de fer pour tout reconstruire. En outre, il paraissait extrêmement heureux de le voir et il semblait avoir attendu son retour, alors que Grimm n'avait jamais eu l'intention de remettre les pieds chez lui. Pourquoi ? Comment ? Un millier de questions sans réponses se bousculaient en lui.

Des vivats montèrent de l'étrange comité d'accueil. À en juger d'après les sourires qui illuminaient les visages, tous étaient ravis de le voir. Grimm aurait voulu demeurer sur ses gardes, mais comment aborder une foule aussi chaleureuse et exubérante la haine au cœur ?

À une quinzaine de pas des premiers villageois, il s'arrêta au milieu de la route de terre. Les deux hommes qui se ressemblaient étrangement sortirent du rang et l'un d'eux leva une main pour réclamer le silence. Grimm jeta un rapide coup d'œil par-dessus son épaule. Jillian n'avait pas bougé, même si, penchée en avant sur Occam, une main en visière, elle ne perdait pas une miette de la scène.

— Gavrael...

La voix mâle et profonde qui venait de l'interpeller, étrangement semblable à la sienne, lui fit tourner vivement la tête vers les deux hommes qui l'avaient rejoint. En les observant à tour de rôle, sans savoir lequel avait parlé, il rectifia sèchement :

— Grimm, pas Gavrael.

Celui qui se trouvait à droite explosa aussitôt de fureur.

— Quel genre de foutu nom est-ce là ? tonna-t-il. Et pourquoi pas « Déprimé », ou « Mélancolique »[1], tant que tu y étais ?

— Cela vaut toujours mieux que « McIllioch », répliqua Grimm. Et ça ne s'écrit pas avec un seul « m » mais avec deux.

— Quoi qu'il en soit, pourquoi avoir voulu changer d'identité ? demanda l'homme situé à gauche, qui cachait mal son expression peinée.

Grimm les dévisagea attentivement l'un et l'autre, cherchant à déterminer lequel était son père. Il aurait aimé savoir sur qui déverser le venin accumulé en lui depuis tant d'années – la moitié de son existence, pour être précis.

— Qui êtes-vous ? lança-t-il à celui qui venait de s'exprimer.

Ce dernier se tourna vers son compagnon et lui dit d'un air attristé :

— Il demande qui je suis, Balder. Tu te rends compte ? Il demande qui je suis !

— Au moins, il ne t'a pas craché à la figure, répondit le dénommé Balder.

— Vous êtes Ronin ! s'exclama Grimm d'un ton accusateur.

Si le premier à avoir parlé s'appelait Balder, l'autre ne pouvait être que Ronin McIllioch, son père.

— Pour toi, ce ne sera pas « Ronin », protesta-t-il, outré. Tu peux m'appeler père.

— Vous n'êtes pas un père pour moi, rétorqua Grimm d'une voix aussi glaciale qu'un vent d'hiver.

Ronin reporta son attention sur son voisin, à qui il adressa un regard noir.

---

1. En anglais, l'adjectif *grim* signifie « sinistre », « menaçant », lorsqu'il est appliqué à une personne. (*N.d.T.*)

— Tu vois ? Qu'est-ce que je te disais…

Balder secoua lentement la tête, arquant un sourcil broussailleux.

— Peut-être, marmonna-t-il. Mais il n'a pas craché.

Grimm, dépassé par les événements, s'immisça dans la conversation.

— Par tous les saints ! Vous pourriez me dire en quoi cette histoire de crachat me concerne ?

Balder reporta son attention sur lui et expliqua indolemment :

— Vois-tu, garçon, si tu avais craché sur ton père, j'aurais saisi l'occasion pour te mener par le col jusqu'au château, où je t'aurais grâce à quelques coups bien placés remis les idées en place pour t'apprendre à respecter tes aînés.

— Vous vous en croyez capable ? railla Grimm.

Balder éclata de rire.

— Je n'ai rien contre une bonne bagarre. Mais un homme comme moi pourrait briser la nuque d'un jeunot dans ton genre d'un claquement de doigts.

Grimm posa les yeux sur Ronin et s'enquit avec arrogance :

— Il ne sait pas qui je suis ?

— Et toi ? intervint Balder. Est-ce que tu sais au moins qui *je* suis ?

— Que voulez-vous dire ? demanda Grimm en reportant son attention sur lui.

Un long moment, il scruta le visage de Balder, s'attardant sur ses yeux bleus moqueurs. Impossible ! Depuis qu'il en était devenu un, il n'avait jamais rencontré d'autre Berserker.

Secouant la tête d'un air désolé, Balder soupira.

— Ce gamin est bouché, Ronin. Tu peux me croire : il est aussi bouché qu'une flasque de whisky !

— Certainement pas ! Il ne peut pas être stupide, puisqu'il est mon fils.

— Ce jeune blanc-bec ne connaît rien de rien sur lui-même ! Après toutes ces années, il n'a toujours pas...
— Comment l'aurait-il pu, alors que...
— N'importe quel lourdaud aurait déjà...
— Cela ne veut pas dire qu'il est idiot !
— Fermez-la ! rugit Grimm.
— Pas besoin de hausser le ton, mon garçon... protesta dignement Balder. Tu n'es pas le seul ici à avoir un tempérament de Berserker.
— Je ne suis pas « votre garçon ». Je ne suis pas un gamin. Et je ne suis pas bouché.
Souhaitant avant tout reprendre le contrôle des événements, Grimm avait pris sur lui pour s'exprimer calmement. Plus tard, il serait toujours temps de découvrir comment Balder avait fait pour devenir un Berserker.
— Lorsque la jeune femme qui se trouve derrière moi nous rejoindra, poursuivit-il, vous ferez en sorte que tous les habitants du village et ceux du château évitent de lui révéler que je suis un Berserker. Elle l'ignore, et si elle finit par l'apprendre, elle me quittera. Alors, je n'aurai pas d'autre choix que de vous tuer tous les deux.
Il avait proféré cette menace sans la moindre animosité, comme une évidence.
— Oh là ! s'exclama Balder, profondément offensé. Inutile de le prendre sur ce ton avec nous, gamin... Je suis sûr que nous allons trouver un terrain d'entente.
— J'en doute, Balder. Et si vous m'appelez encore une fois « gamin », je vous crache dessus pour que vous ayez le prétexte que vous prétendiez attendre. Ainsi, nous verrons de quoi est capable un Berserker vieillissant contre un autre dans la fleur de l'âge.
— *Deux* Berserkers vieillissants, rectifia Ronin.
Grimm tourna vivement la tête vers lui et le fixa au fond des yeux, dont il remarqua enfin la couleur bleue caractéristique. Décidément, songea-t-il, cette journée semblait être celle de toutes les révélations. Plutôt que de se laisser troubler, il eut recours au sarcasme.

— Qu'est-ce donc, ici ? La vallée des Berserkers ?

— Quelque chose comme ça, Gavrael... approuva Balder, s'attirant un coup de coude de son voisin.

— Je m'appelle *Grimm* !

— Comment comptes-tu expliquer à ta femme le nom qui figure sur ces bannières ? intervint Ronin.

À la vérité, il n'y avait pas encore réfléchi. Préférant changer de sujet, il répondit :

— Elle n'est pas ma femme.

— *Quoi ?*

Suffoqué par l'indignation, Ronin poursuivit, le visage empourpré :

— Tu amènes une femme ici pour la couvrir de déshonneur ? N'est pas mon fils celui qui batifole avec sa belle sans lui avoir offert l'union du mariage juste et sacrée !

Grimm enfouit les doigts dans ses cheveux. Il avait l'impression que le monde était soudain devenu fou. Il ne se rappelait pas avoir eu un jour une conversation aussi absurde.

— Je n'ai pas encore eu le temps de l'épouser, se justifia-t-il. Je ne l'ai enlevée que récemment et...

— *Enlevée ?*

Cette fois, les narines de Ronin palpitaient sous l'effet de la colère.

— Avec son consentement ! précisa-t-il, sur la défensive.

— J'avais cru comprendre qu'on célébrait un mariage, à Caithness.

— Il a failli y en avoir un... mais je n'étais pas le marié. C'est uniquement par manque de temps qu'elle n'est pas encore ma femme. Quant à vous...

Grimm pointa un doigt accusateur sur Ronin avant d'ajouter :

— Vous n'avez pas été un père pour moi au cours de ces quinze dernières années, alors n'espérez pas faire à présent comme si tout était effacé.

— Je n'ai pas été un père pour toi parce que tu ne t'es pas donné la peine de rentrer chez toi !

Les yeux flamboyants de colère, Grimm serra les poings.

— Vous savez parfaitement *pourquoi* je ne suis pas revenu.

Ronin tressaillit. Il prit une profonde inspiration.

— Je sais que je t'ai négligé, admit-il avec une expression de profond regret.

— C'est le moins qu'on puisse dire, maugréa Grimm.

La réponse de son père le déstabilisait. Il s'était attendu à un accès de fureur identique au sien, voire même à ce qu'il lui saute dessus, comme le vieux fou qu'il était censé être. Pourtant, la sincérité du remords qu'il affichait ne faisait aucun doute. Comment Grimm était-il supposé le prendre ? Si Ronin avait réagi comme prévu, il aurait pu exorciser un peu sa rage trop longtemps réprimée en se battant avec lui.

— Jillian est malade, annonça-t-il tout à trac. Elle a besoin de se retrouver au chaud et au sec pour se reposer.

— Malade ! s'étrangla Balder. Par la lance d'Odin, garçon ! Que ne l'as-tu dit plus tôt ?

— *Garçon ?* répéta Grimm d'un ton menaçant.

Ce qui ne parut pas impressionner son interlocuteur.

— Écoute-moi bien, rejeton des McIllioch ! gronda-t-il. Tu ne me fais pas peur. Je suis trop vieux pour me laisser impressionner par les rodomontades d'un jeunot dans ton genre. Tu ne veux pas que je t'appelle par ton nom de baptême, et je refuse de te donner ce ridicule sobriquet que tu as choisi. Alors en ce qui me concerne, ce sera soit « garçon », soit « trou-du-cul ». Lequel des deux préfères-tu ?

Grimm se surprit à avoir envie de sourire. S'il n'avait pas été à ce point déterminé à haïr cet endroit, il aurait fort bien pu sympathiser avec ce vieux renard de

Balder. L'homme inspirait le respect et ne tolérait manifestement pas qu'on lui marche sur les pieds.

— Vous pouvez m'appeler comme ça vous chante, à une condition, répondit-il. Aidez-moi à mettre Jillian à l'abri et ne trahissez pas mon secret. Et faites en sorte que tout le monde ici fasse de même.

Ronin et Balder échangèrent un regard.

— Entendu, conclut le premier dans un soupir.

— Bienvenue chez toi, ajouta le second.

Grimm leva les yeux au ciel.

— *Aye,* bienvenue... reprit Ronin.

— À votre place, l'interrompit Grimm, j'essaierais de me faire oublier !

Ronin, les yeux voilés par la tristesse, se le tint pour dit.

30

Jillian n'arrêtait pas de sourire. Au milieu de tant de joie et d'excitation, il lui était impossible de faire autrement. Grimm, en revanche, paraissait plus sombre que jamais, ce qui demeurait un mystère pour elle.

Elle se reprochait de ne pas ressentir plus d'empathie envers lui, mais il lui était difficile de le plaindre alors que toute sa famille se réjouissait de son retour au bercail – et quel magnifique bercail c'était !

Elle ne parvenait pas encore à penser à lui sous son véritable nom : Gavrael. Après avoir été saluer son père, plutôt que de lui faire signe de le rejoindre, il avait rebroussé chemin au pas de course et avait grimpé derrière elle sur le cheval. Il lui avait expliqué avoir changé de nom lorsqu'il avait quitté Tuluth des années plus tôt. Son véritable nom – même s'il avait insisté pour qu'elle continue à l'appeler Grimm – était Gavrael Roderick Icarus McIllioch.

Jillian poussa un soupir rêveur. Jillian Alanna McIllioch... Prononcé à haute voix, cela donnait un enchaînement harmonieux de consonnes et de voyelles. Désormais, il ne faisait plus l'ombre d'un doute pour elle que Grimm allait l'épouser, une fois qu'ils se seraient installés quelque part.

Grimm serra sa main entre ses doigts pour attirer son attention.

— Jillian ? dit-il, un peu inquiet. Balder va nous conduire à notre chambre, tu pourras bientôt te reposer et te réchauffer.

— Oh, je me sens déjà beaucoup mieux... assura-t-elle.

Une splendide sculpture marquait le centre du grand hall d'entrée dans lequel ils venaient de pénétrer. Sa main dans celle de Grimm, elle emboîta le pas au Highlander impressionnant qui les guidait, suivi de quelques servantes excitées et pressées de se rendre utiles.

— Ce château est une merveille ! lança-t-elle tout bas à l'intention de Grimm. Comment as-tu pu t'imaginer que c'était une ruine ?

— Ça, je n'en ai pas la moindre idée, répondit-il en lui adressant un regard sombre.

Balder, qui venait de faire halte devant une porte, les interrompit.

— Voici ta chambre, Gavrael.

— Grimm !

— Garçon... articula-t-il. Merry, que voici, va conduire Jillian à la sienne.

— *Pardon ?*

Grimm en resta un instant stupéfait. À présent, il n'envisageait plus de passer une nuit sans serrer Jillian dans ses bras.

— Voici *ta* chambre, répéta obligeamment Balder. Merry va mener Jillian à *la sienne*.

Ses yeux bleus le défiaient de le contredire.

— Je vais l'y conduire moi-même, conclut Grimm au terme d'un silence tendu.

— Tant que tu regagnes la tienne aussitôt après, mon garçon, je n'y trouve rien à redire. Vous n'êtes pas mariés, alors ne va pas t'imaginer que tu peux te comporter comme si vous l'étiez déjà !

Jillian se sentit rougir.

— Sauf votre respect, *lass*... s'empressa-t-il d'ajouter, tout sourire. Je constate que vous êtes une lady tout à fait respectable, mais ce jeune freluquet m'a l'air aussi excité qu'un bouc en rut. S'il prétend goûter aux délices maritales, il lui faudra d'abord en payer le prix. Pas de mariage, pas de paradis...

Cette fois, ce fut au tour de Grimm de s'empourprer violemment.

— Suffit, Balder ! rugit-il.

Sans se laisser impressionner, le Highlander arqua un sourcil.

— Et tu vas me faire le plaisir de te montrer un peu plus aimable avec ton père, garçon... Il t'a donné la vie, après tout.

Sur ce, il pivota sur ses talons et s'éloigna, le menton fièrement dressé, tel un navire fendant l'onde.

Grimm attendit de le voir disparaître, puis demanda aux servantes de lui indiquer la direction à suivre.

— Je me charge de conduire Jillian à sa chambre, expliqua-t-il à Merry, une jeune fille au visage d'elfe.

Aux autres servantes qui les entouraient, il ordonna :

— Qu'on nous prépare un bain bien chaud et...

Reportant son attention sur Jillian, il la dévisagea d'un œil inquiet :

— Quel genre de nourriture ton estomac peut-il tolérer, *lass* ?

Jillian, qui se sentait affamée, répondit :

— Peu importe, du moment que c'est copieux.

Grimm lui adressa un sourire incertain, acheva de donner ses ordres et la conduisit à sa chambre.

En y pénétrant, Jillian laissa fuser un soupir de plaisir. L'endroit était tout aussi confortable et luxueux que le reste du château. Quatre grandes fenêtres s'ouvraient à l'ouest, lui offrant un point de vue admirable sur les montagnes derrière lesquelles le soleil se couchait. Des peaux d'agneaux d'une blancheur de neige parsemaient le parquet. Le lit à baldaquin en merisier poli s'ornait d'une profusion de voiles blancs, et un feu de bon aloi pétillait dans l'âtre.

— Comment te sens-tu, Jillian ?

Aussitôt après avoir refermé la porte, Grimm vint la prendre dans ses bras.

— Beaucoup mieux, maintenant.

— Je sais à quel point tout cela doit te paraître étrange et…

Jillian le fit taire en l'embrassant. D'abord décontenancé par son initiative, Grimm s'y prêta bientôt avec passion. Elle fit durer ce baiser, s'efforçant d'y insuffler autant de force et d'amour que possible, car elle soupçonnait que Grimm en avait besoin.

Quelques coups secs frappés à la porte vinrent les interrompre.

À regret, Grimm lâcha Jillian et alla ouvrir. Ce ne fut pas une surprise pour lui de découvrir Balder sur le seuil.

— J'ai oublié de te dire que le dîner est à huit heures, mon garçon.

Curieux, il se haussa sur la pointe des pieds pour examiner l'intérieur de la pièce.

— Il vous a embrassée, *lass* ? s'écria-t-il. Vous n'avez qu'un mot à dire et je me charge de le mettre au pas…

Grimm lui ferma la porte au nez sans un mot et tira le verrou. Dans le couloir, Balder soupira si bruyamment que Jillian faillit éclater de rire.

Alors que Grimm la rejoignait, elle l'examina de près. Sur lui, la fatigue de la journée avait prélevé son écot. Et en songeant à tout ce par quoi il était passé ce jour-là, elle s'en voulut. Il aurait sûrement eu besoin d'un peu de temps pour s'habituer aux chocs qu'il avait reçus. Tendrement, elle lui caressa la joue.

— Grimm… pourrais-je me reposer un peu avant d'avoir à rencontrer les tiens ? Je pourrais peut-être dîner ici ce soir et ne me joindre aux autres que demain ?

Elle ne s'était pas trompée. Sur son visage, le soulagement succéda à l'inquiétude qu'il se faisait pour elle.

— Tu es sûre que cela ne te fait rien de rester seule ? insista-t-il. Tu te sens suffisamment bien pour…

— Grimm, l'interrompit-elle. Je me sens merveilleusement bien. J'ignore ce qui m'est arrivé ce matin, mais c'est tout à fait terminé. Tout ce dont j'ai envie à présent, c'est de m'attarder dans un bon bain, de manger tout mon soûl et de dormir. Quant à toi… je suppose qu'il y a des gens, des lieux, qu'il te tarde de retrouver.

— Tu es une femme remarquable, murmura-t-il avec ferveur. Le sais-tu au moins, *lass* ?

Du bout des doigts, il chassa une mèche de cheveux du visage de Jillian et la passa derrière son oreille.

— Je t'aime, Grimm Roderick ! lança-t-elle avec passion. Va retrouver les tiens. Prends tout ton temps. Je serai toujours là pour toi.

— Qu'ai-je fait pour te mériter ?

Jillian caressa ses lèvres du bout des siennes et murmura contre sa bouche :

— Je me pose la même question très souvent.

Il ouvrit la porte.

— Je veux te voir cette nuit, Jillian. J'ai tant besoin de toi !

— Je laisserai ma porte ouverte.

Le sourire éblouissant qui accompagna ces paroles était à lui seul une promesse.

— Va le voir, toi… demanda Ronin à son frère. Moi, je ne peux pas.

Debout devant une fenêtre, les deux hommes observaient Grimm en contrebas, installé depuis des heures sur un muret clôturant une terrasse qui offrait une vue imprenable sur le village.

— Que veux-tu que je lui dise ? grommela Balder. Il est ton fils, Ronin. Il va bien falloir que tu lui parles à un moment ou à un autre.

— Il me déteste.

— Alors, essaie de l'amener à de meilleurs sentiments.

— Facile à dire ! répliqua sèchement Ronin.

Mais, dans ses yeux, son frère discerna de la peur plus que de la colère. La peur de perdre définitivement Gavrael, faute de trouver les mots pour le reconquérir.

Un moment, Balder le dévisagea en silence.

— Je vais essayer, Ronin... conclut-il enfin dans un soupir.

Grimm observait la vallée se préparer à la nuit. Les villageois avaient allumé des chandelles et tiré les volets. Depuis son perchoir sur un petit mur bas, il percevait les appels assourdis des parents pressant leurs enfants de rentrer et des fermiers s'occupant de leurs bêtes avant de faire de même. Une scène paisible et harmonieuse. De temps à autre, il jetait un coup d'œil au château par-dessus son épaule, mais il avait beau se concentrer, aucune gargouille n'était en vue. Il en venait à conclure qu'il avait pu, à quatorze ans, avoir une vision fantaisiste de Maldebann Castle. Il était possible qu'au fil des ans, ses préjugés aient modifié ses souvenirs au point d'assombrir totalement ce qui avait à l'origine été lumineux.

Il pouvait accepter le fait d'avoir pu oublier à quoi ressemblait Tuluth, mais que devait-il conclure en ce qui concernait son père ? Ne l'avait-il pas vu, de ses propres yeux, penché sur le cadavre de Jolyn McIllioch ? Grimm avait-il, sous le choc, mal interprété cette scène également ? Il lui suffisait d'examiner cette éventualité pour plonger dans un état de confusion plus effrayant encore.

Au petit matin, il avait trouvé son père dans les jardins donnant au sud, ceux dans lesquels sa mère aimait faire une promenade au saut du lit. Grimm s'apprêtait à rejoindre son ami Arron pour une journée de pêche. La scène s'était gravée de manière indélébile dans sa mémoire : Jolyn, gisant à terre, le visage meurtri par les coups ; et Ronin, penché sur elle, un rictus sauvage aux lèvres, les yeux fous ; tout ce sang sur lui et, dans sa main, ce couteau rougi qui l'accusait.

— Magnifique, n'est-ce pas ?

Tiré de ses pensées par Balder, Grimm répondit d'un ton rêveur :

— *Aye*. Mais cela ne ressemble en rien à mon souvenir.

Posant une main amicale sur son épaule, Balder expliqua :

— C'est parce qu'il n'en a pas toujours été ainsi. Tuluth a connu une expansion extraordinaire, ces dernières années. Grâce aux efforts de ton père.

Grimm poussa un vague grognement.

— J'ai beau m'y efforcer, je ne me souviens pas de vous non plus. Vous ai-je connu lorsque j'étais enfant ?

— Non. J'ai passé la plus grande partie de ma vie à voyager. Je n'ai effectué que deux courtes visites à Maldebann quand tu étais enfant. Il y a six mois de cela, le navire que je commandais a fait naufrage lors d'une tempête et j'ai été rejeté par la mer sur une plage d'Alba. J'y ai vu un signe que le temps était venu pour moi d'aller voir ce qu'était devenu mon clan. Je suis le frère aîné de ton père, mais je voulais découvrir le monde, alors je l'ai convaincu de devenir laird à ma place. Et je dois dire qu'il fait un très bon chef de clan.

Grimm grimaça.

— Ça se discute ! répliqua-t-il.

— Ne sois pas si dur envers lui, mon garçon. Durant toutes ces années, il n'a rien souhaité d'autre que ton retour ici. Peut-être les souvenirs que tu gardes de lui sont-ils aussi peu fiables que ceux que tu conservais de Tuluth ?

— Peut-être, reconnut Grimm d'une voix tendue. Peut-être pas.

— Laisse-lui une chance. C'est tout ce que je te demande. Va vers lui sans préjugé et fais-toi une idée par toi-même. Il y a certaines choses qu'il n'a pu t'expliquer avant ton départ. Permets-lui de te les dire à présent.

D'un mouvement brusque, Grimm libéra son épaule.

— Assez… maugréa-t-il. Je veux être seul.

Sans s'offusquer d'avoir été rabroué, Balder insista :

— Promets-moi que tu lui laisseras une chance de te parler, mon garçon.

— Je suis toujours là, non ?

Sans rien ajouter, Balder inclina la tête et battit en retraite.

— Eh bien… ça n'a pas été long, fit remarquer Ronin.

— J'ai dit ce que j'avais à dire, marmonna Balder. À toi de jouer, maintenant.

— Demain.

En réponse à son frère qui le foudroyait du regard, le laird se justifia :

— Tu sais qu'il ne sert à rien d'essayer de faire entendre raison à un homme fatigué. Gavrael doit être épuisé.

— Et toi, répliqua Balder, tu sais comme moi qu'un Berserker ne ressent la fatigue qu'après avoir été en transe.

— Arrête de te conduire comme mon grand frère ! protesta Ronin.

— Alors, cesse de te conduire comme mon petit frère…

Deux paires d'yeux d'un bleu de glace s'affrontèrent longuement. Finalement, Balder haussa les épaules :

— Si tu refuses de te confronter à ce problème, réfléchis un peu à celui-ci : Merry a entendu Jillian dire à ton garçon qu'elle laisserait sa porte ouverte cette nuit. Si on ne fait rien, ton sacripant de fils va goûter aux charmes de la demoiselle sans en payer le prix !

— Tu oublies qu'il y a déjà goûté...

— Cela ne rend pas la situation plus acceptable, fit valoir Balder. En plus, l'empêcher d'arriver à ses fins pourrait l'inciter à l'épouser aussi vite que possible.

— Qu'est-ce que tu suggères ? Enfermer Jillian au donjon ? Gavrael est un Berserker. Il ne se laissera arrêter par rien.

Balder réfléchit un moment, puis un franc sourire éclaira son visage.

— Il peut briser une porte, admit-il. Mais il ne pourra pas passer outre à ma vertueuse indignation, n'est-ce pas ?

Il était plus de minuit lorsque Grimm tenta d'aller rejoindre Jillian, dont Merry lui avait assuré qu'elle avait passé une soirée reposante, sans aucun épisode nauséeux. Elle avait même mangé comme une « pauvresse affamée », avait ajouté la jeune servante au visage d'elfe.

Un sourire rêveur s'attardait sur les lèvres de Grimm, comme chaque fois qu'il pensait à Jillian. Il avait besoin de la toucher, de lui assurer qu'il désirait l'épouser au plus vite. Il lui tardait de pouvoir se confier à elle. Avec son esprit logique et affûté, peut-être l'aiderait-elle à comprendre certaines choses que son manque d'objectivité lui rendait incompréhensibles. Il était toujours convaincu qu'il valait mieux lui cacher sa véritable nature, mais il pouvait discuter avec elle de ce qui s'était passé quinze ans plus tôt – ou *semblait* s'être passé – sans trahir son secret. Alors qu'il approchait du but, il pressa le pas et se mit presque à courir.

Mais, au détour du corridor menant à la chambre de Jillian, il fit halte brusquement en apercevant Balder, apparemment occupé à reboucher une fissure dans le mur avec un mélange d'argile et de pierre concassée.

— Que faites-vous là, au beau milieu de la nuit ! s'indigna Grimm.

Balder haussa négligemment les épaules.

— Entretenir ce château est un souci de tous les instants. Et à mon âge, on n'a plus besoin de beaucoup de sommeil. Mais que fais-tu là toi-même, mon garçon ? Ta chambre est de l'autre côté...

Avec sa truelle, il désigna l'autre extrémité du corridor et enchaîna :

— Au cas où tu l'aurais oublié. Tu n'aurais tout de même pas en tête l'idée de venir dévergonder une innocente jeune femme, n'est-ce pas ?

Un muscle tressaillit sur la mâchoire de Grimm.

— Je ne suis pas encore habitué, maugréa-t-il. J'ai dû prendre la mauvaise direction.

— Eh bien, rien ne t'empêche de prendre à présent la bonne, conclut Balder d'un ton égal. En ce qui me concerne, j'en ai encore ici pour un moment. Peut-être même pour *toute* la nuit...

Vingt minutes plus tard, Jillian ouvrit sa porte et passa la tête dans l'entrebâillement.

— Balder ! s'exclama-t-elle en lui jetant un coup d'œil irrité.

Balder sourit de la découvrir si adorable, à moitié endormie et manifestement décidée à rejoindre la chambre de Grimm.

— Avez-vous besoin de quelque chose, *lass* ? demanda-t-il innocemment.

— Que diable êtes-vous en train de faire ? s'enquit-elle sans lui répondre.

En lui livrant la même lamentable explication qu'à Grimm, il se remit à l'ouvrage avec ardeur.

— Oh ! fit Jillian, déçue.

— Voulez-vous que je vous escorte jusqu'aux cuisines ? suggéra-t-il. Que je vous accompagne pour quelques pas ? Je reste d'ordinaire debout toute la nuit, et je n'ai rien d'autre de prévu que ces travaux d'entretien. De petites fissures dans un mur peuvent vite se transformer en crevasses, si l'on n'y prend garde.

— Non, non… répliqua-t-elle. J'avais juste entendu un bruit et je me demandais ce que c'était.

Après lui avoir souhaité bonne nuit, elle se retira.

Aussitôt la porte fermée, Balder se frotta les yeux. Par tous les saints ! songea-t-il. La nuit s'annonce très, très longue…

Dans les hauteurs non loin de Tuluth, des hommes étaient en train de s'attrouper. Deux d'entre eux s'éloignèrent du groupe principal et s'approchèrent du bord de la falaise en discutant avec animation.

— L'embuscade n'a rien donné, Connor. Pourquoi n'avoir envoyé qu'une vingtaine d'hommes pour venir à bout du Berserker ?

— Parce que nous ne voulions pas perdre trop d'hommes en prévision de la bataille à mener ici, répliqua Connor McKane. De toute façon, combien de tonneaux de poudre as-tu gaspillés toi-même, en pure perte ?

Le visage de Ramsay Logan se tordit en une grimace de dépit.

— Mon plan n'avait pas été mûrement réfléchi, reconnut-il. La prochaine fois, il ne m'échappera pas.

— Logan… Si tu parviens à tuer Gavrael McIllioch, tu auras suffisamment d'or à dépenser jusqu'à la fin de tes jours. Voilà des années qu'il nous échappe. Pour ce que nous en savons, il est le dernier Berserker à pouvoir engendrer.

— Tous les enfants McIllioch naissent-ils ainsi ? interrogea Ramsay, les yeux fixés sur les lumières de la vallée.

— Seuls les fils du laird, répondit Connor avec une moue dégoûtée. Au fil des siècles, notre clan a rassemblé autant d'informations que possible sur les McIllioch. Nous savons qu'ils ne peuvent avoir qu'une seule épouse véritable, et si celle-ci meurt avant eux, ils restent célibataires jusqu'à la fin de leurs jours. Le vieux McIllioch n'est donc plus une menace. Et à notre connaissance, Gavrael est son seul fils. Lorsqu'il mourra, la lignée s'éteindra avec lui. Cependant, à plusieurs reprises au cours de leur histoire, les McIllioch sont parvenus à nous dissimuler certains d'entre eux. Voilà pourquoi il est impératif que tu puisses t'introduire dans Maldebann Castle. Je veux être certain que le dernier des McIllioch sera bien anéanti.

— Vous imaginez-vous que le château regorge de garçons aux yeux bleus ? demanda Logan, sarcastique. Avez-vous des raisons de penser que Ronin ait pu avoir d'autres fils ?

— Nous n'en savons rien, admit Connor. Au fil du temps, nous avons appris qu'il existe au cœur du château une salle secrète, un lieu de prière dédié à Odin.

Son visage se convulsa de fureur.

— Satanés païens ! éructa-t-il. L'Écosse est terre chrétienne, désormais ! Nous avons entendu dire qu'ils pratiquent en ce lieu des cérémonies impies. Et l'une des servantes que nous avons réussi à capturer nous a raconté – avant de mourir – qu'ils y gardent également un portrait de chaque individu de leur sale engeance. Tu devras trouver cet endroit et vérifier que Gavrael est bien le dernier.

— Vous attendez de moi que je m'introduise dans le repaire de telles créatures pour les espionner, résuma Logan, calculateur. Combien d'or avez-vous dit que me vaudrait ce service ?

Une lueur fanatique dans le regard, Connor répondit sans hésiter :

— Si tu parviens à prouver qu'il est le dernier et à le tuer, ton prix sera le nôtre.

— Je m'introduirai dans ce château et je viendrai à bout du dernier Berserker, promit Ramsay.

— Comment ? Tu as déjà failli par trois fois.

— Ne vous inquiétez pas. Je ne me contenterai pas d'aller visiter cette salle secrète. Je repartirai avec sa future femme, Jillian. Il est possible qu'elle soit enceinte et...

— Par les larmes sacrées du Christ ! l'interrompit Connor en frémissant de dégoût. Quand tu en auras terminé avec elle, tue-la !

— Pas question ! objecta Ramsay en dressant une main devant lui. Je la veux. Elle fait partie du prix que je réclame. S'il s'avère qu'elle est enceinte, je la maintiendrai sous bonne garde jusqu'à l'accouchement.

— Et si elle donne naissance à un fils, tu le tueras – et je serai là pour le vérifier. Tu dis haïr les Berserkers, mais si tu t'imagines pouvoir les introduire dans ton clan, tu le regretteras...

— Gavrael McIllioch a assassiné mes frères ! tonna Logan. Je n'aurai aucun scrupule à tuer son fils – ou sa fille.

— Bien !

Connor McKane reporta son attention sur le village, dans la vallée.

— Cet endroit a beaucoup changé, commenta-t-il. Quel est ton plan ?

— Vous m'avez indiqué qu'il existe des cavernes au sommet de cette falaise. Une fois que j'aurai capturé la femme, je vous donnerai un de ses vêtements. Ainsi, vous pourrez aller provoquer le vieux McIllioch et son fils. Ils n'attaqueront pas tant qu'ils sauront Jillian entre mes mains. Vous n'aurez qu'à faire en sorte que

Gavrael se précipite vers ces grottes. Ensuite, je m'occuperai de lui.

— Comment ?

— J'ai dit que je m'en occuperai ! gronda Ramsay.

— Je veux voir son cadavre de mes propres yeux !

— Vous le verrez.

Les deux hommes étudièrent le château dont la haute et élégante silhouette se découpait à flanc de montagne.

— Tant de richesses et de splendeurs aux mains de ces chiens de païens... murmura Connor. Quel gâchis ! Lorsque les McKane auront triomphé, ils prendront possession de Maldebann Castle.

— Quand j'aurai fait ce que j'ai promis de faire, corrigea Ramsay avec un regard qui le mettait au défi de le contredire, ce sont les Logan qui prendront possession de cette vallée.

31

Lorsque Jillian s'éveilla le lendemain matin, elle se rendit compte immédiatement de deux choses : Grimm lui manquait terriblement, et elle souffrait de ce que les femmes appellent des « troubles de grossesse ». En se roulant en boule dans son lit, elle se demanda comment elle avait pu, la veille, ne pas reconnaître son malaise pour ce qu'il était. Tout occupée à comploter pour amener Grimm jusqu'à Tuluth, elle n'avait pas pris la peine de s'interroger sur ces nausées matinales. La perspective d'avoir à endurer cela chaque jour n'était pas pour lui plaire, mais la confirmation qu'elle avait ainsi d'attendre un enfant de Grimm suffisait à la combler. Il lui tardait, désormais, de partager avec lui cette merveilleuse nouvelle.

Un douloureux élancement au creux de l'estomac suffit presque à lui faire réviser son jugement. Profitant de sa solitude, elle s'autorisa un gémissement prolongé. La position fœtale aidait un peu à atténuer la douleur, tout comme le fait de savoir, ainsi qu'on le lui avait appris, que de tels troubles étaient de courte durée.

Et ce fut effectivement le cas ce matin-là. Au bout d'une demi-heure, la nausée disparut aussi subitement qu'elle l'avait assaillie. Elle fut même surprise de constater qu'elle se sentait parfaitement éveillée et en pleine forme. Après avoir brossé ses cheveux et les avoir noués sur sa nuque à l'aide d'un ruban, elle contempla tristement les restes de sa robe de mariée. Elle avait quitté Caithness sans rien d'autre à se mettre. Tout ce qu'elle avait sous la main dans cette chambre, c'était le tartan des Douglas dans lequel Grimm l'avait enveloppée durant le voyage. Décidée à ne pas se laisser priver de déjeuner pour si peu, Jillian s'en saisit. Quelques minutes et quelques nœuds stratégiquement placés plus tard, elle se retrouva vêtue à l'écossaise et prête à prendre le chemin de la grande salle.

Ronin, Balder et Grimm étaient déjà installés à table et mangeaient dans un silence tendu quand Jillian fit son entrée. Consciente qu'une dose de gaieté ne pourrait que leur faire du bien, elle leur adressa un bonjour joyeux.

Les trois hommes bondirent en même temps sur leurs pieds, rivalisant pour être celui qui lui présenterait sa chaise. Avec un grand sourire, elle accorda cet honneur à Grimm.

— Bonjour ! susurra-t-elle en laissant son regard courir sur lui.

Elle se demanda si sa condition de femme enceinte nouvellement découverte se lisait dans ses yeux et se jura de lui parler seule à seul dès que possible.

Grimm s'était figé, la chaise à bout de bras.

— Bonjour... coassa-t-il d'une voix rauque. *Och*, Jillian ! Tu n'as rien d'autre à te mettre sur le dos, n'est-ce pas ?

Un instant, il détailla sa tenue, avant d'ajouter en lui souriant tendrement :

— Je me souviens que tu t'habillais ainsi, quand tu étais petite. Tu voulais en tout ressembler à ton père.

Une fois que Jillian fut assise, il laissa ses mains s'attarder sur ses épaules et reprit :

— Balder ? Pourriez-vous demander aux servantes de trouver à Jillian quelque chose qu'elle puisse porter ?

Ce fut Ronin qui lui répondit.

— Il me semble que certaines robes de Jolyn pourraient être ajustées à sa taille. Je les ai fait remiser soigneusement après...

Les yeux soudain assombris, il laissa sa phrase en suspens.

Jillian fut déconcertée de voir, à ces mots, une expression de colère passer sur le visage de Grimm. Plus tendu que jamais, il alla se rasseoir et serra si fort les doigts autour de son gobelet que ses jointures blanchirent. Bien que lui ayant confié certaines choses à propos de sa famille, jamais il ne lui avait parlé de la mort de sa mère, pas plus qu'il ne lui avait expliqué ce qui avait pu creuser un tel fossé entre son père et lui. Loin d'être le pauvre dément qu'il avait décrit, Ronin McIllioch lui semblait surtout être un homme que rongeaient le souvenir de sa femme et le besoin de rétablir une relation normale avec son fils.

Soudain, en l'entendant prendre la parole, elle réalisa que Balder dévisageait son neveu aussi intensément qu'elle le faisait elle-même.

— T'a-t-on déjà raconté la fable du loup déguisé en agneau ? lui demanda-t-il.

— *Aye*, répondit Grimm d'un air revêche. On s'est chargé de m'en faire comprendre la morale dès le plus jeune âge.

— Dans ce cas, poursuivit Balder, tu dois pouvoir comprendre que cette fable marche dans les deux sens. Il existe des moutons déguisés en loups. Les apparences peuvent être trompeuses. Parfois, il convient de les réexaminer d'un œil neuf, avec un regard d'adulte.

Jillian observait les trois hommes avec curiosité, consciente des messages codés qu'ils échangeaient et qui dépassaient sa compréhension.

— Jillian adore les fables, marmonna Grimm, manifestement désireux de changer de sujet.

— Voulez-vous nous en conter une ? proposa Ronin.

Jillian se sentit rougir.

— Non, vraiment... ce sont les enfants qui écoutent des fables.

— Les enfants ! s'exclama le laird. Tu entends ça, Balder ? Ma Jolyn, elle aussi, adorait nous réciter des fables. Allez, *lass*... Racontez-nous une histoire.

— Eh bien, je ne sais pas si... protesta-t-elle faiblement.

Alors qu'elle allait se résoudre à céder, Jillian sursauta en entendant Grimm claquer violemment son gobelet sur la table. Depuis leur arrivée, il se conduisait en ours irascible et elle ne parvenait pas à saisir pourquoi. Cherchant un moyen de faire baisser la tension, elle fouilla sa mémoire à la recherche du conte idéal. Non sans une certaine malice, elle eut bientôt fixé son choix.

— Il était une fois... un lion puissant, héroïque, invincible. Il était le roi de tous les animaux et n'en ignorait rien. D'aucuns l'auraient trouvé un peu arrogant, mais il n'en était pas moins un bon roi.

Jillian marqua une pause, le temps d'adresser un sourire à Grimm, qui se renfrogna de plus belle.

— Ce monarque puissant se promenait un soir dans une forêt des Lowlands lorsque, à l'orée d'une clairière, il se mit à l'affût pour espionner une très belle jeune femme...

— Avec une abondante chevelure blonde, l'interrompit Balder. Et de grands yeux couleur d'ambre.

— Mais oui ! C'est tout à fait ça... On vous l'a déjà racontée ?

Grimm leva les yeux au plafond. Jillian réprima une envie de rire et poursuivit son récit.

— Le lion fut ébloui par la beauté de la jeune femme, par sa gentillesse, et par la chanson qu'elle chantait.

Incapable de rester caché plus longtemps, il s'approcha d'elle, tout doucement pour ne pas l'effrayer. Mais la jeune femme n'eut pas peur de lui, car elle le voyait pour ce qu'il était : une créature puissante, courageuse et dotée d'un sens de l'honneur à toute épreuve, dont le rugissement effrayant trahissait un cœur pur. Quant à son arrogance, elle ne la gênait pas, car elle avait appris en observant son propre père que celle-ci va souvent de pair avec une force hors du commun.

Encouragée par l'amusement manifesté par Ronin, qui souriait largement en l'écoutant, Jillian fixa Grimm au fond des yeux et enchaîna :

— Le lion fut aussitôt conquis. Le lendemain, il alla trouver le père de la jeune femme pour lui demander l'autorisation de l'épouser. Même si sa fille se sentait à l'aise en sa compagnie, le père s'inquiétait de la nature bestiale de ce prétendant. Il posa donc comme condition à son acceptation que le fauve se fasse retirer griffes et crocs. Le lion était désespérément amoureux. Il donna son accord, et il en fut fait ainsi.

— L'histoire de Samson et Dalila revisitée... marmonna Grimm.

Jillian décida de l'ignorer.

— Mais quand le lion, parfaitement inoffensif, alla trouver le père pour lui demander de respecter sa part de marché... celui-ci jeta hors de sa maison, à coups de pierres et de bâtons, celui qui n'était plus une menace ni une créature invincible.

Jillian se tut, sous les applaudissements de Balder et de Ronin.

— Magnifiquement raconté ! s'exclama celui-ci. C'était une des favorites de mon épouse également.

Une grimace tordit les traits de Grimm.

— Quelle peut être la morale de cette histoire ? demanda-t-il avec agacement. Que l'amour rend les hommes faibles ? Qu'un homme perd la femme qu'il aime lorsqu'elle le voit tel qu'il est réellement ?

— Pas du tout, mon garçon… intervint Ronin en dardant sur lui un regard sévère. La morale de cette histoire, c'est que l'amour peut rendre humble même les plus puissants.

— Attendez ! protesta Jillian. Le conte n'est pas terminé. Bouleversée par la volonté de son amoureux de lui faire si totalement confiance, la jeune femme alla supplier son père, qui accepta de la laisser épouser le lion.

Quant à elle, conclut-elle pour elle-même, elle devinait à présent la nature de la peur profonde de Grimm. Quel que puisse être son secret, il était convaincu qu'elle le quitterait une fois qu'elle le connaîtrait vraiment.

— Je persiste à croire que c'est une histoire affreuse ! tonna Grimm.

Marquant sa désapprobation d'un grand geste, il envoya son gobelet plein voler à travers la table, aspergeant de vin la chemise de Ronin. Un long moment, Grimm regarda fixement la tache écarlate qui maculait le lin blanc sur la poitrine de son père.

— Excusez-moi ! lança-t-il enfin en repoussant vivement sa chaise.

Et, sans un regard en arrière, il quitta la pièce.

— Ah, *lass*… commenta Ronin en épongeant les dégâts avec un napperon. J'ai bien peur qu'il se laisse emporter, parfois.

Jillian entama son déjeuner du bout des dents.

— J'aimerais au moins comprendre de quoi il retourne, dit-elle enfin.

Elle avait souligné sa remarque par un regard chargé d'espoir à l'intention des deux frères.

— Vous ne le lui avez pas demandé ? s'enquit doucement Balder.

— Je voulais le faire, mais…

— Mais vous redoutiez qu'il ne puisse vous donner des réponses qu'il ne possède pas, c'est cela ?

— Je voudrais qu'il m'en parle de lui-même, précisa-t-elle. Il garde tant de choses au fond de lui... À part lui laisser le temps de se décider à se confier à moi, je ne vois pas ce que je peux faire de plus.

— Il vous aime, *lass*... lui assura Ronin. Cela se voit dans ses yeux, dans sa manière de vous toucher, dans sa façon de bouger quand vous êtes près de lui. Vous êtes au centre de son cœur.

— Je le sais, répondit-elle simplement. Je n'en doute pas. Mais la confiance fait partie intégrante de l'amour.

— Ce n'est pas à vous qu'il ne fait pas confiance, intervint Balder. C'est à lui-même.

Jillian chercha sur le visage de l'oncle de Grimm, puis sur celui du laird, les réponses aux questions qu'elle se posait et qu'ils rechignaient à lui fournir. Tous deux la regardaient intensément, presque avec espoir, mais qu'espéraient-ils d'elle ? Déconcertée, elle repoussa son assiette, à laquelle elle avait à peine touché.

— Je suppose qu'il vaudrait mieux que j'aille lui parler, conclut-elle en se levant.

— N'allez pas le déranger dans l'ancienne grande salle, la prévint Balder. Il s'y rend rarement, mais lorsqu'il le fait, c'est qu'il veut qu'on le laisse tranquille.

— L'ancienne grande salle ? répéta-t-elle en fronçant les sourcils. Mais... n'est-ce pas où nous nous trouvons ?

— Non. Nous sommes ici dans la grande salle ordinaire, qui sert pour la vie de tous les jours. Je vous parle de celle à laquelle on accède par l'arrière du château, et que l'on a creusée directement au cœur de la montagne. C'est là qu'il allait se réfugier quand il était jeune garçon.

— Oh, merci... répondit-elle, même si elle n'avait pas la moindre idée de ce dont elle le remerciait.

Ce commentaire obscur semblait avoir pour objet de la détourner de ce lieu, mais elle avait l'intuition qu'il visait plutôt à l'y conduire. Titillée par la curiosité, Jillian s'excusa rapidement et sortit.

Après son départ, Ronin adressa un sourire entendu à Balder.

— Il ne mettait jamais les pieds dans le Hall des Dieux quand il était petit ! s'exclama-t-il, admiratif. Espèce de vieux renard !

En remplissant leurs gobelets, Balder répliqua fièrement :

— J'ai toujours dit que c'est moi qui ai hérité de la part de l'intelligence, dans cette famille. Les torchères sont-elles allumées, Ronin ? Tu as laissé la porte ouverte, n'est-ce pas ?

— Naturellement ! Je crains cependant que... qu'elle n'arrive pas à se faire une idée de la vérité. Ou pire encore : qu'elle ne puisse l'accepter.

— Cette jeune femme a la tête solidement plantée sur les épaules, frère. Elle se pose énormément de questions, mais elle tient sa langue. Non par faiblesse, mais par amour pour ton fils. Elle meurt d'envie de savoir ce qui s'est passé ici il y a quinze ans, et elle attend patiemment qu'il se décide à le lui raconter. En dirigeant ses pas vers le Hall des Dieux, nous lui permettons de satisfaire en partie sa curiosité, et d'être prête à écouter Gavrael lorsqu'il surmontera sa peur de la perdre pour lui parler.

Balder marqua une pause et dévisagea sévèrement son frère avant d'ajouter :

— Je ne te connaissais pas aussi couard, Ronin. Cesse de renâcler devant l'obstacle et va changer de chemise. Ensuite, tu pourras aller parler à ton fils comme tu regrettes de n'avoir pu le faire il y a des années.

Jillian se rendit directement à cette mystérieuse ancienne grande salle. Du moins, aussi directement que possible. Il semblait aussi difficile de trouver son chemin à l'intérieur de Maldebann Castle que dans une ville étrangère. Sans se laisser décourager, elle parcourut une enfilade de corridors et de halls, en estimant la direction dans laquelle devait se trouver la montagne. Balder aurait voulu l'inciter à visiter cet endroit qu'il ne s'y serait pas pris autrement. Y trouverait-elle les réponses qu'elle cherchait ?

Enfin, au terme d'une demi-heure de recherches, elle comprit qu'elle touchait au but en débouchant dans une pièce plus vaste encore que celle dans laquelle elle avait pris son petit déjeuner. D'un pas hésitant, elle entra, le nez en l'air. Cette salle paraissait beaucoup plus ancienne que le reste du château – peut-être même aussi vieille que ces pierres que les druides d'autrefois avaient dressées au sommet de la falaise.

De manière bien commode, des torches brûlaient aux murs. Jillian soupçonna les deux frères de lui avoir facilité la tâche, car sans cela il aurait fait totalement noir dans cette pièce creusée au cœur de la montagne et par conséquent dépourvue de fenêtres. Impressionnée, elle fut prise d'un frisson en traversant lentement le dallage jusqu'à une double porte, au fond. Cloutée et renforcée de bandeaux de fer, elle culminait loin au-dessus de sa tête.

Saisie par le même respect instinctif qui s'emparait d'elle dans la chapelle de Caithness, Jillian lut dans un murmure la devise inscrite sur le linteau en plein cintre.

Deo non fortuna...

Le vantail s'ouvrit sans résister. Les yeux écarquillés, Jillian s'avança d'un pas indolent de somnambule, ébahie par ce qu'elle découvrait. La tête penchée en arrière, elle admira les fresques qui ornaient le plafond. Certaines étaient à peine visibles et effacées, d'autres très réalistes et vibrantes de couleurs. Un frisson lui remonta l'échine lorsqu'elle comprit qu'elle avait sous les yeux des siècles d'histoire du clan McIllioch. Et quand son regard vint se fixer sur les murs, d'autres merveilles s'offrirent à elle. Des portraits – des centaines de portraits ! – s'alignaient sur toutes les surfaces.

En déambulant le long des murs, Jillian comprit rapidement qu'il s'agissait de tous les membres du clan. Les premières représentations avaient été sculptées à même la pierre. Des noms avaient été gravés dessous, qu'elle aurait été incapable de prononcer. Mais, au fil du temps, les techniques employées comme les vêtements représentés se faisaient plus modernes.

Plus les images se rapprochaient de l'époque contemporaine, plus elles étaient détaillées. Les couleurs se firent plus subtiles, plus artistement appliquées. Les yeux rivés sur les portraits, elle revint plusieurs fois en arrière, comparant l'évolution d'un même individu de l'enfance à l'âge adulte. La conclusion qui s'imposait la laissa incrédule.

Ce n'est pas possible…

Fermant les paupières un instant, Jillian les rouvrit et recula d'un pas afin d'avoir une vue d'ensemble de toute une section. Décidée à en avoir le cœur net, elle alla décrocher une torche et se rapprocha, étudiant attentivement un groupe d'enfants dans les jupes de leur mère. Tous étaient de beaux garçons aux cheveux noirs et aux yeux bruns, destinés de toute évidence à devenir des hommes à la beauté dangereuse.

Sur le tableau suivant, ils étaient de nouveau représentés, cette fois à l'âge adulte : les mêmes cheveux noirs, la même renversante beauté – mais leurs yeux étaient devenus bleus.

Impossible ! Les yeux ne changent pas de couleur avec l'âge…

Jillian revint sur ses pas pour se camper devant le premier portrait de groupe. La mère était une beauté aux cheveux auburn. Ses cinq fils se serraient autour d'elle. Tous avaient les yeux bruns. La même femme plus âgée, sur le portrait d'à côté, était au centre de cinq hommes séduisants. Les poses différaient, mais tous regardaient directement l'artiste, ne laissant aucun doute quant à la couleur de leurs yeux : un très étrange bleu de glace. Les noms étaient identiques.

L'esprit en proie à la plus extrême confusion, Jillian reprit sa déambulation, ne s'arrêtant qu'une fois arrivée à la section regroupant les portraits du XVIe siècle. Hélas, ceux-ci suscitèrent en elle plus de questions qu'ils n'apportèrent de réponses. Frappée de stupeur, elle se laissa glisser à genoux sur le sol et s'abîma dans ses pensées.

Jillian mit très longtemps à faire le tri de toutes les informations dont elle disposait. Lorsque ce fut fait, plus aucune question sans réponse ne la tourmentait. Elle se targuait d'être une femme intelligente, dotée d'une logique infaillible. Bien que défiant le sens commun, la conclusion à laquelle elle aboutissait ne faisait aucun doute. Agenouillée dans une crypte vieille de mille ans, habillée d'un tartan à moitié défait et tenant une torche presque entièrement consumée à la main, Jillian était entourée de générations entières de Berserkers.

32

Grimm faisait les cent pas sur la terrasse, mortifié de s'être conduit comme un idiot. Quand Jillian les avait rejoints dans la grande salle, il fournissait pourtant de grands efforts pour entretenir une conversation civilisée avec son père. Mais lorsque Ronin avait évoqué sa femme, il avait senti la fureur s'emparer de lui avec tant de violence qu'il avait failli se jeter sur lui par-dessus la table.

Il était cependant suffisamment lucide pour comprendre qu'une grande partie de cette colère qui bouillonnait en lui était dirigée contre lui-même. Il avait besoin d'informations, mais redoutait de poser les questions qui s'imposaient. Il avait besoin de parler à Jillian, mais qu'aurait-il pu lui dire étant donné qu'il restait lui-même dans le doute ? Sa conscience ne cessait de le harceler. Va trouver ton père et parle-lui. Il est temps de savoir enfin ce qui s'est réellement passé…

Cette perspective le terrifiait. S'il découvrait qu'il s'était trompé, son existence entière prendrait un tour radicalement différent.

En outre, d'autres sujets d'inquiétude le taraudaient. Il devait s'assurer que Jillian ne pourrait jamais découvrir sa véritable nature, et il lui fallait prévenir Ronin et Balder que les McKane étaient sur ses traces. Jillian devait être mise à l'abri avant qu'ils décident de passer à l'attaque. Enfin, il lui fallait découvrir pourquoi son oncle et son père étaient tout comme lui des Berserkers.

— Fils...

Grimm fit volte-face et découvrit son père qui l'observait, à l'autre bout de la terrasse. Absorbé par ses pensées, il ne l'avait pas entendu approcher.

— Ne m'appelle pas comme ça ! s'emporta-t-il.

Mais cette fois, sa protestation manquait de conviction.

Ronin soupira.

— Nous avons besoin de parler, tous les deux.

— Il est trop tard. Tu m'as dit tout ce que tu avais à me dire il y a des années de cela.

Ronin traversa la terrasse et le rejoignit devant le parapet.

— Tuluth est magnifique, n'est-ce pas ? demanda-t-il doucement.

Grimm ne prit pas la peine de lui répondre.

— Garçon, je...

— Ronin, as-tu...

Tous deux s'étaient exprimés simultanément. Brisés dans leur élan, ils se jaugèrent longuement du regard, sans remarquer que Balder les observait depuis la porte. Ronin se décida le premier à reprendre la parole.

— Pourquoi es-tu parti et n'es-tu jamais revenu ?

— Pourquoi je suis parti ? répéta Grimm, incrédule.

— Était-ce parce que tu étais effrayé de ce que tu étais devenu ?

— De ce que *moi* j'étais devenu ? En tout cas, je ne suis jamais devenu comme toi !

Ronin parut estomaqué.

— Comment peux-tu soutenir une chose pareille alors que tu as les yeux bleus ! s'offusqua-t-il. Toi aussi, tu connais la transe meurtrière.

— Je sais que je suis un Berserker, répliqua Grimm d'un ton égal. Mais je ne suis pas fou.

Ronin cligna des yeux, interloqué.

— Pourquoi dis-tu ça ? s'étonna-t-il. Je ne t'ai jamais accusé de l'être.

— Bien sûr que si ! Après la bataille... lui rappela Grimm d'un ton amer. Tu m'as dit que j'étais comme toi.

— Parce que tu l'es.

— Non, je ne le suis pas !

— Si, tu l'es et...

— *Tu as tué ma mère !*

Le cri de Grimm lui était venu du cœur, amplifié par quinze années d'angoisse.

Instantanément, Balder les rejoignit. Grimm se retrouva dévisagé par deux paires d'yeux d'un bleu intimidant, puis les frères échangèrent un regard.

— C'est *ça* qui t'a empêché de revenir chez toi durant toutes ces années ? questionna Ronin en pesant ses mots.

Grimm inspira à fond pour se contenir. À présent que sa parole s'était libérée, les questions ne demandaient qu'à s'enchaîner.

— Pourquoi avais-je les yeux bruns dans mon enfance ? Pourquoi êtes-vous des Berserkers, tous les deux ?

— Oh ! Tu es réellement bouché, n'est-ce pas, Gavrael ? railla Balder. Voyons, mon garçon... Tu n'es pas capable d'additionner deux et deux ?

Dans l'esprit malmené de Grimm, des milliers de questions entrèrent en collision. Tout cela le conduisit à formuler l'impensable.

— Suis-je le fils de quelqu'un d'autre ?

Ronin et Balder secouèrent négativement la tête.

— Dans ce cas, rugit-il en s'adressant à son père, pourquoi as-tu tué ma mère ? Et ne me dis pas que nous sommes tous ainsi dans la famille ! Tu es peut-être assez fou pour avoir tué ta propre femme, mais ce n'est pas mon cas !

Une fureur noire assombrit le visage de Ronin, qui en resta un instant sans voix.

— Je n'arrive pas à croire que tu puisses m'accuser d'une chose pareille... dit-il enfin d'un ton monocorde.

— Je t'ai trouvé penché sur son corps ! reprit Grimm d'un ton accusateur. Tu avais encore le couteau à la main !

— Le couteau que je venais de retirer de son cœur, expliqua Ronin entre ses dents serrées. Pourquoi aurais-je tué la seule femme qu'il m'était possible d'aimer ? Comment peux-tu m'accuser d'un tel crime ? Serais-tu capable d'assassiner Jillian ? Même sous l'emprise du Berserker, pourrais-tu la tuer ?

— Jamais !

— Alors, tu dois comprendre que tu as mal interprété ce que tu as vu.

— Tu as bondi vers moi ! J'aurais été le suivant, si je ne m'étais pas enfui...

— Tu es mon fils... répondit Ronin dans un souffle. J'avais *besoin* de toi, de te serrer dans mes bras, de m'assurer que les McKane ne t'avaient pas eu, toi aussi.

— Les McKane ? répéta Grimm, stupéfait. Voudrais-tu me faire croire que ce sont les McKane qui ont tué ma mère ? Ils n'ont pas attaqué avant la fin de l'après-midi. Mère est morte au petit matin...

— Ils sont restés cachés dans les collines toute la journée, acquiesça le laird, le regard hanté par de douloureux souvenirs. Mais il y avait un espion à leur solde parmi nous. Il avait découvert que Jolyn était de nouveau enceinte.

L'horreur de cette révélation arracha un cri à Grimm.

— Mère était enceinte !

Ronin se frotta discrètement les yeux avant de poursuivre :

— C'était inattendu. Nous étions convaincus, tous les deux, qu'elle n'aurait plus d'enfant. Elle n'était plus tombée enceinte depuis ta naissance, quinze ans plus tôt. Cela aurait été un enfant tardif, mais nous aurions tellement aimé...

Ronin ne put achever sa phrase. Les yeux brillants de larmes contenues, il dut déglutir péniblement, à plusieurs reprises, avant de pouvoir continuer son récit.

— J'ai tout perdu en une journée. Et je suis resté persuadé que tu ne voulais pas revenir parce que tu n'acceptais pas ce que tu es. Je me disais que tu me haïssais de t'avoir fait ainsi, et de ne pas avoir été là pour t'apprendre à domestiquer tes dons de Berserker. J'ai passé des années à combattre l'envie de partir à ta recherche pour me rattraper, de peur que les McKane me suivent et te retrouvent. Tu t'étais arrangé pour disparaître dans la nature. Et aujourd'hui... aujourd'hui je découvre que tu as passé tout ce temps à me haïr, et à t'imaginer que je...

Sans achever sa phrase, Ronin se détourna, le visage marqué par l'amertume.

— Les McKane ont tué ma mère... murmura Grimm, comme pour s'en convaincre lui-même. Mais pourquoi s'en sont-ils pris à elle parce qu'elle était enceinte ?

Ronin secoua la tête d'un air dépité et prit son frère à témoin.

— Comment ai-je fait pour mettre au monde un fils aussi obtus ?

Dans un haussement d'épaules, Balder leva les yeux au ciel.

— C'est ce que j'ai essayé de te faire comprendre lorsque tu t'es enfui, reprit Ronin en s'armant de patience. Nous autres, hommes du clan McIllioch, sommes Berserkers de naissance. Chaque descendant du laird en est un. Voilà pourquoi les McKane nous pourchassent depuis un millénaire. Ils connaissent nos légendes presque aussi bien que nous. Une prophétie a annoncé que notre clan serait virtuellement décimé, et notre lignée réduite à trois individus éparpillés de par le monde. Mais il a également été prédit que le dernier des

McIllioch serait ramené chez lui par sa compagne véritable et qu'alors le clan McKane serait détruit. Nous sommes ces trois-là – tu es *celui-là*...

— Berserker de naissance ? répéta Grimm, abasourdi.

— Oui, répondirent les deux frères en retenant leur souffle.

— Mais... j'ai moi-même invoqué Odin, du haut de la falaise, pour en devenir un.

— Une coïncidence, expliqua Ronin. C'est la vision du sang, le choc de la première bataille qui ont éveillé le Berserker en toi. D'ordinaire, la transformation ne s'opère qu'à l'âge de seize ans.

Grimm s'assit pesamment sur le parapet, prit sa tête entre ses mains et demanda d'un ton plaintif :

— Pourquoi ne pas m'avoir dit tout de suite ce que j'étais ?

— Fils... Ce n'est pas comme si nous avions essayé de te le cacher. Nous t'avons abreuvé de nos légendes dès le plus jeune âge. Elles te galvanisaient. T'en souviens-tu ?

Ronin éclata d'un rire joyeux avant de poursuivre :

— Tu courais partout, clamant à tous les vents que tu voulais devenir un Berserker ! Nous étions ravis de te voir accepter ton héritage avec tant d'enthousiasme. Rends-toi dans le Hall des Dieux, Gavrael, et tu verras...

— Grimm ! corrigea-t-il sèchement.

Pour ne pas sombrer, il s'accrochait avec obstination à ce qui restait de son identité – fût-ce la part la plus fausse.

Ronin poursuivit comme s'il n'avait pas été interrompu :

— Il existe certaines cérémonies, au cours desquelles nous livrons à nos fils le secret de leur naissance et leur apprenons à vivre avec la transe du Berserker. Le temps était presque venu pour toi lorsque les McKane ont attaqué. J'ai perdu Jolyn, je t'ai perdu, et j'apprends à présent que tu n'as cessé de me haïr en m'accusant du plus vil des crimes.

— Nous entraînons nos fils à être ce qu'ils sont, Gavrael... intervint Balder. Par une discipline de fer, nous leur apprenons à se maîtriser mentalement, physiquement, émotionnellement. Nous leur apprenons à dominer le Berserker, pour éviter d'être dominés par lui. Par un concours de circonstances malheureux, tu n'as pas eu droit à cette initiation, pourtant je dois dire que tu t'es très bien débrouillé seul. Sans aucun entraînement, sans rien savoir de ta nature profonde, tu n'as pas failli à l'honneur et tu fais un bon Berserker. Ne t'accable pas d'avoir vu à quatorze ans ces événements tragiques avec les yeux à demi ouverts d'un garçon de cet âge.

Grimm, prenant soudain conscience des implications de la prophétie, redressa la tête.

— Je suis donc condamné à repeupler Maldebann de futurs Berserkers ?

— Cela a été prédit par la devineresse dans le Hall des Dieux.

— Mais... Jillian ignore tout de ce que je suis ! se lamenta Grimm. Si nous avons un fils et qu'il doit être comme moi...

— Elle est plus forte que tu ne l'imagines, répliqua Ronin. Fais-lui confiance. Ensemble, vous pourrez tout apprendre de notre héritage. C'est un honneur d'être un Berserker, pas une malédiction. Quelques-uns des plus grands héros qu'a comptés Alba ont été des nôtres.

Grimm garda le silence un long moment, s'efforçant de surmonter le choc de quinze années d'ignorance soudain effacées.

— Les McKane arrivent, annonça-t-il enfin, s'accrochant à un fait certain dans une mer d'incertitude.

Aussitôt, les regards des deux frères se portèrent sur les montagnes environnantes.

— Tu as vu quelque chose ? interrogea Ronin.

— Ils sont sur ma piste. Ils ont déjà tenté plusieurs fois de m'éliminer et ils nous ont suivis depuis Caithness.

— Merveilleux ! s'exclama Balder en se frottant les mains.

Ronin partageait son enthousiasme.

— Combien d'avance as-tu sur eux ? s'enquit-il.

— Pas plus d'une journée, je le crains.

— Ils seront donc là d'ici peu. L'urgence, c'est que tu trouves Jillian. Conduis-la à l'abri, au cœur du château, et dis-lui la vérité. Fais-lui confiance. Donne-lui une chance de s'adapter à la réalité. Si tu avais connu la vérité dès le départ, quinze années n'auraient pas été perdues.

— Elle va me haïr quand elle saura ce que je suis, assura Grimm avec amertume.

— En es-tu aussi certain que tu l'étais de ma culpabilité ? rétorqua Ronin d'un air entendu.

Grimm soutint le regard de son père.

— Je ne suis plus sûr de rien, avoua-t-il tristement.

— Tu es sûr de l'aimer, c'est déjà beaucoup. Et je suis persuadé qu'elle est la femme de ta vie. Aucune de nos femmes n'a jamais rejeté notre héritage. Jamais !

Grimm acquiesça d'un bref hochement de tête et s'éloigna.

— Assure-toi qu'elle reste à l'intérieur, Gavrael ! lança son père dans son dos. Nous ne pouvons courir le risque de la perdre.

Dès que Grimm eut disparu à leurs yeux, Balder adressa un regard triomphant à son frère.

— Il n'a pas essayé de te corriger lorsque tu l'as appelé par son nom…

— J'ai remarqué, répondit le laird avec un sourire. Prépare les villageois à ce qui nous attend, Balder. Je vais prévenir la garde. Aujourd'hui, nous allons mettre un point final à ces querelles – à *toutes* ces querelles.

33

Midi était passé quand Jillian se releva finalement dans le Hall des Dieux. Un profond sentiment de paix l'habitait à présent. Tant de sous-entendus incompréhensibles lancés autrefois par ses frères à propos de Grimm prenaient un sens nouveau pour elle. À la réflexion, il lui semblait qu'une part d'elle-même avait secrètement toujours su à quoi s'en tenir.

L'homme qu'elle aimait était un guerrier légendaire qui, coupé de ses racines, en était arrivé à se détester. Mais à présent qu'il était de retour chez lui, sans doute parviendrait-il à faire enfin la paix avec lui-même.

Une dernière fois, Jillian déambula le long de la galerie de portraits, frappée de constater à quel point les épouses des McIllioch semblaient radieuses. Elle demeura un long moment face à celui représentant Grimm et ses parents. Jolyn avait été une ravageuse beauté aux cheveux châtains. Son amour pour sa famille illuminait son sourire. Ronin la regardait avec adoration. Accroupi au pied de ses parents assis, Grimm avait l'air du jeune garçon aux yeux bruns le plus heureux du monde.

En un geste immémorial, Jillian posa les mains sur son ventre. Elle imaginait sans peine la fierté qui serait sienne de mettre au monde un garçon semblable à celui que Grimm avait été autrefois. En compagnie de son père, de son grand-père et de son grand-oncle, elle ferait en sorte qu'il soit fier d'être une légende et le protecteur attitré d'Alba.

— *Och, lass !* s'exclama dans son dos une voix pleine de mépris. Dis-moi que tu n'es pas enceinte...

Le cri de Jillian résonna entre les parois de pierre lorsque la poigne de Ramsay Logan se referma sur son épaule.

— Je ne la trouve pas ! annonça Grimm d'une voix blanche.

Dans la grande salle où il venait de les rejoindre, Ronin et Balder se tournèrent comme un seul homme vers lui. La garde était sur le pied de guerre. Tous les villageois étaient avertis. À Tuluth, on se tenait prêt jusqu'au dernier homme à combattre les McKane.

— As-tu été voir dans le Hall des Dieux ?

— *Aye*. Un bref coup d'œil, mais suffisant pour m'assurer qu'elle ne s'y trouvait pas.

Grimm avait redouté, en s'y attardant plus longtemps, de ne plus pouvoir en sortir, tant l'avait fasciné cet aperçu de son héritage.

— As-tu fouillé tout le château ? insista Balder.

— *Aye*.

Grimm enfouit les mains dans ses cheveux et se décida à formuler sa crainte la plus terrible.

— Est-il possible que les McKane aient pu pénétrer ici et l'enlever ?

Ronin soupira longuement avant de lui répondre.

— Tout est possible, mon garçon. Il y a eu des livraisons en provenance du village cet après-midi. N'importe qui aurait pu en profiter pour se faufiler ici. J'ai bien peur que notre vigilance se soit relâchée, en quinze années de paix.

Un cri venu du chemin de ronde vint mettre un terme à leurs interrogations.

— Les McKane ! Les McKane arrivent !

Connor McKane fit son entrée dans la vallée de Tuluth en agitant tel un drapeau le tartan des Douglas, ce qui plongea dans la confusion la plupart du clan McIllioch et emplit le cœur de Grimm de rage et de peur. Pour se procurer ce plaid, l'ennemi juré ne pouvait que l'avoir arraché au corps de Jillian, puisqu'elle ne portait rien d'autre sur elle la dernière fois qu'il l'avait vue.

Il tardait aux villageois d'en découdre et de venger la mort des leurs quelque quinze années plus tôt. Voyant Ronin s'apprêter à leur donner l'ordre d'avancer, Grimm le retint en posant une main sur son bras.

— Ils ont Jillian, dit-il d'une voix que la colère faisait trembler.

— Comment peux-tu en être sûr ? s'étonna son père en le dévisageant anxieusement.

— C'est mon plaid qu'ils agitent ainsi. Elle le portait ce matin au déjeuner.

Ronin ferma les paupières.

— Pas ça, murmura-t-il avec ferveur. Pas encore une fois…

Lorsqu'il rouvrit les yeux, une lueur de détermination sans faille les faisait étinceler.

— Nous allons la récupérer, fils ! promit-il solennellement.

Puis, s'adressant à la garde :

— Laissez passer le laird des McKane.

Hostiles mais disciplinées, les troupes s'écartèrent. En faisant stopper son cheval devant Ronin, Connor McKane lança avec un rictus mauvais :

— Je savais que tu guérirais du baiser de ma hache, chien d'infidèle ! Mais je n'imaginais pas que tu te remettrais de la perte de ta jolie catin de femme.

Un sourire féroce dénuda ses dents quand il ajouta :

— *Et* de ton futur enfant…

La main de Ronin se crispa sur la poignée de sa claymore, mais il parvint à se maîtriser.

— Laisse partir la jeune femme, McKane ! ordonna-t-il fermement. Elle n'a rien à voir dans nos histoires.

— Il est possible qu'elle soit grosse de l'un de vous.

Grimm se raidit sur son cheval.

— Elle ne l'est pas, assura-t-il.

Si c'était le cas, elle me l'aurait sûrement dit…

Connor McKane scruta son visage avec attention.

— C'est ce qu'elle prétend elle aussi, répondit-il. Mais je n'ai aucune confiance en elle, ni en toi.

— Où est-elle ? s'enquit Grimm.

— En sécurité.

— Prends-moi à sa place… suggéra Ronin, au grand effarement de son fils.

— Que ferais-je de toi, vieux bouc ? rétorqua Connor. Tu n'es plus une menace – nous y avons veillé il y a des années. Tu n'engendreras plus aucun fils. Mais lui…

Il pointa Grimm du doigt :

— Aujourd'hui c'est lui, notre problème. Nos espions nous ont confirmé qu'il est le dernier Berserker vivant. Et la femme qui est peut-être enceinte – ou peut-être pas – de ses œuvres est sa véritable compagne.

— Que veux-tu de moi ? demanda tranquillement Grimm.

— Ta vie ! Voir crever le dernier des McIllioch, je n'ai jamais rien voulu d'autre.

— Nous ne sommes pas les monstres que tu nous accuses d'être ! intervint Ronin.

— Vous êtes des païens ! s'étrangla l'autre, rouge de fureur. Des barbares ! Des blasphémateurs ! Des traîtres à la vraie religion…

— Tu es mal placé pour en juger ! l'interrompit Ronin.

— Ne t'imagine pas pouvoir discuter la parole du Seigneur avec moi, McIllioch ! Les œuvres de Satan ne m'empêcheront pas d'accomplir la volonté de Dieu !

Les lèvres de Ronin se plissèrent en un sourire amer.

— Quand l'homme s'imagine connaître la volonté de Dieu mieux que Dieu lui-même, l'hécatombe n'est jamais loin...

— Libère Jillian et tu pourras me tuer ! ordonna Grimm sèchement. Elle doit revenir parmi nous librement. Tu la confieras à...

Grimm lança un bref regard à Ronin et ajouta :

— À mon père.

— Je ne t'ai pas retrouvé pour te perdre à nouveau, fils ! murmura celui-ci avec urgence.

— Quelles touchantes retrouvailles... commenta Connor, sarcastique. Si tu tiens à ta belle, Gavrael McIllioch – dernier des Berserkers –, va la chercher toi-même. Elle est là-haut.

Il se retourna pour désigner le sommet de Wotan's Cleft avant de préciser :

— Dans les cavernes.

Figé par l'horreur, Grimm porta son regard vers la falaise.

— Comment puis-je être sûr qu'il ne s'agit pas d'un piège ? demanda-t-il.

— Tu ne le peux pas, admit Connor. Mais tiens-tu réellement à prendre le risque qu'elle puisse tomber, dans les ténèbres où nous l'avons laissée, dans quelque gouffre ?

Ronin secoua la tête et lança :

— Nous avons besoin d'une preuve qu'elle est toujours en vie.

De quelques paroles rapides à l'oreille, Connor envoya l'un de ses hommes vers l'arrière. Quelques minutes plus tard, le cri perçant de Jillian se fit entendre dans la vallée.

La gorge serrée, Ronin regarda Grimm gravir la passe rocailleuse menant au sommet de Wotan's Cleft.

Balder était noyé dans la masse des McIllioch, le visage dissimulé sous la capuche d'une lourde cape, afin d'éviter que les McKane puissent réaliser qu'il restait un autre Berserker apte à procréer. Son frère avait insisté pour qu'il ne révèle pas sa présence, à moins que cela devienne indispensable.

De leurs positions respectives, les deux frères admiraient la foulée alerte de Grimm. Il gravissait le raidillon avec une aisance qui trahissait sans le moindre doute le Berserker en lui. Après des années passées à dissimuler qui il était réellement, il ne craignait plus à présent de montrer sa supériorité à l'ennemi. Lorsqu'il eut atteint le sommet de la falaise, les deux clans se disposèrent l'un en face de l'autre en ordre de bataille. La haine qu'ils se vouaient était si palpable qu'elle semblait s'élever tels les tourbillons de fumée qui avaient empli la vallée quinze années plus tôt.

Jusqu'à ce que Jillian et Grimm – ou un McKane – viennent se poster au bord de la falaise, ni l'un ni l'autre camp ne bougerait. Les McKane n'étaient pas revenus à Tuluth pour y perdre davantage d'hommes encore. Ils n'étaient là que pour éliminer, avec Gavrael, le dernier des Berserkers.

Les McIllioch retenaient leur souffle dans l'attente de connaître le sort réservé à Jillian.

Le temps parut suspendre son cours.

Grimm pénétra dans les grottes de Wotan's Cleft dans le plus parfait silence. L'instinct lui dictait d'appeler Jillian, mais cela n'aurait fait qu'alerter celui ou ceux qui se trouvaient avec elle. Le souvenir de son terrible cri s'était gravé dans sa mémoire. Sur le coup, il lui avait glacé le sang, mais à présent, il le faisait bouillir et aspirer à une vengeance implacable.

Il s'aventura le long des galeries enténébrées avec la grâce silencieuse d'un chat sauvage, reniflant l'air tel un loup aux aguets. Tous ses instincts de prédateur entraient en action. Quelque part, une torche brûlait : impossible de ne pas remarquer son odeur. Il la suivit, les bras tendus devant lui. Il faisait nuit noire dans ces cavernes, mais l'acuité de sa vision lui permettait de distinguer vaguement l'inclinaison du sol. Évitant les pièges que représentaient les puits ouverts sous ses pas, les éboulis et les resserrements du boyau, il se fraya un chemin dans les entrailles de la falaise empuanties par une forte odeur de moisissure.

Enfin, après avoir remonté un tunnel incurvé débouchant sur un large corridor, il découvrit Jillian au bout de celui-ci, ses cheveux d'or scintillant dans la lumière de la torche.

— Arrête-toi là ! prévint Ramsay Logan. Sinon, elle mourra.

Cette vision n'aurait pas déparé un de ses pires cauchemars. Ligotée, bâillonnée, Jillian était livrée au caprice de son geôlier campé dans son dos. Elle était vêtue du tartan des McKane, et cette découverte fit redoubler la fureur de Grimm. La question de savoir qui l'avait déshabillée et rhabillée le torturait. Rapidement, il vérifia qu'elle n'était pas blessée. Ce qui l'avait fait crier ne l'avait en tout cas pas fait saigner et n'avait pas laissé de dégât apparent. Quant à la lame avec laquelle Logan la menaçait, bien que pressée étroitement sur sa gorge, elle n'avait pas percé la peau – pas encore.

— Ramsay Logan... murmura Grimm avec un sourire glacial.

— Pas très surpris de me découvrir là, n'est-ce pas, Roderick ? Ou devrais-je dire... McIllioch ?

Il avait craché ce nom comme s'il lui avait laissé un goût détestable dans la bouche.

— Non, ce n'est pas pour me surprendre, admit Grimm en s'avançant discrètement vers lui. J'ai toujours su quel genre d'homme tu es.

— Je t'ai dit de ne pas bouger, espèce de salaud ! Tu sais, je n'hésiterai pas à la tuer...

Grimm stoppa net.

— Et après ? répliqua-t-il. Tu ne pourrais m'échapper, alors à quoi te servirait de tuer Jillian ?

— J'aurais le plaisir de débarrasser le monde d'un monstre McIllioch en puissance. Et si je ne sors pas d'ici, les McKane te massacreront quand tu le feras.

— Laisse-la partir. Relâche-la et tu pourras m'avoir.

Jillian rua entre les bras de Logan, manifestant son opposition à une telle idée.

— J'ai bien peur de ne pouvoir le faire, McIllioch.

Grimm se cantonna dans le silence. Une trentaine de pas les séparaient. Il se demanda s'il pourrait entrer en transe et bondir suffisamment vite pour libérer Jillian avant que Ramsay ait pu la tuer.

Le pari était trop risqué pour être tenté. C'était bien sur cela que comptait son adversaire pour le maintenir à distance. Mais, dans cette stratégie, quelque chose clochait. En tuant Jillian, Ramsay savait qu'il éveillerait le Berserker en Grimm et se retrouverait taillé en pièces. Que pouvait-il donc avoir derrière la tête ? Pour gagner du temps, Grimm décida de le faire parler.

— Pourquoi fais-tu ça, Logan ? Je sais que nous avons eu quelques désaccords, par le passé, mais rien qui justifie cela.

— Tu ne comprends rien, répondit-il en ricanant. Nos désaccords n'ont rien à voir là-dedans. Ce qui m'importe, c'est ce que tu es, ou plutôt ce que tu n'es pas. Tu n'es pas humain, McIllioch !

Grimm ferma les yeux, incapable de supporter l'expression d'horreur qui devait s'afficher sur le visage de Jillian.

— Quand as-tu compris ? demanda-t-il.

Il lui fallait absolument continuer à le faire parler pour saisir quel était son but. Si c'était sa vie à lui – et seulement la sienne – qu'il voulait, il serait heureux de la lui donner pour sauver Jillian. Mais si Ramsay avait l'intention de les tuer tous deux, Grimm mourrait en luttant pour la sauver.

— J'ai découvert le pot aux roses le jour où tu as massacré ce chat sauvage, répondit Logan. J'étais caché derrière les arbres et je t'ai vu après ta transformation. Hatchard t'a appelé par ton véritable nom.

Secouant la tête avec dégoût, il enchaîna :

— Et dire que durant toutes ces années, à la cour, je n'ai jamais rien soupçonné ! Bien sûr, comme tout le monde, j'avais entendu parler de Gavrael McIllioch. Il n'y a que cette adorable catin qui ignorait tout.

En voyant Grimm se crisper, Ramsay se mit à rire et prévint :

— Attention, ou je taille !

— Donc, ce n'est pas toi qui as tenté de m'empoisonner ?

En posant cette question, Grimm s'était avancé si naturellement que son geste était passé inaperçu.

— Bien sûr que c'est moi. Le coup était bien vu, mais tu t'es arrangé pour le faire capoter ! Si j'avais su que j'avais affaire à un Berserker, je n'aurais pas perdu mon temps.

Grimm fit la grimace. Cette fois, le mot avait été prononcé. Le visage de Jillian était tourné sur le côté, aussi ne put-il se faire une idée de sa réaction.

— Non, reprit Ramsay. J'ignorais qui tu étais réellement. Tout ce que je voulais, c'était te mettre hors course pour pouvoir mettre la main sur elle.

— Ou plus exactement sur sa dot ! J'avais donc raison...

— Tu crois tout savoir, mais tu ignores à peu près tout. Je suis tellement débiteur auprès de Campbell qu'il est virtuellement propriétaire de mes terres et de mon titre... Dans le passé, les Logan ont pu se maintenir à flot en se louant comme mercenaires. Sais-tu quand nous avons cessé de pouvoir nous monnayer ainsi ?

— Quand ? demanda Grimm, impassible.

— Il y a quinze années de cela, infâme bâtard ! Nous nous sommes battus à Tuluth, pour le compte des McKane, et tu as tué ce jour-là mon père et trois de mes frères !

Grimm n'en avait rien su. La bataille – sa première bataille de Berserker – demeurait un souvenir flou.

— Ils ont été tués lors d'un combat loyal, objecta-t-il. Et s'ils s'étaient vendus aux McKane, ils ne combattaient même pas pour une cause mais pour de l'argent. Ils attaquaient mon clan. Ils massacraient des hommes, des femmes, des en...

— Des animaux ! l'interrompit Ramsay en hurlant. Vous n'êtes pas *humains*.

— Jillian n'a rien à voir avec tout ça. Laisse-la partir. C'est moi que tu veux.

— Elle a tout à voir dans cette histoire si elle est enceinte de toi, McIllioch. Elle jure ses grands dieux que ce n'est pas le cas, mais je crois que je vais la garder près de moi pour vérifier. Les McKane m'ont tout raconté à votre sujet. Je sais que les fils du laird naissent Berserkers mais ne le deviennent réellement qu'en grandissant. Si un garçon sort de son ventre, il est mort. Si c'est une fille, je pourrais peut-être bien la laisser vivre. Qui sait... elle pourrait faire un jouet amusant.

Grimm parvint enfin à voir le visage de Jillian, qui n'était plus qu'un masque figé par l'horreur. Ainsi, c'était réglé. Elle savait tout et ne pouvait le supporter. Finalement, son rêve s'était avéré prémonitoire. Cette révélation faillit avoir raison de sa volonté de se battre. Il aurait renoncé si Jillian n'avait été en danger de mort. Quant à lui, il pouvait mourir à présent. Au fond de lui, d'ailleurs, il était déjà mort. Mais Jillian, elle, devait vivre.

— Elle n'est pas enceinte, Ramsay.

Mais en disant cela, Grimm se souvint des nausées qui l'avaient terrassée lors de leur fuite. Heureusement, Ramsay l'ignorait. La possibilité que Jillian porte son enfant le fit exulter de joie. Son besoin de la sauver, déjà irrépressible, devint le seul objet de ses pensées. Ramsay semblait avoir la main, mais il refusait de le laisser gagner.

— Tu n'imagines tout de même pas que je vais te croire ? railla Logan. De toute façon, qu'elle le soit ou non, elle est condamnée à m'épouser. Je veux l'or de sa dot. Entre ce qu'elle va me rapporter et ce que les McKane vont me payer, je n'aurai plus de soucis financiers. Et ne t'inquiète pas, je la garderai en vie. Gibraltar Saint-Clair ferait tout pour assurer son bonheur – autant dire l'assurance d'une rente à vie pour moi…

— Espèce de salaud ! gronda Grimm. Relâche-la !

— Tu la veux ? Viens donc la chercher…

Grimm fit un pas en avant, évaluant la distance qui les séparait encore. Ramsay, le voyant hésiter, appuya plus fortement la lame de son couteau sur la gorge de Jillian. Un chapelet de gouttes écarlates commença à perler.

Le Berserker, écumant de rage, fit irruption en lui instantanément.

Même s'il avait conscience que son adversaire le provoquait dans un but qu'il ignorait, l'instinct qui poussait Grimm à foncer sur lui fut le plus fort. D'un bond, il franchit une dizaine de pas. Un autre le mena dix pas plus loin encore. Soudain, alerté par un sixième sens de la proximité d'un piège, il tenta de s'immobiliser, mais il était déjà trop tard. En retombant sur ses jambes au bond suivant, il sentit le sol se dérober sous ses pieds. Un gouffre, qui n'existait pas lorsqu'il jouait ici enfant, l'engloutit aussitôt.

— Bon débarras... commenta Ramsay avec un sourire satisfait.

Brandissant la torche au-dessus du trou, il se pencha et regarda aussi loin que portait son regard. Il attendit ainsi plusieurs minutes sans qu'aucun son ne lui parvienne. Quand il avait choisi ce piège, il y avait jeté des pierres pour en tester la profondeur et n'avait entendu retomber aucune d'elles. Cet abîme pouvait tout aussi bien mener jusqu'au centre de la Terre... Si Grimm n'avait pas été déchiqueté contre les parois de pierre, il finirait écrabouillé au terme de son interminable chute.

Avec un sentiment de triomphe, Ramsay Logan contourna le piège et traîna Jillian derrière lui, en direction du dehors.

— C'est fait ! hurla Ramsay. Le dernier des Berserkers est mort !

Juché sur un promontoire au bord de Wotan's Cleft, il levait un poing victorieux vers le ciel. Son cri trouva aussitôt un écho dans la vallée, de laquelle s'éleva le rugissement des McKane.

Possédé par une joie mauvaise, il détacha les mains de Jillian et ôta son bâillon. Sa bouche prit celle de la jeune femme pour un baiser brutal et haineux. Révoltée par ce contact, elle se raidit et lutta contre lui. Ramsay, agacé par la résistance qu'elle lui offrait, la repoussa violemment. Jillian, déséquilibrée, tomba à genoux.

— Lève-toi, stupide garce ! cria-t-il en lui donnant un coup de pied.

Voyant qu'elle se roulait en boule sur le sol, il s'emporta de plus belle.

— J'ai dit : debout !

Puis, comme elle ne réagissait pas, il haussa les épaules en marmonnant :

— De toute façon, je n'ai pas besoin de toi pour l'instant. Tu ne perds rien pour attendre...

Il reporta son attention sur la vallée, qui serait bientôt sienne et dans laquelle on saluait son exploit. Ivre de puissance, il salua en agitant le bras. Ramsay Logan était venu à bout d'un Berserker à lui tout seul. À l'avenir, les légendes rapporteraient sa victoire. Le gouffre était si profond qu'aucun des monstres d'Odin n'aurait pu en réchapper. Pour dissimuler le trou, il l'avait soigneusement couvert d'un fin treillis de branchages, qu'il avait ensuite masqué grâce à une couche de cailloux et de poussière.

— Brillant, Ramsay Logan… se félicita-t-il. Tout simplement brillant !

Derrière lui, émergeant des cavernes de Wotan's Cleft, Grimm cligna des yeux pour tenter de percer le voile sanglant que la rage de tuer y avait déposé. Une partie de lui-même lui rappelait qu'il devait s'en prendre à l'homme dressé au bord de la falaise, pas à la femme roulée en boule à ses pieds – cette femme qui était tout pour lui. Lorsqu'il bondirait près d'elle, il lui faudrait prendre garde à ne la toucher sous aucun prétexte, car au moindre contact la force surhumaine du Berserker pourrait la tuer. Une caresse de sa main sur sa joue pouvait lui briser la mâchoire, un effleurement sur son sein lui fracturer les côtes.

Pour ceux qui assistaient en contrebas au triomphe de Ramsay Logan, la créature sembla jaillir tel l'éclair. Elle empoigna le Highlander par les cheveux et lui trancha la tête d'un coup d'épée, sans que nul n'ait pu lancer ne serait-ce qu'un cri pour l'alerter.

Parce qu'elle était à terre, les clans rassemblés dans la vallée ne purent voir Jillian, alertée par le bruit de l'épée fendant l'air, rouler un peu plus loin pour se mettre à l'abri. Mais la créature fantastique qui se trouvait au bord de l'abîme la vit, et elle s'immobilisa, tétanisée.

En pleine transe, Berserker jusqu'au fond de l'âme, Grimm se dressait au-dessus d'elle, les yeux incandescents. La chute dans le gouffre, qu'avait stoppée un surplomb providentiel, l'avait laissé contusionné et ensanglanté. D'une main, il tenait encore son épée maculée de sang, et de l'autre, la tête tranchée de Ramsay Logan. Allait-elle crier ? lui cracher dessus ? se détourner, le visage révulsé par l'effroi ? Allait-elle le rejeter définitivement ? Jillian Saint-Clair était tout ce qu'il avait toujours désiré. Et en attendant qu'elle le rejette, il sentit une envie de mourir monter en lui.

Mais il n'était pas dans la nature du Berserker de se laisser abattre. La sauvagerie qui l'habitait atteignit des sommets, ainsi que l'amour que lui inspirait la jeune femme à ses pieds. Ses yeux d'un bleu de glace, soudain plus vulnérables, se posèrent sur elle, l'implorant en silence de lui rendre l'amour pur et sans réserve qu'il lui offrait.

Jillian se redressa lentement. S'asseyant sur le sol, elle écarquilla les yeux. *Berserker*... La vérité qu'il s'était efforcé depuis toujours de lui cacher était éclatante. Même si elle avait su à quoi s'en tenir le concernant avant cet instant, la vision qu'il lui offrait la laissa un long moment pantoise. C'était une chose d'avoir deviné que l'homme qu'elle aimait était un Berserker. C'en était une autre, nettement plus éprouvante, de le constater réellement. Le regard que Grimm lui lançait était tellement inhumain que si elle n'avait pas plongé au fond de ses yeux, elle ne l'aurait pas reconnu du tout. Mais là, dans ces flamboyantes profondeurs bleutées, elle perçut tant d'amour qu'elle en fut bouleversée jusqu'au fond de l'âme. À travers ses larmes, elle lui sourit.

Un son étranglé monta des lèvres du Berserker.

Alors, Jillian se mit debout et vint se camper face à lui. En lui offrant son plus éblouissant sourire, elle posa la main sur son cœur. À haute et distincte voix, en soutenant son regard, elle récita :

— Et la jeune femme prit pour époux le roi des lions.

Une expression de stupeur intense s'afficha sur le visage du guerrier légendaire. Il la fixa dans un silence stupéfait.

— Je t'aime, Gavrael McIllioch... conclut-elle.

Un sourire fendit le visage du Berserker, illuminé par l'amour. La tête rejetée en arrière, il laissa fuser vers le ciel, dans lequel cillaient les premières étoiles, un cri de joie.

Le dernier des McKane mourut dans la vallée de Tuluth, le 14 décembre 1515.

34

— Hawk ! Ils ne vont pas tarder à arriver !

Adrienne rejoignit en hâte la grande salle où son mari, Lydia et Tavis étaient occupés à installer les dernières décorations. Étant donné que le mariage devait être célébré le jour de Noël, il avait été décidé de mêler les traditionnels ornements nuptiaux à ceux, vert et rouge, plus typiques de la saison. D'exquises couronnes en pommes de pin piquetées de baies rouges séchées s'ornaient de nœuds de velours et de rubans colorés. Les plus belles tapisseries décoraient les murs, dont celle qu'Adrienne avait aidé à tisser au cours de l'année écoulée. On y voyait la Vierge radieuse serrer dans ses bras l'Enfant Jésus, sous les regards emplis de fierté de Joseph et des Rois mages.

Le dallage de pierre, récuré, était d'un gris immaculé. Plus tard, quelques instants avant la cérémonie, on y répandrait des pétales de roses séchés afin de parfumer l'air. Des boules de gui pendaient à chaque poutre. Adrienne, levant les yeux, vit qu'elle se tenait juste à l'aplomb de l'une d'elles.

— Hawk ? demanda-t-elle d'un air innocent à son mari grimpé sur une échelle. À quoi servent ces boules de gui accrochées au plafond ?

En achevant de fixer au mur une couronne, il répondit :

— C'est une coutume, à Noël.

— Qu'y a-t-il de commun entre le gui et la Nativité ?

— Les légendes racontent que Balder – le dieu de la Paix des Vikings – fut abattu par une flèche taillée dans du bois de gui. Les autres dieux et déesses l'aimaient tant qu'ils adressèrent une supplique pour que la vie lui soit rendue et que le gui soit réservé à un usage particulier.

— Quel genre d'usage ? insista Adrienne en battant des cils.

Hawk descendit rapidement de son perchoir, heureux de pouvoir lui en faire la démonstration. Il l'embrassa si passionnément que le désir qui couvait en elle dès qu'il était dans les parages s'enflamma aussitôt. Quand leurs lèvres se séparèrent, il expliqua :

— Celui ou celle qui passe à Noël sous une boule de gui doit être embrassé dans les règles.

— Mmm... ronronna Adrienne. J'adore cette tradition. Mais qu'est devenu ce pauvre Balder ?

Avec un grand sourire, Hawk déposa sur les lèvres de sa femme un nouveau baiser.

— Il fut rendu à la vie, répondit-il. Et le gui fut dédié à la déesse de l'Amour. Chaque fois qu'un baiser est échangé sous une boule de gui, l'amour et la paix gagnent du terrain dans le monde des mortels.

— Merveilleux ! se réjouit Adrienne, les yeux scintillants de malice. Ainsi, plus je t'embrasse sous cette branche, plus je fais du bien à mes contemporains.

Lydia les rejoignit en riant sous le gui, tirant Tavis par le bras.

— Cela me semble une bonne idée, Adrienne ! lança-t-elle à sa belle-fille. Peut-être qu'en les embrassant suffisamment, nous parviendrons à éteindre toutes les stupides querelles qui ravagent ce pays...

Les minutes suivantes furent consacrées par les deux couples à cette philanthropique occupation, jusqu'à ce qu'un garde vienne leur annoncer l'arrivée des invités.

Le regard d'Adrienne courut à travers la pièce, à la recherche du moindre détail de travers ou de l'ultime préparatif à effectuer. Elle tenait à ce que tout soit parfait pour la promise de Grimm.

— Comment dit-on « Joyeux Noël », déjà ? demanda-t-elle à Lydia.

Elle s'efforçait, depuis quelque temps, de se perfectionner en gaélique.

— *Nollaig Chridheil*, répliqua la mère de Hawk.

Adrienne répéta plusieurs fois la formule, puis glissa son bras sous celui de son mari avec un sourire satisfait.

— Finalement, mon vœu s'est réalisé, lui dit-elle.

— Quel était-il ?

— Que Grimm Roderick finisse par trouver la femme qui guérirait son cœur, comme tu avais guéri le mien, mon amour.

Lorsqu'il darda sur elle un regard empli d'amour et de vénération, elle adressa une prière de remerciement silencieuse à la Vierge. Ensuite, elle ajouta une bénédiction à l'intention de tous ceux, humains ou non, qui avaient concouru à la faire revenir cinq siècles dans le passé pour y trouver l'amour. L'Écosse était une terre pleine de magie, riche en légendes. Adrienne les aimait toutes, car elles avaient en commun la même idée : l'amour perdure et guérit tout.

Ce devait être un mariage traditionnel, si un tel mot avait encore un sens quand il s'agissait pour une femme d'épouser une légende vivante – un Berserker, rien de moins, avec deux de ces guerriers mythiques dans l'assistance pour leur donner leur bénédiction.

Gibraltar et Elizabeth Saint-Clair avaient également débarqué à Dalkeith-Upon-the-Sea.

Les futurs mariés ne furent pas autorisés à se voir jusqu'à ce que Gibraltar et Ronin escortent Jillian au bas du grand escalier de Dalkeith, après avoir marqué une pause sur le palier pour que tout un chacun puisse s'extasier sur la beauté de la mariée.

Le cœur de Jillian battait à tout rompre lorsqu'elle glissa un bras sous celui de l'homme qu'elle devait épouser. Habillé d'un tartan de cérémonie, les cheveux méticuleusement rassemblés en queue-de-cheval, Grimm était resplendissant. Jillian ne manqua pas de remarquer l'émotion qui s'empara de Ronin quand il découvrit le motif du plaid de son fils. Pour le jour de ses noces, Grimm arborait les couleurs des McIllioch.

Le prêtre entama la cérémonie. Au terme des prières et bénédictions traditionnelles qui semblèrent durer une éternité, il en arriva à l'échange des vœux.

— Grimm Roderick, promettez-vous...

La voix mâle de Grimm l'interrompit.

— Je m'appelle Gavrael, annonça-t-il fièrement. Gavrael Roderick Icarus McIllioch.

Un frisson remonta le long de l'échine de Jillian, tandis que s'embuaient les yeux de Ronin et qu'un silence religieux retombait parmi l'assemblée. Hawk, tout sourire, se tourna vers Adrienne. Et au fond de la grande salle, Quinn de Moncreiffe hocha la tête avec satisfaction : enfin, son ami était en paix avec lui-même.

L'homme d'Église, remis de sa surprise, entonna de plus belle :

— Gavrael Roderick Icarus McIllioch, promettez-vous de...

— Je le promets !

Aussi discrètement que possible, Jillian lui donna un petit coup de coude. Les sourcils froncés, il laissa libre cours à son agacement.

— Eh bien, quoi ? Je promets tout ce qu'on voudra ! Faut-il vraiment en passer par là ? Je jure qu'un homme n'a jamais été aussi prêt que moi à dire « oui » ni aussi pressé de le faire. Tout ce que je souhaite, c'est t'épouser, *lass*...

Ronin et Balder échangèrent un regard entendu. Séparer les deux tourtereaux l'un de l'autre avait assurément contribué à renforcer l'enthousiasme de Gavrael pour les liens matrimoniaux...

Des murmures s'élevèrent dans la foule des invités. Jillian sourit à Grimm avec indulgence.

— Laisse donc le prêtre accomplir son œuvre, suggéra-t-elle. Je ne doute pas de ton consentement, mais j'aimerais te l'entendre prononcer... dans les règles. Surtout la partie où tu jures de m'aimer et de me chérir...

Gavrael se pencha pour lui murmurer à l'oreille :

— Si ce n'est que ça, je peux bien te jurer de t'aimer et de te... *ravir*, mon amour.

— Chérir ! rectifia-t-elle à mi-voix en lui assenant une tape sur la main. Tiens-toi bien, maintenant.

Puis, hochant aimablement la tête à l'intention du prêtre :

— Si vous voulez bien poursuivre...

Et ainsi, dans les règles, furent-ils déclarés mari et femme.

Kaley Twillow jouait des coudes pour se faire une place, se haussant sur la pointe des pieds et désespérant d'y voir quoi que ce soit au-dessus d'une forêt de têtes. Sa chère Jillian était sur le point de se marier, et on l'empêchait d'assister à l'événement.

— Hé ! Ne vous gênez pas ! protesta un invité, qui venait de recevoir un coup de coude.

— Attention où vous mettez les pieds ! se plaignit un autre sur les orteils duquel elle venait de passer.

Cette fois, c'en fut trop pour Kaley, qui s'exclama :

— C'est moi qui ai élevé la mariée ! Du diable si je reste à l'arrière à ne rien voir le jour de ses noces ! Alors... bougez-vous les fesses !

Un passage s'ouvrit comme par miracle devant elle dans la foule.

Droite et digne, elle parvint enfin au premier rang, juste à côté d'un homme dont la haute stature et la belle allure lui coupèrent le souffle. Des mèches argentées parsemaient ses cheveux noirs et fournis.

Du coin de l'œil, elle étudia l'inconnu. Puis, n'y tenant plus, elle tourna la tête vers lui pour l'admirer tout à son aise.

— Qui pouvez-vous bien être ? murmura-t-elle avec admiration en jouant des cils.

Balder plissa ses yeux d'un bleu de glace. Avec une expression de plaisir non dissimulé, il toisa la femme accorte et voluptueuse qui le trouvait si manifestement à son goût.

— L'homme qui vous a attendue toute sa vie, *lass*... répondit-il d'une voix que voilait l'émotion.

Les célébrations débutèrent aussitôt que les vœux eurent été échangés. L'envie de s'éclipser avec son mari avait titillé Jillian dès la fin de la cérémonie. Avec Ronin et Balder en chiens de garde pour limiter au strict minimum ses rencontres avec Gavrael au cours des quinze derniers jours, aucune possibilité d'intimité ne leur avait été offerte. Mais pour rien au monde elle n'aurait fait de la peine à Adrienne, qui avait apporté tant de soin à la préparation de ces noces afin que le souvenir en reste dans toutes les mémoires. Après le baiser rituel qui scellait leur union, son mari et elle avaient été entraînés dans deux directions différentes par une foule joyeuse. Déçue, elle n'avait pu que le regarder disparaître.

Elle s'était consolée en se disant qu'à présent qu'ils étaient mari et femme, ils passeraient à l'avenir tout le temps qu'ils voudraient ensemble. Aussi, accrochant un sourire à ses lèvres, avait-elle décidé de prendre son mal en patience et de s'attarder auprès des invités qui faisaient la queue pour la congratuler.

Finalement, le pain traditionnel fut rompu et le festin put commencer. Adrienne aida Jillian à se faufiler discrètement hors de la grande salle. Mais au lieu de la conduire directement à leur chambre comme elle s'y était attendue, cette femme étonnante aux manières étranges la fit pénétrer dans la bibliothèque du château. La lumière de dizaines de lampes à huile et de chandelles, associée au pétillement d'un grand feu dans l'âtre, faisait de cette pièce un havre chaleureux en dépit de la couche de neige qui recouvrait les appuis de fenêtres à l'extérieur.

— On dirait qu'il faut s'attendre à une sacrée tempête ! s'exclama Adrienne en tisonnant le feu.

— Vous n'êtes pas du pays, n'est-ce pas ? fit remarquer Jillian en s'efforçant de deviner l'origine de son curieux accent.

Cela fit rire son hôtesse de plus belle.

— Pas tout à fait, reconnut-elle.

D'un geste, elle invita Jillian à s'asseoir avec elle près du feu.

— Dites-moi... reprit-elle. Avez-vous déjà vu hommes plus craquants ?

Elle désignait un grand tableau accroché au-dessus du manteau de chêne de la cheminée. En le détaillant, Jillian reconnut un portrait magnifique de Gavrael et Hawk.

— Oh, mon Dieu ! J'ignore ce que signifie le mot « craquant », mais ils sont tous les deux les hommes les plus séduisants que j'aie jamais vus.

— Je vois que nous sommes d'accord, approuva Adrienne. Savez-vous qu'ils n'ont cessé de gémir et de se lamenter tout le temps qu'il leur a fallu poser pour réaliser ce portrait ? Les hommes...

Elle leva les yeux au plafond et conclut :

— Mais comment pourrait-on résister à l'envie de préserver pour la postérité tant de splendeur masculine ?

Les deux femmes discutèrent ainsi un long moment, tellement plongées dans leur conversation qu'elles n'entendirent pas leurs époux les rejoindre dans la salle. Les yeux de Gavrael se posèrent aussitôt de manière possessive sur Jillian. Il esquissa un geste pour la rejoindre.

— Un peu de patience... conseilla Hawk en plaquant une main sur son avant-bras.

Ils se trouvaient suffisamment loin pour ne pas être entendus, mais la voix d'Adrienne portait clairement jusqu'à eux.

— C'est donc ce satané faë qui est responsable de tout. C'est lui qui m'a expédiée ici depuis mon époque d'origine – remarquez bien que je ne m'en plains pas : j'adore vivre ici et j'adore mon mari. Mais pour vous dire la vérité... je suis originaire du XXe siècle.

Les deux hommes sourirent en voyant Jillian tressaillir.

— Dans cinq siècles d'ici ! s'exclama-t-elle.

Adrienne se contenta d'acquiescer d'un hochement de tête. Jillian la dévisagea un moment, puis elle se pencha vers elle pour lui confier à mi-voix :

— Mon mari est un Berserker.

— Je sais. Il nous l'a avoué juste avant de partir pour Caithness. Je n'ai donc pas eu le temps de lui poser toutes les questions qui me brûlent les lèvres. Est-ce qu'il est capable de changer de forme ?

Les yeux étincelants, Adrienne témoignait d'un vif intérêt. Ses doigts s'agitaient, comme s'il lui tardait de mettre la main sur du papier et de l'encre pour prendre quelques notes.

— Au XXe siècle, révéla-t-elle, les spécialistes se disputent pour savoir qui ils étaient véritablement et de quoi ils étaient capables.

Adrienne marqua une pause. Tournant légèrement la tête, elle prit conscience de la présence des deux hommes et ajouta avec malice, en adressant un clin d'œil à son mari :

— Quoi qu'il en soit, il existe un consensus pour affirmer que les Berserkers étaient dotés d'une énergie peu commune, que ce soit sur le champ de bataille ou au…

— Je crois que nous avons compris, Adrienne, l'interrompit Hawk, dont l'amusement se lisait au fond de ses yeux noirs. À présent, tu pourrais peut-être rendre cette jeune femme à son époux.

La chambre des jeunes mariés était située au deuxième étage du vaste édifice. Adrienne et Hawk les y conduisirent en faisant de grossières allusions au fait qu'ils pourraient faire tout le bruit qu'ils voudraient sans déranger personne.

Lorsque la porte se referma derrière eux et qu'ils se retrouvèrent enfin seuls, Gavrael et Jillian se dévorèrent du regard, de chaque côté d'un vaste lit d'acajou. Les flammes d'un grand feu bondissaient dans l'âtre. Des flocons blancs tombaient paresseusement derrière les fenêtres.

Grimm regarda tendrement celle qui était désormais sa femme. Ses yeux descendirent sur le renflement à peine marqué de son abdomen. Jillian, à qui ce regard n'avait pas échappé, lui adressa un sourire éblouissant. Savoir que cette future naissance le comblait à ce point la ravissait. Après avoir appris la nouvelle, au sommet de Wotan's Cleft, il avait dû s'asseoir lourdement sur le sol, où il était resté plusieurs minutes à secouer la tête, sonné, comme s'il ne parvenait pas à y croire. Et quand elle avait pris son visage entre ses mains pour l'embrasser, elle avait été ébahie de découvrir les larmes qui embuaient ses yeux. Son mari était décidément le meilleur des hommes : fort mais sensible, indestructible et pourtant vulnérable. C'était peu de dire qu'elle l'aimait.

En voyant, au seuil de leur nuit de noces, ses yeux s'assombrir sous l'effet du désir, Jillian sentit un frisson d'impatience la secouer tout entière.

— Adrienne dit que nous pourrions rester bloqués ici par la neige.

Elle s'était exprimée timidement, le souffle un peu court, soudain gênée par cette intimité nouvellement reconquise. Avoir été aussi sévèrement chaperonnée au cours des deux semaines précédentes avait failli la rendre folle. Elle s'était efforcée de résister à ses pensées licencieuses en les cadenassant dans un coin reculé de son esprit. À présent, le verrou avait sauté et toutes l'assaillaient. Elle ne voulait plus qu'une chose : son mari, et elle le voulait *tout de suite*.

— Tant mieux ! répondit Gavrael. J'espère qu'il en tombera dix pieds cette nuit.

Il contourna lentement le lit pour la rejoindre. Il ne désirait rien d'autre que s'enfouir profondément en elle, pour s'assurer qu'il l'avait bien retrouvée, et pour vérifier qu'elle était définitivement sienne. La journée qu'il venait de vivre avait vu la concrétisation du plus fou de tous ses rêves : épouser Jillian Saint-Clair. Baissant les yeux sur elle, il s'émerveilla de tout ce qu'en si peu de temps elle lui avait apporté. Il avait désormais un foyer, un clan, un père, un enfant à naître, et un avenir brillant à bâtir. Lui qui avait toujours vécu en proscrit se sentait appartenir à une famille. Et tout cela, c'était à Jillian qu'il le devait. Il ne s'arrêta qu'à un souffle d'elle, et murmura avec un sourire lascif :

— J'espère que tu n'as rien contre le fait de faire un peu de bruit tant que nous resterons coincés ici ? Je m'en voudrais de décevoir nos hôtes…

La gêne ressentie par Jillian se dissipa instantanément. Faisant fi de tout préliminaire, elle laissa sa main remonter le long de la cuisse de son mari et le débarrassa en un tournemain de son tartan. Puis, ses doigts impatients papillonnèrent pour défaire les boutons de sa chemise. Un instant plus tard, il fut nu devant elle, aussi glorieusement beau que la nature l'avait fait, guerrier invincible au corps sculpté.

Le regard de Jillian descendit lentement et se fixa sur le plus généreux des dons que la nature avait faits à Gavrael. En un geste inconscient d'irrépressible désir féminin, elle humecta ses lèvres du bout de la langue, sans se douter de l'effet qu'elle produisait sur lui.

Gavrael émit un grondement sourd et la serra contre lui. Jillian se fondit entre ses bras, referma ses doigts autour de l'impressionnante hampe de chair et se mit presque à ronronner de plaisir.

Il la souleva pour la déposer sur le lit. Un long soupir lui échappa lorsqu'il lui confia :

— *Och, lass !* Ce que tu as pu me manquer... J'ai cru devenir fou à force de te désirer. Balder ne voulait même pas me laisser t'embrasser...

Tout en parlant, il s'activait à défaire les multiples boutons de sa robe de mariée. Son habileté connut quelques ratés quand Jillian empoigna une fois de plus son sexe dressé. D'une main, il rassembla ses poignets et les immobilisa au-dessus de sa tête.

— Je n'arrive pas à penser lorsque tu fais ça ! se plaignit-il.

— Mais... je ne te demande pas de penser, mon brave guerrier, le taquina-t-elle. Je te réserve pour d'autres usages.

En réponse, il lui adressa un regard arrogant pour lui signifier qui était aux commandes pour l'heure. Il se remit à l'ouvrage sur les boutons, tout en déposant des baisers sur chaque plage de chair qu'il découvrait. Enfin, les lèvres de Gavrael retrouvèrent celles de

Jillian, pour un baiser d'une intensité sauvage. Leurs langues se mêlèrent, battirent en retraite pour s'affronter de plus belle. Et quand, au terme de cette joute sensuelle, elle sentit le corps de son mari s'allonger sur le sien, épousant intimement ses courbes offertes, elle laissa fuser un soupir de plaisir.

— S'il te plaît... gémit-elle en se tortillant impatiemment sous lui.

— S'il me plaît quoi, Jillian ? s'amusa-t-il, paupières mi-closes. Que voudrais-tu que je fasse ? Dis-le-moi précisément, *lass*...

— Je voudrais que tu...

D'un geste, elle précisa ce qu'elle n'osait formuler.

Gavrael lui mordilla tendrement la lèvre inférieure, se redressa au-dessus d'elle et feignit la plus parfaite innocence.

— J'ai bien peur de ne pas comprendre... Que veux-tu dire, *exactement* ?

— Je veux...

Un nouveau geste, plus explicite, vint suppléer sa timidité.

— Dis-le, Jillian ! ordonna-t-il d'une voix rauque. Dis-moi ce que tu veux. Je suis à ton entière disposition, mais j'ai besoin d'ordres précis pour satisfaire tes désirs...

Le sourire égrillard qu'il lui adressa eut raison des dernières résistances de Jillian, l'autorisant à formuler à voix haute toutes les pensées licencieuses qui l'avaient hantée.

Le guerrier légendaire exauça ses désirs secrets dans les moindres détails, goûtant, caressant, célébrant son corps avec une sorte de vénération silencieuse. Il n'oublia pas au passage leur enfant à naître, déposant de nombreux baisers sur l'éminence signalant sa présence dans son ventre. Puis, quand il s'empara de nouveau de sa bouche, ses baisers se firent plus exigeants.

Les doigts plongés dans les cheveux de Gavrael, Jillian se redressa et le supplia de venir en elle.

Mais son mari n'était pas disposé à lui laisser mener la danse. Il ne se décida à s'agenouiller sur le lit, la soulevant pour l'attirer contre lui, ses mains soutenant ses fesses, les jambes de Jillian encerclant sa taille, que lorsqu'elle fut trop comblée de plaisir pour supplier encore. Elle lui griffa le dos quand, beaucoup trop lentement à son goût, son sexe dressé pénétra en elle.

— Tu ne peux pas faire mal au bébé, tu sais... précisa-t-elle d'une voix que le désir faisait trembler.

— Cela ne m'inquiète pas du tout, assura-t-il tranquillement.

— Dans ce cas... qu'est-ce que tu attends ?

— J'aime observer ton visage, répondit-il avec un sourire indolent. J'aime plonger au fond de tes yeux quand nous faisons l'amour. Je les trouve encore plus magnifiques, embrasés par le désir...

— Ils seraient plus beaux encore si tu te décidais à...

D'un coup de reins impatient, elle joignit le geste à la parole, mais les mains de Gavrael, qui la soutenaient fermement, l'empêchèrent de parvenir à ses fins.

Elle en fut réduite à supplier.

— *S'il te plaît !*

Mais cela ne suffit pas. Gavrael prit tout son temps – et quelle délicieuse torture c'était ! – jusqu'à ce qu'elle ne puisse supporter une seconde de plus ce traitement. Alors, d'un coup, il la pénétra profondément.

— Je t'aime, Jillian McIllioch !

Le sourire qui accompagnait ces paroles était libre de toute entrave. Sur son visage tanné, ses dents blanches formaient un contraste saisissant.

— Je le sais, répliqua-t-elle en posant l'index sur ses lèvres.

— Mais je veux quand même te le dire, répondit-il en embrassant son doigt.

— Je vois… le taquina-t-elle. À toi tous les mots d'amour, et à moi tous les mots cochons !

Un grondement sourd monta de la gorge de Gavrael, qui susurra :

— *J'adore* quand tu me dis ce que tu veux que je te fasse !

— Dans ce cas, tu n'as qu'à me faire ça…

Les quelques paroles fiévreuses qui s'ensuivirent s'achevèrent dans un râle quand il se fit un devoir de lui obéir.

Quelques heures plus tard, la dernière pensée de Jillian avant de sombrer dans le sommeil fut pour Adrienne. Dès le lendemain, elle se ferait un plaisir de satisfaire sa curiosité en lui certifiant que le « consensus » autour de la vigueur des Berserkers n'avait rien d'une légende.

Épilogue

— Je ne comprends pas comment c'est possible... s'étonna Ronin en regardant jouer ses petits-enfants. Cela ne s'est jamais produit auparavant.

— Je ne comprends pas non plus, père. Mais n'oublie pas qu'en ce qui me concerne, les choses ne se sont pas passées comme pour tous nos ancêtres.

Gavrael réfléchit un instant avant d'ajouter :

— Peut-être, également, Jillian est-elle en partie responsable. Le plus probable, c'est que leurs deux parents y soient pour quelque chose...

— Comment arrives-tu à t'en rendre maître ?

Gavrael se mit à rire de bon cœur.

— Entre Jillian et moi, nous arrivons à faire face.

— Mais étant donné qu'ils sont... dès leur jeune âge, n'en profitent-ils pas pour faire les quatre cents coups ?

— Il faut parfois aller les récupérer dans des endroits haut perchés, reconnut Gavrael. Et ils inventent sans arrêt de nouveaux tours. Voilà pourquoi je me suis dit qu'il serait préférable que leur grand-père soit là pour s'occuper d'eux aussi.

Les joues de Ronin rosirent instantanément de plaisir.

— Tu veux dire... que tu aimerais que je reste ici, avec toi et Jillian ?

— Tu es chez toi à Maldebann, père... Je sais que tu souhaitais nous laisser un peu d'intimité après le mariage, mais nous voudrions que tu rentres définitivement chez toi, de même que Balder. Les garçons ont également besoin de leur grand-oncle. Souviens-toi : nous autres Berserkers, nous sommes l'étoffe des légendes. Comment pourraient-ils le comprendre sans les meilleurs des nôtres pour le leur enseigner ? Cesse d'aller rendre visite à tous ces gens et reviens à la maison !

Du coin de l'œil, Gavrael étudia la réaction de son père et comprit avec satisfaction qu'il ne repartirait pas de Maldebann de sitôt. Ses fils avaient besoin d'apprendre à connaître leur grand-père.

Dans un silence ravi, Gavrael et Ronin regardèrent les trois garçons jouer sur la pelouse. Lorsque Jillian sortit d'un coin d'ombre pour les rejoindre au soleil, ses fils se tournèrent instantanément vers elle, comme s'ils avaient perçu sa présence. Immédiatement, ils mirent un terme à leurs jeux et se pressèrent autour d'elle, rivalisant pour capter son attention.

— Quel magnifique spectacle... murmura Ronin, ému.

— *Aye*, approuva son fils.

Jillian se mit à rire en ébouriffant tour à tour les cheveux de ses jeunes fils, dont les trois paires d'yeux d'un bleu de glace demeuraient rivées sur elle avec adoration.

Une légende nordique

(le crépuscule des dieux)

Les légendes rapportent que Ragnarök – la bataille finale des dieux – annoncera la fin des temps.

La destruction fera rage dans le royaume des dieux. Lors de la bataille finale, Odin sera dévoré par un loup. La terre sera détruite par le feu, et l'univers sombrera au fond des eaux.

Les légendes rapportent également qu'une renaissance suivra cette destruction. La terre émergera de l'onde, couverte d'une végétation luxuriante, débordant d'une vie nouvelle. Les fils du défunt dieu reviendront alors à Asgard, le foyer des dieux, et régneront.

Dans les montagnes d'Écosse, le Cercle des Anciens affirme qu'Odin ne prend jamais aucun risque, et qu'il a prévu de contrer le destin funeste en dissimulant la race guerrière des Berserkers dans le sang de quelques lignées élues. Les guerriers d'Odin attendent ainsi, en latence dans la chair écossaise, que leur maître les appelle pour livrer une dernière bataille lors du crépuscule des dieux.

Les légendes affirment que des Berserkers marchent parmi nous, aujourd'hui encore…

Glossaire

Alba : en langue gaélique, l'Écosse.

Aye : oui.

Banshee : fée des mythologies celtiques, dont les cris annoncent un décès récent ou à venir.

Berserker : dans les mythologies scandinaves, guerrier fauve capable d'entrer dans une fureur sacrée qui le rend surpuissant et capable des plus invraisemblables exploits.

Clan : tribu écossaise ou irlandaise, formée d'un certain nombre de familles ayant un ancêtre commun.

Claymore : grande et large épée des guerriers écossais, maniée à deux mains.

Faës : êtres surnaturels étrangers au monde humain mais ne dédaignant pas s'y manifester et interférer dans les affaires humaines.

Flatlander : surnom péjoratif donné par les Highlanders aux habitants des Lowlands.

Highlands, Highlanders : régions montagneuses de l'Écosse, habitants de cette région.

Laird : noble, propriétaire d'une terre et d'un manoir en Écosse.

Lass : jeune fille ou bonne amie.

Loch : lac profond et allongé occupant en Écosse le fond de certaines vallées.

Lowlands, Lowlanders : basses plaines de l'Écosse, habitants de ces régions.

Nay : non.

Och ! : oh !

Odin : le premier des dieux de la mythologie scandinave.

Selkie : créature marine légendaire du folklore des îles Shetland. Au clair de lune, elle sort de la mer et se dépouille de sa peau de phoque pour danser sur la terre ferme et séduire quelque mortel.

Sgian dubh : terme d'origine gaélique désignant un couteau à lame courte. Les Écossais en kilt le portent généralement dans leur chaussette droite en ne laissant dépasser que le manche.

Sporran : aumônière en cuir, parfois agrémentée de fourrure, portée sur le devant du kilt.

Tartan : grand carré d'étoffe de laine à bandes de couleurs se coupant à angle droit, vêtement traditionnel des montagnards d'Écosse. Chaque clan possède ses propres couleurs.

Découvrez les prochaines nouveautés
des différentes collections J'ai lu pour elle

Le 1er février

Inédit **_L'inferno Club - 1 - Caresses diaboliques_**

Gaelen Foley

De retour à Londres, après deux ans d'absence, le marquis de Rotherstone espère rétablir la réputation de sa famille en épousant une demoiselle exemplaire et en fréquentant la haute société. Quand on lui dresse la liste des jeunes célibataires, c'est Daphné Starling qui retient son attention. Le marquis ne peut résister à ses charmes, mais la jeune femme s'inquiète. Qui est-il vraiment et quel est ce lieu secret qu'il fréquente, surnommé l'Inferno Club ?

Inédit **_Les carnets secrets de Miranda_** **Julia Quinn**

Après l'échec de son mariage, le vicomte Turner, est bien décidé à faire une croix sur l'amour. Il y a pourtant une femme susceptible d'éveiller son intérêt, une femme qu'il ne cesse de croiser ces derniers temps... Miranda Cheever, l'amie d'enfance de sa petite sœur. Miranda, la gamine insignifiante à qui Turner a autrefois offert un journal intime, en lui promettant qu'un jour elle deviendrait jolie. Miranda, aujourd'hui des plus séduisantes...

Inédit **_Les frères Malory - 10 - Mariés par devoir_**

Johanna Lindsey

Il y a neuf ans, quand son père l'a fiancé de force à la fille d'un riche marchand londonien, Richard Allen a fui l'Angleterre, déterminé à diriger sa vie. Aux Caraïbes, où il a rejoint une bande de pirates, il a sillonné les mers sous une fausse identité. De retour à Londres, il rencontre une superbe jeune femme... qui n'est autre que Julia Miller, sa fiancée !

Un héritage compromettant ᘓ **Leslie Lafoy**
À Belize, depuis la disparition de son mari en pleine jungle, Seraphina vit sans le moindre argent... et est en charge de trois petites orphelines ! Quand elle reçoit une lettre d'Angleterre, adressée au père des fillettes, la chance semble lui sourire. Car l'enveloppe contient deux cents livres ! Bien décidée à les emmener chez leur oncle, Seraphina part pour Londres. Leur oncle... Carden Reeves, le plus célèbre libertin de toute la ville !

Le 15 février

Inédit ***Les sœurs d'Irlande - 2 - Anna, la bohème*** ᘓ **Laurel McKee**
Irlande, 1799. Jeune frivole et espiègle, Anna Blacknall est d'une beauté sans pareil. Dans les salons de Dublin, elle est courtisée de tous mais elle ne peut se résigner à épouser l'un de ses prétendants. Quand elle se rend dans un club licencieux où est organisé un bal, elle se retrouve très vite dans les bras d'un mystérieux Irlandais, aux yeux émeraude. Et, bien qu'il soit masqué, son baiser passionné semble à Anna étrangement familier...

Les Lockhart - 1 - Le dragon maudit ᘓ **Julia London**
Écosse, 1449. Après dix ans dans l'armée, Liam Lockhart rentre chez lui, auprès d'une famille pauvre et démunie. Depuis des siècles, la lignée des Lockhart fonde tous ses espoirs dans une légende... Celle d'une statuette antique, un dragon d'or incrusté de rubis. Apparemment, elle serait aujourd'hui aux mains des Anglais. Aller à Londres et la voler, voilà la mission de Liam. Une tâche bien difficile qui se corse quand il croise la belle Ellen Farnsworth...

Le 1er février

FRISSONS

Du suspense et de la passion

Inédit *Un mariage en noir* ❧ **Linda Howard**

En plein hiver, Gabriel, fils du sheriff de la ville, doit aller aider sa voisine Lolly. Le gel et la glace ont brouillé les lignes et personne n'arrive à la joindre. Gabriel aperçoit des hommes armés chez elle. Comment faire pour la tirer de là alors que la tempête de neige fait rage au dehors ?

Inédit *Untraceable* ❧ **Laura Griffin**

La détective privée Alexandra Lovell sait manier les logiciels et effacer la trace des gens, afin qu'ils recommencent leur vie en sûreté. Battue par son mari, Melanie Bess était une de ses clientes. Lorsque cette femme se volatilise littéralement, Alexandra va mettre tout en œuvre pour la retrouver. Aidée de son ténébreux coéquipier, la détective devra faire vite si elle ne veut pas disparaître à son tour.

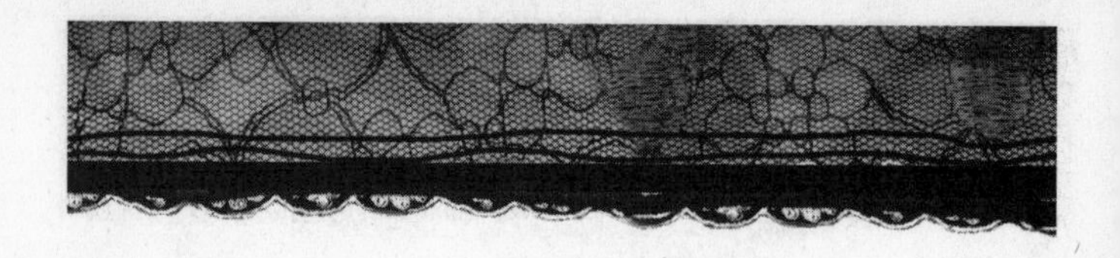

Le 15 février

Passion intense

Des romans légers et coquins

Inédit **Les frères McCloud - 1 -**

Derrière les portes closes ☙ **Lisa Marie Rice**

Expert en surveillance, Seth Mackey espionne la vie du millionnaire Victor Lazar et de ses innombrables maitresses. La dernière en date est d'ailleurs très différente. Raine Cameron est belle, vulnérable, innocente. Nuit après nuit, au fur et à mesure qu'il l'observe sur ses écrans vidéo, Seth sent s'éveiller en lui une ardente passion. Mais il ne peut se permettre la moindre erreur. Seth en est persuadé, Lazar a tué son demi-frère. Il lui faut donc mener l'enquête dans le plus grand secret car sa vie est en jeu. Et pas seulement la sienne...

Désir brûlant ☙ **Nicole Jordan**

Presque toutes les nuits, Raven Kendrick fait un rêve... un rêve érotique dans lequel elle est sur une plage exotique avec l'amant de ses rêves.

Raven débarque à Londres où elle doit épouser un illustre duc. Le jour de son mariage, elle est mystérieusement enlevée. Le frère de son ravisseur, Kell Lasseter, vole à son secours. Et, pour réparer les torts causés par son frère, il la demande en mariage. Raven accepte car seule cette union arrangée pourrait sauver sa réputation, mais un ardent désir va les unir malgré eux... D'autant que Kell ressemble intensément à l'amant torride qui hante les nuits de Raven...

Le 1er février

CRÉPUSCULE

Inédit **_L'exécutrice - 4 -_**
L'Orchidée et l'Araignée ☙ **Jennifer Estep**
Me voilà, Gin Blanco, redoutable tueuse à gages connue sous le nom de l'Araignée. J'ai une cible bien précise : Mab Monroe, une élémentale de Feu. Cette dernière a engagé l'un des assassins les plus dangereux pour me piéger. Elektra LaFleur, habile et efficace, détentrice d'une magie élémentale mortelle, aussi puissante que mes propres pouvoirs. Ce qui signifie donc qu'une seule de nous deux restera en vie... Et Elektra a une deuxième mission : tuer ma petite sœur, l'inspectrice Bria Coolidge. Gros problème : Bria n'a aucune idée que je suis sa sœur... ou plutôt le meurtrier qu'elle traque depuis des semaines. Or, ce que Bria ne sait pas pourrait faire bien des victimes...

Et toujours la reine du roman sentimental :

Barbara Cartland

« Les romans de Barbara Cartland nous transportent dans un monde passé, mais si proche de nous en ce qui concerne les sentiments. L'amour y est un protagoniste à part entière : un amour parfois contrarié, qui souvent arrive de façon imprévue.
Grâce à son style, Barbara Cartland nous apprend que les rêves peuvent toujours se réaliser et qu'il ne faut jamais désespérer. »

Angela Fracchiolla, lectrice, Italie

Le 1er février
Une trop jolie écossaise

Le 15 février
Qui êtes-vous, Alexander ?

9826

Composition
FACOMPO

Achevé d'imprimer en Slovaquie
par Novoprint SLK
le 6 décembre 2011.

Dépôt légal : décembre 2011.
EAN 9782290038260

ÉDITIONS J'AI LU
87, quai Panhard-et-Levassor, 75013 Paris

Diffusion France et étranger : Flammarion